Читайте романы
примадонны иронического детектива
Дарьи Донцовой

Сериал «Любительница частного сыска Даша Васильева»:

1. Крутые наследнички
2. За всеми зайцами
3. Дама с коготками
4. Дантисты тоже плачут
5. Эта горькая сладкая месть
6. Жена моего мужа
7. Несекретные материалы
8. Контрольный поцелуй
9. Бассейн с крокодилами
10. Спят усталые игрушки
11. Вынос дела
12. Хобби гадкого утенка
13. Домик тетушки лжи
14. Привидение в кроссовках
15. Улыбка 45-го калибра
16. Бенефис мартовской кошки
17. Полет над гнездом Индюшки
18. Уха из золотой рыбки
19. Жаба с кошельком
20. Гарпия с пропеллером
21. Доллары царя Гороха
22. Камин для Снегурочки
23. Экстрим на сером волке
24. Стилист для снежного человека
25. Компот из запретного плода
26. Небо в рублях
27. Досье на Крошку Че
28. Ромео с большой дороги
29. Лягушка Баскервилей
30. Личное дело Женщины-кошки
31. Метро до Африки
32. Фейсконтроль на главную роль
33. Третий глаз-алмаз
34. Легенда о трех мартышках
35. Темное прошлое Конька-Горбунка
36. Клетчатая зебра
37. Белый конь на принце
38. Любовница египетской мумии

Сериал «Евлампия Романова. Следствие ведет дилетант»:

1. Маникюр для покойника
2. Покер с акулой
3. Сволочь ненаглядная
4. Гадюка в сиропе
5. Обед у людоеда
6. Созвездие жадных псов
7. Канкан на поминках
8. Прогноз гадостей на завтра
9. Хождение под мухой
10. Фиговый листочек от кутюр
11. Камасутра для Микки-Мауса
12. Квазимодо на шпильках
13. Но-шпа на троих
14. Синий мопс счастья
15. Принцесса на Кириешках
16. Лампа разыскивает Алладина
17. Любовь-морковь и третий лишний
18. Безумная кепка Мономаха
19. Фигура легкого эпатажа
20. Бутик ежовых рукавиц
21. Золушка в шоколаде
22. Нежный супруг олигарха
23. Фанера Милосская
24. Фэн-шуй без тормозов
25. Шопинг в воздушном замке
26. Брачный контракт кентавра
27. Император деревни Гадюкино
28. Бабочка в гипсе
29. Ночная жизнь моей свекрови

Сериал «Виола Тараканова. В мире преступных страстей»:

1. Черт из табакерки
2. Три мешка хитростей
3. Чудовище без красавицы
4. Урожай ядовитых ягодок
5. Чудеса в кастрюльке
6. Скелет из пробирки
7. Микстура от косоглазия
8. Филе из Золотого Петушка
9. Главбух и полцарства в придачу
10. Концерт для Колобка с оркестром
11. Фокус-покус от Василисы Ужасной
12. Любимые забавы папы Карло
13. Муха в самолете
14. Кекс в большом городе
15. Билет на ковер–вертолет
16. Монстры из хорошей семьи
17. Каникулы в Простофилино
18. Зимнее лето весны
19. Хеппи–энд для Дездемоны
20. Стриптиз Жар–птицы
21. Муму с аквалангом
22. Горячая любовь снеговика
23. Человек–невидимка в стразах
24. Летучий самозванец
25. Фея с золотыми зубами

Сериал «Джентльмен сыска Иван Подушкин»:

1. Букет прекрасных дам
2. Бриллиант мутной воды
3. Инстинкт Бабы-Яги
4. 13 несчастий Геракла
5. Али-Баба и сорок разбойниц
6. Надувная женщина для Казановы
7. Тушканчик в бигудях
8. Рыбка по имени Зайка
9. Две невесты на одно место
10. Сафари на черепашку
11. Яблоко Монте–Кристо
12. Пикник на острове сокровищ
13. Мачо чужой мечты
14. Верхом на «Титанике»
15. Ангел на метле
16. Продюсер козьей морды

Сериал «Татьяна Сергеева. Детектив на диете»:

1. Старуха Кристи – отдыхает!
2. Диета для трех поросят
3. Инь, янь и всякая дрянь
4. Микроб без комплексов
5. Идеальное тело Пятачка
6. Дед Снегур и Морозочка
7. Золотое правило Трехпудовочки
8. Агент 013

А также:

Кулинарная книга лентяйки

Кулинарная книга лентяйки–2. Вкусное путешествие

Кулинарная книга лентяйки–3. Праздник по жизни

Простые и вкусные рецепты Дарьи Донцовой

Записки безумной оптимистки. Три года спустя. Автобиография

ГЛАВА 1

Все большие проблемы у человека начинаются после того, как он решил устранить маленькие.

Я со всего размаха треснула допотопный телевизор кулаком, экран мигнул, появилось изображение, зато пропал звук. Моя рука снова поднялась, и в этот трагический для «Рубина» момент дверь в комнату распахнулась. На пороге возникла соседка Нина и загундосила:

— Лампа, сделай одолжение, посмотри мое резюме!

Я не смогла сдержать раздражения и сердито сказала:

— Нина, это уже четвертый вариант, который ты мне притаскиваешь. В первом в графе «Опыт работы» указывалось: «Гуляла с тремя собаками во дворе, умею купать кошек». После того как я тебе напомнила, что ты ищешь место секретарши, ты переделала анкету, но на вопрос «Год рождения» ответила: «Выгляжу на двадцать». Мне удалось убедить тебя переписать резюме и честно указать дату рождения, но тогда случилась беда с графой «Почему вы решили обратиться в нашу фирму?». Какого черта ты сообщила: «Я получила билетик от морской свинки, которая гадает у «Быстробургера», где говорилось: «Вас ждет успех в конторе, в наименовании которой есть три буквы «О». ООО «Лучший аудитор» точно подходит под это предсказание!»

Соседка умоляюще сложила руки:

— Лампочка, солнышко, ты умная, пишешь грамотно, столько мне хорошего насоветовала! Ну последний разок! Не бросай меня в беде! Я не способна анкету правильно заполнить! Возраст решила скрыть, боялась, что начальник выберет кого-то помоложе, но из меня получится хорошая секретарша, поверь, я классно варю кофе.

Я выдернула у нее листок.

— Ладно, давай! Так, ничего, молодец, ты учла прошлые ошибки, резюме нормально составлено. А это что?!

— Где? — засуетилась Нина. — Где?

Она достала из кармана ингалятор и пшикнула себе в рот.

— Ты заболела? — спросила я.

— Нервничаю постоянно, — призналась Нина. — В горле словно полено застряло, врач выписал мне ингалятор, там валерьянка и другие травы, здорово помогает. Пшик, и готово!

Мне стало жаль Силаеву: разве она виновата, что такой родилась? Нет, внешне Нина обычная женщина: глаза, нос, рот, как у всех. Единственный недостаток — родимое пятно за ухом, довольно большое, но соседка удачно маскирует этот дефект волосами, никогда не носит прическу «конский хвост», посторонний может заметить отметину только случайно. Фигура у Нины, несмотря на наличие двоих детей, — как у юной девушки, ни малейшего намека на «бублики» вокруг талии или на отвисший живот. Вот только с головой у нее происходят странности: порой Силаева демонстрирует чудеса сообразительности, а иногда ведет себя так, словно выпила за завтраком вместо кофе тормозную жидкость. Похоже, сегодня как раз такой день. Может, Нинино поведение зависит от фазы Луны? Где-то я читала, что даже огурцы вянут в полнолуние. Или на них плохо влияет новолуние? Ботаник из меня, как из холодильника грелка, лучше попытаюсь исправить резюме Силаевой.

Я указала пальцем нужную строчку:

— Вот! Читай вслух!

— Семейное положение, — робко начала Нина.

— Дальше, — потребовала я.

— Сыновья Игорь и Леня, Прасковья Никитична, кот Барон и две черепашки, — огласила список Силаева. — А что не так?

— Все, — процедила я, — подумай как следует, пошевели полушариями и сообразишь.

Нина наморщила лоб, сдвинула брови, нахмурилась, прикусила губу. Мне показалось, что я слышу, как в ее пустой голове со свистом носятся обрывки мыслей. Наконец лицо Силаевой просветлело, и она шумно выдохнула:

— Фу, поняла!

— Молодец! — одобрила я. — И какой вывод?

— Следовало черепашек по именам назвать! — провозгласила соседка.

Как бы вы поступили на моем месте? Я медленно набрала воздух в легкие, повторяя про себя: «Лампа, спокойно, Нина над тобой не издевается, она действительно дура. Не нервничай, не кричи, не топай ногами, объясни ей: в графе «Семейное положение» нужно указать «не замужем», сведения о детях перенести в другое место, а про Прасковью Никитичну, кота Барона и двух черепашек лучше вовсе не упоминать.

Однако произнести пространную речь мне не удалось.

Нина собрала со стола бумаги.

— Пора одеваться.

— Куда ты торопишься? — проявила я неуместное любопытство.

— В Истру, — пояснила Нина. — Побегу на электричку, я подрядилась там у одной бабы коттедж помыть. Лампа! Это кто? Ты?

Я перевела взгляд на комод и вздрогнула. Там среди прочих фотографий в рамках стоял большой снимок, на котором я была запечатлена в замечательной компании: справа от меня стоял президент России, слева — министр МВД. Композицию украшала надпись: «Дорогая, твои советы для нас бесценны».

— Ну, Макс, погоди!

— Вот это да! — обалдело сказала Нина. — У тебя такие связи? Небось легко можешь позвонить им по личным мобилам! Ух!

Я быстро подошла к комоду и перевернула снимок изображением вниз. Естественно, я никогда не встречалась с сильными мира сего. Фото — очередной прикол моего близкого приятеля Макса Вульфа. Вчера он сюда заявился, а перед отъездом тайком от меня установил фотку. Я сразу ее не заметила, разумеется, но сейчас, обнаружив снимок, ничего не скажу Максу, пусть думает, что шутка не удалась. А вот Нина потрясена. Ну нельзя же быть такой дурой! Неужели подруга президента станет снимать комнатки в Брехалове? Небось глава государства найдет приятельнице уголок в одной из своих резиденций.

Макс мог быть доволен произведенным эффектом: Силаева выбита из седла, она уходит из моей комнаты, бормоча себе под нос:

— Ну и дела! Сам президент! И министр всех ментов! Я видела его на днях по телику! О!

Я посмотрела Нине вслед. Наверное, следовало рассказать ей о пристрастиях Макса .

Исправив анкету соседки, я некоторое время читала новую книгу Татьяны Поляковой. Вдруг на голову что-то капнуло — раз, другой, третий. Из коридора раздался вопль бабы Нилы:

— Люди! Бегите за тазами! У Коляна опять ракета на взлете треснула!

Я ахнула и ринулась в коридор, за мной, отчаянно лая, кинулись Рейчел, Рамик и стадо мопсов. Баба Нила продолжала вопить сиреной с высоты второго этажа:

— Томас! Хватай ведро! Потоп! Томас!

Американец высунулся из кухни:

— Хай, Лампа, прости, я без порток.

— Ща будет тебе полный хай, — запыхавшись, пообещала я. — Дуй в свою комнату, у Рублева снова ракета взорвалась.

— Вау! — оживился Томас. — Очень кстати, у меня сегодня небольшой сейшен, придут приятели на ланч. Повезло, не надо покупать виски!

Страшно довольный американец сцапал с плиты мою эмалированную кастрюлю, вытряхнул из нее отварной картофель и убежал. Я слетала в ванную, запаслась ведром и тряпкой, примчалась назад на свою территорию, оставила негодующих псов в коридоре и начала споро собирать с пола лужи... самогона. Да-да, вы не ослышались: с потолка дождем лилась «огненная вода».

Думаю, настал момент объяснить, коим образом я, Лампа Романова, хозяйка загородного дома в Мопсине, очутилась в поселке с лирическим названием «Брехалово» в компании Силаевой, Томаса и семейства Рублевых, глава которого сейчас, если не принять надлежащих мер, утопит нас в самогоне.

Большие проблемы у человека возникают после того, как он решил устранить маленькие. Я недаром повторяю эту фразу: запомните ее, пожалуйста, и учитесь на моих ошибках.

В начале декабря я внезапно обнаружила, что батарея в моей спальне не горячая, а теплая. Сейчас, в феврале, оглядываясь назад, мне остается лишь удивляться: ну зачем мне понадобился кипяток в трубах? Я плохо переношу духоту и даже зимой сплю с открытым окном, Юлечка с Сережкой любят, когда в доме прохладно, Лизе и Кирюше, как всем подросткам, постоянно жарко. Мне следовало спокойно заниматься своими делами и забыть про батареи. Ан нет! Я засуетилась и вызвала специалистов.

В контору по ремонту я позвонила во вторник, в десять утра. В полдень в Мопсино уже примчался старенький микроавтобус с двумя мужиками. Но я не насторожилась, не спросила себя: а почему бригада столь спешно явилась по вызову? Как правило, услышав просьбу об устранении поломки, ремонтники начинают мямлить, говорить загадочные фразы вроде: «Сейчас в наличии нет масляного тумблера, а железобетонной прокладкой его не заменить, девушка, можем выполнить ваш заказ в конце мая, ну и подумаешь, что сейчас декабрь и в доме холодно, купите обогреватель, оденьтесь потеплее, пейте чай и перезимуете спокойно». А тут слесари возникли сразу, да еще притащили гору инструментов. Диагноз нашим трубам они тоже поставили в два счета: в них образовалась воздушно-газово-масляная пробка[1].

---

[1] Лампу обманывают. *(Прим. автора.)*

— Неприятность устранима? — осторожно спросила я.

— Система отопления неправильно собрана, — прогудел один работяга.

— Руки таким Самоделкиным надо оторвать, — возмущался второй, — цапель закольцевал с бумпелем.

— Кортель навертел на шпандрух, а сверху залил обезьяньей смолой, — возмутился первый. — Где взяли такого ловкача? Зачем доверили ему столь ответственное дело, как обогрев контура?

Как правило, услышав непонятные слова, я теряюсь, и этот раз не стал исключением. Я сообразила, что цапель, бумпель, кортель и шпандрух — это, вероятно, некие гайки, винтики и гвоздики. Но заявление про обезьянью смолу окончательно меня деморализовало. Что имеют в виду ремонтники? Липкую жидкость, производимую самими мартышками, или субстанцию, которой их приклеивают ко дну клетки?

— Короче, хозяйка, — рубанул рукой воздух второй сантехник. — Я — Олег Ефимович, он — Валера. Беремся. Потребуется неделя для полной переделки.

— Можно и за четыре дня справиться, — задумчиво протянул Валерий, — но из-за фифтеля с левой резьбой дело застопорится.

— К завтрему успеете съехать? — деловито осведомился Олег Ефимович.

— Куда и зачем? — не поняла я.

Валерий снисходительно улыбнулся:

— Ох, бабы! Думаете, это все равно что картошку почистить? Работа деликатная, тонкая, творческая.

— Шумная и грязная, — перебил товарища

Олег Ефимович. — Разберем систему, наступит холод, вы все заболеете.

— Мешаться под ногами будете, — запыхтел Валерий, — че, неужели ни родственников, ни знакомых нет, которые вас на недельку приютили бы?

Я задумалась. Приятелей у меня, конечно, много. А теперь представьте, что вам звонит подруга и щебечет:

— Пожалуйста, пригрей ненадолго меня, стаффордшириху Рейчел, двортерьера Рамика и мопсов Мулю, Феню, Аду, Капу. Мы постараемся через неделю вернуться в родные пенаты.

Я отлично понимала, что услышу в ответ жалобное лепетание про внезапно приехавших родственников или сбивчивый рассказ про грипп, который именно сейчас свалил с ног подружку. И поэтому решила никого не обременять, а снять на неделю номер в гостинице. Я была настолько наивна, что велела Валерию и Олегу Ефимовичу начинать глобальные ремонтные работы в понедельник, выдала им деньги на материал, пятидесятипроцентную предоплату и отправилась обзванивать отели.

Через пару часов мне стало ясно: в гостинице меня примут с удовольствием, а вот собак придется бросить на подъезде к временному жилищу. Ну в самом крайнем случае меня потерпят с одним мопсом, при условии, что он будет пронесен контрабандой в номер в наглухо закрытой сумке, не станет ходить по коврам, не ступит на кафель в ванной, не ляжет на кровать, не вспрыгнет в кресло и не залает. Короче говоря, вместо домашних животных в отелях предпочитают чучела: с ними точно никаких проблем не возникает — поставил на комод и живи спокойно.

Отказавшись от идеи перекантоваться даже в затрапезном мотеле, я решила снять квартиру и вновь столкнулась с проблемами. Мне сразу говорили «Нет», едва услышав фразу: «Всего на недельку», а в отношении собак были еще категоричнее служащих гостиниц: хозяев устраивали даже не чучела, а только картинки или фото с изображением щеночков.

Почти впав в отчаяние, я позвонила по объявлению «Роскошные спальни за почасовую оплату» и, не надеясь на удачу, робко спросила:

— А с компанией можно?

— Конечно, — ответил мужской голос. — Сколько вас?

— Семеро, — осторожно сообщила я.

— Могу предложить королевские апартаменты, — оживился администратор, — очень просторные и комфортные.

— А если я займу их на неделю? — продолжала я окучивать грядку.

— Любой каприз за вашу почасовую оплату, — заявил парень. — Бронируете номер?

— Видите ли, — почти шепотом призналась я, — из семерых гостей шестеро — собаки.

— Прекрасно, — не испугался портье, — у нас и с обезьянами приходят, и с плюшевыми игрушками, и вообще, кто с чем и с кем хочет.

— Вот счастье-то! — воскликнула я.

— Рады служить и исполнять любые нетрадиционные желания клиентов, — заверил служащий.

И только тут до меня дошло, для каких целей снимают номера с той самой почасовой оплатой, о которой говорил администратор. Решив, что мне наплевать на имидж зоофилки, я хотела уже спросить адрес райского местечка, но тут парень проявил любопытство:

— А порода у ваших товарищей какая?

— Мопсы, — сообщила я, — маленькие такие. Еще дворняжка и стафф.

Если честно, то я немного приврала: наша мопсиха Феня весит шестнадцать кило, за что и получила дома кличку «Феня — дочь оленя» и «Феня полтюленя», а Капа разъелась до состояния поросенка крупного размера.

— Стафф — это стаффордширский терьер? — насторожился портье.

— Да, — неохотно подтвердила я. — Рейчел — интеллигентная девочка, ласковая, тихая, просто бабочка.

— Исключено! — отрезал администратор. — Пес-убийца сожрет всех наших клиентов. Нет, и точка! Даже за почасовую оплату.

В ухо полетели частые гудки, я поглядела на лучезарно улыбающуюся Рейчел и сказала:

— С тобой даже в бордель не пускают! Вот уж унижение!

Рейчуха тихо гавкнула и отвернулась, а я, чуть не зарыдав от злости, позвонила Олегу Ефимовичу и мрачно заявила:

— Ремонт временно отменяется.

— Ни фига подобного! — заорал мастер. — Мы уже детали купили, морально подготовились, родных предупредили, скандал от своих змеюк выдержали: они не любят, когда мужья на заказе ночуют.

— Мне некуда уехать, — призналась я.

— Ох, бабы, — простонал слесарь, — никакой от вас пользы, кроме неприятностей. Погоди слезы лить, сейчас все улажу.

Через четверть часа Олег Ефимович перезвонил и бодро сообщил:

— Нашел хату, лучше не бывает. Деревня Брехалово, от тебя недалеко, дом двухэтажный. Наверху — хозяин с семьей. Звать его Колян, фамилия Рублев, человек он тихий, непьющий, не курящий, живет с женой и тещей. Он тебе внизу комнаты предоставит. Идет?

— Рублев пригреет стаю собак? — не веря своему счастью, поинтересовалась я.

— Колян животных любит, — заверил Олег Ефимович. — Если на работе припозднишься, он собачат во двор гулять выгонит. Жена у него добрая, а бабке по барабану, кто внизу устроился. Пакуй чемоданы.

Горячо поблагодарив заботливого сантехника, я на следующий день приехала в Брехалово и поняла, что всякая сказка отличается от реальности, как шоколадка от воблы.

Олег Ефимович забыл упомянуть, что на первом этаже шесть комнат. Две из них отдали мне. Но остальные тоже не пустовали: в трех жила Нина Силаева с детьми и престарелой бабкой по имени Прасковья Никитична, а в угловом кабинете обитал американец Томас, студент и волонтер общества «Гринпис». Короче, временное жилье напоминало «Воронью слободку», с одним принципиальным отличием: ни Рублевы, ни Силаевы, ни Томас не проявляли ни малейшей агрессии. Нина исправно варила многолитровые кастрюли борща и потчевала им всех обитателей, Томас покупал чипсы, орешки, конфеты, гамбургеры, булочки и радушно выставлял их на общий стол. В туалет и ванную можно было заруливать когда угодно, а наших собак приняли с восторгом.

Через пять дней я заметила, что спина у Рейчел напоминает по ширине взлетную полосу аэродрома, а мопсы и Рамик демонстративно воротят носы от дорогого сухого корма. Небольшое расследование открыло истину: Нина наливает собакам суп с мясом, Томас щедрой рукой засыпает в разверстые пасти сухари с маком, а у бабы Нилы, матери хозяина, в процессе выпекания блинчиков или жарки котлет нет-нет да и упадут на пол вкусные кусочки. На мое категорическое требование прекратить баловать псов Томас ответил:

— Взгляд их очей роняет стрелу в мой сердце.

Американец учил русский язык в колледже города Бостона, поэтому иногда он выражается витиевато, но понять его можно.

— Выдерни из сердца стрелу и не смотри в собачьи очи, — распорядилась я.

— Могу сделать олимпийскую попытку, но нет возможности пообещать точное выполнение указа, — выдал Томас.

Нина была солидарна с американцем.

— Я ж не каменная, — оправдывалась она, — собаченьки сядут у ног и сверлят меня глазами, моргают, всхлипывают, плачут, слезы слизывают и прям говорят: «Ниночка, хоть капелюшечку плесни». Вот рука сама и тянется к половнику. И какой вред от борщика? Там мясо, овощи, зелень, сметанка, чуток гречки для густоты, сплошная польза.

— Не знала, что мопсы научились разговаривать, — вздохнула я. — Имей в виду, собакам вредна человеческая пища.

— Этта придумали уроды, которые корм производят, — высказалась баба Нила. — Чегой-то для людей таких консервов не наизобретали, а?

Коли нормальная жрачка дерьмо, за фигом мы ее хаваем? Подавай народу комбикорм в банках!

— Вы уж не ругайтесь при Лампе! — Нина дернула старуху за халат.

— Я че, сматерилась? — всплеснула руками бабка. — Извините, это от усталости, само вылетело.

— «Дерьмо» — литературное слово, — поспешила я успокоить Нину. — Не терроризируй бабушку, пусть говорит, как хочет.

На том и порешили. Жизнь моя потекла тихо. Хозяева, Колян, Валя и скорая на язык баба Нила оказались не сварливы. Валентина — очаровательная, тихая женщина. На вопрос: «Можно взять из сарая дрель и повесить в одной из комнат картину?» — она чуть испуганно ответила:

— Лампуня, делай что хочешь, лишь бы тебе удобно было.

Баба Нила хлопотала по хозяйству, Томас либо работал, либо гулял с приятелями. Прасковья Никитична, вежливо поздоровавшись утром, к обеду напрочь забывала, кто я такая, и, увидев меня вечером во дворе, мирно осведомлялась:

— Ты почтальон?

Я терпеливо отвечала:

— Нет, живу на первом этаже.

— Господь с тобой, деточка, — радовалась бабулька, — плохо служить на почте, сумка с газетами тяжелая, а денег платят мало. Вот бухгалтер много зарабатывает. Учись!

Проблему представлял лишь сам Колян Рублев. Дело в том, что он страстно жаждал разбогатеть и выбирал для осуществления этой мечты весьма необычные способы.

ГЛАВА 2

В голове у Николая роилась масса идей. В данный момент хозяин пытался наладить домашний спиртозаводик. Видели когда-нибудь в газетах рекламные объявления типа: «Купите у нас оборудование для мини-хлебопекарни всего за тысячу долларов, а потом сможете продавать хлеб и булки всем желающим. Никаких хлопот, дополнительных вложений, стопроцентная прибыль, через неделю станете богатым»? У меня при виде такой рекламы постоянно возникал вопрос: ну кто из здравомыслящих людей согласится превратить квартиру в цех по производству плюшек, оранжерею по выращиванию вешенок, колбасный мини-комбинат или завод по изготовлению кирпичей? И вот дождалась ответа — Николай Рублев.

Колян обзавелся спиртозаводиком, на мой взгляд, до боли похожим на вульгарный самогонный аппарат, и начал процесс перегонки. От обычного бачка со змеевиком и трубками спиртогонный автомат отличало непонятное приспособление, по форме напоминавшее ракету. Оно было размером и толщиной с меня. В инструкции, приложенной к «заводу», эта штукенция именовалась: «Диффузный очиститель с элементами парогенераторной тяги для адсорбации химических тяжелых остатков эфирных масел на уровне радиоактивных отходов». Вдумываться в смысл не стоило, его не понять, похоже, даже автору сего документа. «Ракета» исправно гудела, щелкала, чихала, а неделю назад она неожиданно зашипела, и из нее начал хлестать самогон. Вот тогда-то нас затопило в первый раз. Сегодня, похоже, случилась вторая авария, которая привела в восторг Томаса, ожидавшего очередных гостей. Ну что может быть приятней, чем дармовая выпивка, льющаяся с потолка? Это почти сбывшаяся русская народная мечта, которая оказалась близкой и американцу: вот бы еще с люстры падала селедочка с отварной картошкой, и наступило бы полнейшее счастье.

У меня очередной потоп не вызвал положительных эмоций, я быстро орудовала тряпкой, слушая, как из коридора доносится бодрый бас бабы Нилы:

— Ща растолку пюре, мы его на закусь пустим!

Почему я, рассчитывавшая не позднее середины декабря вернуться в Мопсино, до сих пор живу в Брехалове и куда подевались Катюша, Серега, Юлечка, Кирюшка, Лиза и Костин? Отвечу по порядку.

Олег Ефимович и Валера разобрали все трубы и столкнулись с большими трудностями при сборке системы. Я очень надеюсь, что к весне, когда из Англии вернутся дети, в батареях вновь появится тепло. В этом году Лизавете и Кириллу предстоит поступать в институт. Поскольку никакими особыми талантами они не блещут, на семейном совете было решено, что дети поступят в вуз, где изучают иностранные языки. Одна беда: английский у ребят хромал на обе ноги, и тогда Юлечка придумала оригинальный выход. Мы забрали их из обычной школы, перевели на экстернатное обучение и отправили в Лондон. С октября по март Кирик с Лизаветой изучают курс наук в местном лицее и живут в общежитии. Денег пришлось отдать немало, но необходимость изъясняться исключительно на языке Шекспира уже дала свои плоды. К тому же Лизавета обитает в женском, а Кирюшка в мужском корпусе, они не пересекаются ни во время занятий, ни в минуты редкого досуга. Интернет и мобильные телефоны в лицее запрещены, подъем в шесть утра, затем, независимо от погоды, зарядка на воздухе, завтрак, уроки до пятнадцати часов, обед, затем спорт. Англичане — фанаты поло, крикета, различных эстафет, кросса по лесу. В семнадцать, естественно, чай, и до двадцати корпение над домашними заданиями. В девять отбой. Домой разрешено написать одно письмо в месяц. В первом, которое я получила от Кирюшки, была фраза: «Я здесь умру», но уже вторая весточка оказалась более веселой.

Катюша в конце ноября улетела на три месяца в Таиланд в составе делегации «Врачи без границ». Десант медиков будет помогать тем, кто пострадал от цунами.

Сережа и Юлечка занимаются предвыборной кампанией одного чиновника и временно переместились в Омск.

Вовка Костин сейчас в Украине. Уж не знаю, по какой причине московские милицейские начальники и их коллеги из бывшей советской республики решили вдруг обмениваться опытом, но это факт! Костин укатил в Киев за день до того, как я пощупала батареи. Спустя неделю я, собравшись с духом, позвонила Вовке и рассказала ему про цапель и обезьяню смолу. В ответ раздалось невразумительное бормотание, из которого мне с трудом стало понятно: в Киеве Володя встретил огромное количество приятелей. С одними он когда-то учился на юридическом факультете, с другими общался по работе. Местная горилка с перцем — волшебный напиток, жареная свининка — роскошная закуска, и вообще: «Лампа, я сплю, у меня от перемены погоды с момента приезда в Киев каждое утро болит голова». Следующие мои попытки связаться с Костиным оказались обречены на провал, на звонок из Москвы постоянно отвечали разные мужские голоса и, слегка запинаясь, сообщали:

— Владимир находится на задании, производит оперативно-разыскные мероприятия.

Я бы, может, и поверила украинским борцам с преступностью, но фоном беседы, как правило, служило звяканье, бульканье и крики: «Эй, потише, Вовке из Москвы баба звонит!»

В Подмосковье остались только я и собаки. Конечно, все члены семьи знают о неприятности с отоплением, но принять личное участие в устранении неполадок не могут. На трудовые подвиги Олега Ефимовича и Валеру вдохновляю я, и, должна сказать, дело это нелегкое. Первый сантехник часто впадает в депрессию, а второй вечно всем недоволен и злится на весь окружающий мир.

Что будет, если Олег Ефимович и Валера не успеют скрепить пумпель с хренделем до лета, лучше не думать. Впрочем, не стоит размышлять на тему, где поселятся в случае затянувшегося ремонта все члены семьи, вернувшиеся из своих поездок. Думаю, проблемы лучше решать по мере их возникновения. Вот сейчас мне нужно спешно собрать с пола самогонку и позвонить Максу: он обещал познакомить меня с неким Аликом, который ищет сотрудницу для своей фирмы.

В свое время, отправляя меня в санаторий, никто из домашних не мог представить, что там я познакомлюсь с Максимом[1]. Сначала Макс не

---

[1] О начале романа между Максимом Вульфом и Евлампией рассказано в книге Д. Донцовой «Император деревни Гадюкино», издательство «Эксмо».

произвел на меня приятного впечатления. Его манера постоянно разыгрывать людей раздражала, но потом я привыкла к идиотским шуточкам и поняла, что он совсем не глуп. Уже вернувшись в Москву, я узнала, что Максим владеет крупным предприятием, ищет сотрудницу, способную заниматься детективными расследованиями, и... не пошла к нему работать, несмотря на огромный оклад. Почему? Наши отношения из дружеских плавно перетекали в нечто большее, а крутить роман с боссом противоречит моим принципам. Макс, правда, часто повторяет:

— Ничего, тебе скоро надоест обивать пороги в поисках службы, вот тогда и вспомнишь, что в фирме «Вульф и нерожденные сыновья» мисс Романову ждут с хлебом-солью.

Но я не сдавалась, хотя менеджеры по персоналу, увидев мой диплом, полученный в консерватории, удивленно вскидывали брови и непрофессионально вопрошали:

— Вы арфистка? И хотите работать детективом? Извините, место уже занято.

Узнав, что мне в очередной раз указали на дверь и велели плотно закрыть ее с другой стороны, Макс бурно радовался. В конце концов я решительно заявила:

— Даже если обойду все конторы и везде услышу категоричное «нет», не рассчитывай, что я соглашусь на нашу совместную деятельность.

— Но почему? — подпрыгнул Макс. — Если тебя не устраивает оклад, я повышу его вдвое, нет, втрое, впрочем, лучше впятеро!

— Ты сейчас сам ответил на свой вопрос, — разозлилась я. — Как будут относиться ко мне коллеги, узнав, сколько получает подружка хозяина? Ну уж нет! Не удастся найти работу по вкусу — пойду в магазин музыкальных инструментов арфами торговать!

Макс ничего не ответил, но вчера вечером сообщил мне:

— Записывай телефон, парня зовут Алик. Звякни ему завтра в полдень. Думаю, он тебя возьмет, вот только звони ровно в двенадцать ноль-ноль, Алик жутко пунктуален, обожает говорить: «Если на циферблате существует минутная стрелка, значит, нужно о ней помнить. Пять часов — это пять часов, а четверть шестого — это уже четверть шестого».

Я отнесла тряпку с ведром в ванную, тщательно ополоснула руки, вернулась на свою территорию, глянула на ходики на стене, с радостью отметила, что до полудня еще есть время, и начала искать свой мобильный. Обычного телефона в Брехалове нет, но при наличии сотового он и не нужен.

Аппарат обнаружился сразу — он лежал в кресле. Я взяла его, попыталась набрать номер Макса и поняла: трубка молчит, как мертвая. В растерянности я опустилась в кресло и тут же вскочила: сиденье было насквозь пропитано самогонкой. Ясно, отчего мой телефон скончался, — он утонул в домашней водке.

В дверь тихонько поскреблись.

— Войдите! — крикнула я.

В комнату боком прошмыгнула Валечка:

— Лампуся, прости, у тебя все нормально? Помочь убрать? Извини, Коля не хотел, похоже, ему всучили дефектный спиртзавод.

— Забудь, — отмахнулась я, — все в порядке, собаки тусят на кухне, там сухо, пол в комнатах я уже вытерла, вот только кресло похоже на водочный компресс.

— Сейчас вытащу его в сарай, — пообещала Валентина.

— Не морочь себе голову, — остановила я хозяйку. — Спиртное быстро испарится. Одна беда: телефон не работает, а мне необходимо в полдень сделать звонок.

— Ой-ой, как неладно получается! — всполошилась Валечка. — Погоди, у меня есть старая мобила с симкой. Не помню, какой тариф, я ею пару месяцев не пользовалась, но вроде там положительный баланс.

— Неси, — распорядилась я, — мне всего разок звякнуть, потом деньги отдам.

— Даже не думай! — замахала руками Валечка. — Твой сотовый погиб по Колиной вине. Наоборот, это мы обязаны купить тебе новую трубку.

— Давай считать произошедшее стихийным бедствием, — предложила я. — Допустим, на Брехалово налетел торнадо, а сейчас неси побыстрей мобилу и не забудь зарядку.

Через двадцать минут я соединилась с Максом, потом с Аликом, договорилась с последним о встрече и положила «раскладушку» на стол. Все-таки я удивительно везучий человек. Не успела я расстроиться из-за преждевременной кончины сотового, как Валечка вручила мне другой аппарат, в котором по счастливой случайности была симка. И как хорошо, что у меня сохранилась — не поверите! — бумажная телефонная книжка. Для многих людей лишиться мобильного означает потерять все контакты. Но я преспокойно перепишу в новую трубку необходимую информацию. Сколько ни твердите об удобстве электронных носителей, банальная записная книжка намного лучше: она лежит в шкафу или в сумке, кушать не просит, от обстоятельств не зависит. Как вы будете пользоваться сотовым, если батарейка разрядится, а под рукой не окажется зарядки? Как войдете в Интернет, если отрубится электричество? А вот вытащить с полки потрепанную книжечку просто, ее содержимое можно разглядеть при робком огоньке свечи или при свете луны.

Внезапно «раскладушка» затрезвонила, я машинально открыла ее и сказала:

— Алло.

— Привет, — прозвучало из трубки, — спишь спокойно? Засадила Филиппа Медведева пожизненно и счастлива? Говорили тебе: он не виноват, ты отправила за решетку не того человека.

Я справилась с удивлением и сказала:

— Простите, вы ошиблись номером.

— Да ну? — ехидно вопросил голос. — Разве ты не Валентина Николаевна Рублева?

— Номер принадлежит ей, — начала я, — но ..

— Не выдрючивайся, — оборвал меня незнакомец, — я в курсе этих ментовских штучек. Хочешь проследить звонок? Ну-ну! Ничего не выйдет. Короче, улица Фастова, дом двенадцать. Труп на тротуаре. Проверь. Там же в булочной работает Зинаида, подойдешь к ней, получишь мобильник. Я тебе позвоню. Снайпер на свободе, он взялся за старое, а виновата во всем ты, на твоей совести нынешняя и остальные жертвы. Медведев ни при чем.

— Подождите, сейчас Валю позову! — заорала я. Дошло, что называется, до жирафа: человек звонит Рублевой, он же не знает, что Валентина больше не пользуется этим номером.

Из трубки полетели гудки, я сунула телефон в карман и поспешила на второй этаж.

Валюша собирала в пластиковый мешок останки «ракеты».

— Оставь мобильник себе, — распорядилась она, увидев меня, — пользуйся им на здоровье.

— Ерунда получилась, — промямлила я, — позвонил кто-то и понес чушь.

По мере того как я выкладывала содержание разговора, лицо Валечки вытягивалось.

— Филипп Медведев? — переспросила она.

— Да, — кивнула я.

— Снайпер вышел на охоту? — прошептала Рублева, хватаясь за стену.

— Он так сказал, — осторожно подтвердила я.

— Звонил мужчина? — встрепенулась Валя.

Я растерялась:

— Не знаю. Похоже, звук исказили, пол говорившего трудно определить.

— Но ты произнесла: «Он сказал», — напомнила Рублева.

— Просто так выразилась, — уточнила я. — Может, на том конце провода находилась женщина или вообще ребенок. Не волнуйся, наверное, кто-то глупо пошутил. Сколько времени ты не включала телефон?

— С начала зимы, — чуть слышно ответила Валечка. — Я купила другой номер и аппарат сменила. Мне ведь иногда с прежней работы звонили. Я не хотела общаться с бывшими коллегами, вычеркнула прошлое из своей жизни, а оно назад стучится.

Валентина села на диван и замерла, уставившись на пакет с мусором.

— Брось! — Я попыталась привести ее в чувство. — У каждого человека найдутся недоброжелатели, которые хотят испортить настроение, а еще существуют кретины, обожающие тупые шуточки. Иногда они звонят по первому попавшемуся номеру и заявляют: «Твоя квартира горит!» Многие нервные люди верят хулиганам и бросаются домой. Давай помогу тебе собрать руины спиртогонного агрегата.

— Сядь, — попросила Валечка, — мне надо с кем-нибудь посоветоваться. Подруг не имею, раньше на такой службе была, где откровенность с кем бы то ни было не приветствовалась. Коля замечательный муж, но он меня не поймет, бабушка тоже ничего разумного не скажет. Хотя, извини, не стану тебя грузить.

— У меня много свободного времени, — улыбнулась я, — и я профессионально раздаю хорошие советы. Кроме того, не первый год служу частным детективом и умею держать язык за зубами.

— Ты из ментов? — отпрянула Валя.

— Нет, — поспешила я ее успокоить, — я любитель на ниве сыска. Как-нибудь расскажу тебе свою биографию. Сейчас я не у дел, ищу работу. Вываливай про твои неприятности, может, они совсем не такие глобальные, какими тебе кажутся.

Валентина прикрыла глаза ладонью:

— Слушай.

ГЛАВА 3

Пару лет назад в Москве объявился снайпер. Стрелял он с крыш по прохожим. Первой его жертвой стал Никита Фомин, пятидесяти лет, служивший курьером в интернет-фирме. Жизнь Фомина не задалась, он не получил высшего образования, не нашел достойной работы, не заработал ни денег, ни уважения. Несмотря на то что Фомин не пил, не курил, не гулял, от него ушли две жены. Лаборант в НИИ, санитар в морге, работник крематория, дворник и, наконец, курьер — вот вся карьера Фомина. Поскольку и соседи, и приятели, и коллеги говорили о Никите исключительно хорошо, у следователя сложилось впечатление, что он случайная жертва. Киллер мог промахнуться или перепутать объект. Вообще-то с профессионалами подобная петрушка не случается, на то они и профи, но, согласитесь, и на старуху бывает проруха.

О Никите никто не сказал дурного слова, ему в укор ставили лишь патологическую лень. Больше всего на свете покойный любил лежать на диване и щелкать пультом телевизора. Бизнеса Фомин не имел, бывшие жены были на него не в обиде, обе давно удачно вышли замуж и забыли о Никите. Курьер жил в скромной «однушке», карьеры делать не собирался, никого не подсиживал, в долг не брал, вредных привычек, вроде любви к наркотикам, не имел, по бабам не таскался, особой красотой, хоть и сохранил к своим годам черные кудри, не отличался. Ну и кому могла помешать такая личность?

Через неделю на противоположном конце Москвы подстрелили Ивана Сергеевича Агатова. Впрочем, по отчеству двадцатилетнего парня до момента его убийства никто не называл. Ваня учился в институте и ничем не выделялся среди общей массы студентов, любил погулять, пропускал лекции, сессии сдавал на твердые троечки, задолженностей не имел. Парень не собирался делать научную карьеру, не рвался в аспирантуру, не подлизывался к преподавателям, и вообще, профессию финансиста его заставили выбрать родители-бухгалтеры. Агатова не сильно волновала учеба и не заботило будущее, он жил по принципу: есть деньжата — угощаю всех, нет — гуляю за чужой счет. Постоянной девушки Ваня не завел, самые длительные отношения, которые он завязал, продержались два месяца. Старшие Агатовы считали своего сына идеальным, преподаватели держали парня за лоботряса, приятели называли Ваню отличным мужиком, те, с кем он поссорился, твердили, что он глуп, а девушки, точно договорившись, повторяли одно и то же:

— С ним весело пару недель провести, но замуж за такого не пойдешь, балабол он и есть балабол.

Сотрудникам отдела убийств вновь пришлось признать: жертва — самый обычный гражданин. Иван Сергеевич не являлся членом криминальной группировки, никому не задолжал больших сумм, не занимался бизнесом, не спал с замужними тетками, не увлекался наркотиками, ну разве что курил изредка травку и, если шел в клуб, мог побаловаться таблеткой экстази. Останься Ваня жив, он бы повзрослел, устроился на работу и к сорока годам, потеряв основную массу рыжих волос, превратился бы в обрюзгшего женатика, порой изменяющего супруге, отца двоих детей, любителя посидеть с приятелями за бутылочкой пива и считающего пятницу большим праздником. Имя таким легион. За что его убивать?

Следствие вел Василий Сергеевич Белов. Его люди старательно пытались найти связь между Никитой Фоминым и Иваном Агатовым, но так и не обнаружили ни одной точки соприкосновения. Фомин жил на юго-западе Москвы, Агатов — в Куркине, они имели разный круг общения, не заглядывали в один ресторан, парикмахерскую, клуб, фитнес-центр. Агатов никогда ничего не заказывал в интернет-магазине, где работал курьером Фомин, они никогда не отдыхали на одном курорте. Ваня имел старенькие «Жигули», Никита передвигался на общественном транспорте. Агатов обожал шум, веселье, танцы-шманцы-обжиманцы, Фомин предпочитал после работы сидеть дома. Иван следил за модой, Никита донашивал старую одежду. У жертв даже в еде были полярные пристрастия: курьер придерживался вегетарианской диеты, у него пошаливала печень, а студент обожал сосиски, колбасу, котлеты и, в силу юного возраста, не думал о здоровье.

В конце концов Белов сдался и признал: Фомина никоим образом нельзя привязать к Агатову. Вероятно, снайпер не профессиональный киллер, а психически больной человек, который просто палит по всем без разбору. И тут подоспел результат баллистической экспертизы, который сильно озадачил Василия Сергеевича: пули, убившие Фомина и Агатова, были выпущены из разных снайперских винтовок. Следовательно, либо стрелок по непонятной причине менял оружие, либо психов двое. Ни о какой серии речи нет, дела объединять нельзя.

Сотрудники правоохранительных органов знают, что вычислить преступника, который убил человека без всякой причины, лишь потому, что тот очутился в плохом месте в неурочный час, очень сложно. Шел себе парень по улице, вдруг из подворотни выскочил мужчина, ударил его ножом и удрал. Некий психопат столкнул девушку с платформы под поезд в метро. Из проезжавшей иномарки выстрелили в пожилую даму, идущую по тротуару. Белов мог назвать не одно подобное дело, все они тихо превратились в «висяки» и умерли в архивах. Василий Сергеевич подозревал, что стрелков будет непросто обнаружить, а еще ему предстояло скрыть эту информацию от журналистов. Представьте, какая паника поднимется в столице, если «Желтуха» выйдет с сенсационной шапкой: «В Москве орудует снайпер-психопат, на прицеле **все**». Результаты следствия доказывали, что Фомина и Агатова убили разные люди, вот только внутренний голос подсказывал Белову: дело плохо, это серия.

Члены бригады Белова не отличались болтливостью. Никаких сведений о снайперах в прессу не протекло, после убийства Агатова наступило затишье, пятнадцать дней стрелок на горизонте не возникал. Потом у входа в магазин одежды была найдена Наталья Тихомировна Иванова, тысяча девятьсот восьмидесятого года рождения. Убита она оказалась из того же оружия, что и Фомин. В отличие от беззлобного Никиты, Наташа отличалась вредным характером. Придя в бутик простой продавщицей, девушка выросла до старшего менеджера, помощника управляющей, а затем заняла место начальницы. Цель оправдывает средства — это было жизненной позицией Ивановой, она шагала к этой цели по головам, подсиживала конкурентов, сплетничала, интриговала, а в один прекрасный момент сообразила: у владельца сети магазинов одежды немолодая, толстая, никчемная жена. Симпатичной фигуристой блондинке, подрабатывавшей во время обучения в техникуме танцовщицей в стрип-клубе, не составило большого труда соблазнить стареющего мачо. Жизнь Наташеньки засверкала яркими красками, она переселилась в шикарную квартиру и села за руль «Мерседеса». Недоброжелателей у дамочки был легион, ее кончина обрадовала законную жену торговца шмотками, продавщиц и даже самого ловеласа.

— Очень уж она обнаглела, — признавался он в кабинете у Белова. — Дашь ей сто долларов — просит тыщу, снимешь квартиру — требует ее купить, подаришь «БМВ» — злится, что не «Бентли». Бездонная бочка, а не баба. Но я ее не убивал. Разве я похож на идиота, который разрешит любовницу на пороге собственного бутика подстрелить? Я бизнес в девяностые годы поднимал, насмотрелся и нахлебался всякого, соображаю, как человека можно по-тихому убрать.

Определенный резон в словах неверного мужа был. Белов знал: мода на взорванные автомобили и демонстративные уличные расстрелы прошла. В первое десятилетие нового века дела обстряпывают тихо. Выросло поколение киллеров, которые умело маскируют насильственную смерть под банальный несчастный случай. Ну, ударило жертву током от посудомоечной машины, или случайно отошло крепление газового шланга к плите, произошел пожар, дорогу перед машиной жертвы перебегал невесть откуда взявшийся ребенок-беспризорник, произошла автокатастрофа, в конце концов, на намеченный объект напали, отняли кошелек, деньги и ударили по голове кирпичом. Разве можно во всех перечисленных преступлениях заподозрить заказное убийство? Пальба в городе нынче устраивается лишь в том случае, когда хотят демонстративно пригрозить окружению убитого.

Белов попытался найти нечто общее между Ивановой, Фоминым и Агатовым, но снова не обнаружил ни одной ниточки.

Через неделю в городе был найден новый труп. На сей раз выстрел из винтовки лишил жизни тридцатилетнего смазливого блондина Юрия Петровича Бляхина по кличке Валет. У Бляхина за плечами было несколько ходок на зону за незначительные нарушения, но в последние годы он вроде как взялся за ум, устроился работать на авторынок, женился и в разборки не лез. Белов мог предположить, что Юрий наказан за прошлые делишки, если бы не одно обстоятельство: пуля, влетевшая ему аккурат между бровями, была выпущена из винтовки, лишившей жизни Агатова.

Милицейский психолог составил портрет убийцы. Специалист считал, что киллер — мужчина в возрасте от тридцати до сорока лет, вероятно, служивший в горячих точках, не имевший стабильной работы и семьи. Вполне вероятно, что парень в детстве был жесток с животными и его воспитывала чрезмерно заботливая мама, скорей всего, без мужа, и он — младший из детей. У него проблемы с общением, он тихий, застенчивый, из так называемых незаметных людей, но в душе убийца жаждет славы, поэтому и стреляет в прохожих на улицах, привлекает таким образом к себе внимание, самоутверждается.

Вердикт душеведа не вдохновил Василия Сергеевича, большую часть характеристики он мог бы написать сам. Белов проверил всех, кто имел зарегистрированные винтовки, и отправил своих людей в тиры — чтобы сохранить мастерство, снайперу ведь необходимо тренироваться. Следователь попытался найти магазин, где были куплены патроны, обязал продавцов сообщить, если кто-нибудь из посетителей попросит именно такие пули, перетряс объединения ветеранов, изучил спортсменов-снайперов, охотников. На все ушло немало времени, но положительного результата это не дало.

Спустя две недели стрелок снова вышел на

охоту. На этот раз он убил Игоря Львовича Савиных, красивого брюнета, заведующего отделом в фармацевтической фирме, тридцатилетнего карьериста, кандидата наук, весьма удачно женатого на дочери своего босса. В голову Савиных попала пуля из оружия, лишившего жизни Фомина и Иванову. Стрелок придерживался тактики смены винтовок, палил из каждой по очереди, но это была пока единственная найденная закономерность.

Василий Сергеевич отлично понимал: еще чуть-чуть — и сведения о снайпере разнесутся по городу, в столице начнется паника. Но следствие тихо забрело в тупик. Жертвы не имели между собой ничего общего, а киллер, очевидно, просто псих, он залег на дно, затаился и временно перестал убивать прохожих.

Спустя пять дней после кончины Савиных Белову позвонил владелец одного оружейного магазина и сказал, что у него спрашивали те самые патроны. Потенциальный покупатель хотел приобрести довольно большое количество боеприпасов. Торговец насторожился и ответил:

— Товар будет после пяти вечера, если обещаете, что точно заберете, я придержу его для вас.

— Отлично, — обрадовался мужчина, — приеду к семи.

Покупатель оказался точен, он прибыл ровно к девятнадцати и был задержан. В борсетке у него нашелся паспорт на имя Филиппа Медведева, москвича, женатого, сотрудника охранного предприятия «Час». Филипп отлично стрелял, отслужил в армии, был в горячих точках, взысканий не имел. Коллеги по работе характеризовали Медведева как хорошего сотрудника, спокойного человека без вредных привычек, любящего отца и мужа. Филиппа иногда нанимали в качестве личного охранника, и на момент ареста он служил у Елены Рыбаковой, богатой бизнесвумен, которая боялась своего бывшего мужа. Елена была от Филиппа в восторге: услужлив, но дистантен, в друзья к хозяйке не набивался, тихой тенью скользил за спиной, внимателен — по вечерам, доставив Лену в квартиру, без всяких просьб с ее стороны шел выгуливать собаку Рыбаковой. Когда Лена предложила Медведеву оплату за эту услугу, он ответил:

— У меня хороший оклад, с псом прогуляться мне не трудно. Люблю животных, но сам завести не могу, квартира маленькая. Мне в удовольствие по улице с ротвейлером пройтись, а вы устали.

Медведев не походил на психа, но, когда к нему пришли с обыском, в тайнике, оборудованном в гараже, нашли снайперскую винтовку — ту самую, из которой были убиты две жертвы. На оружии имелись отпечатки пальцев Медведева. Белов чуть не закричал от радости, когда увидел ствол. С такой уликой отвертеться от наказания преступнику не удастся, ему светит пожизненное заключение.

Но Филипп неожиданно стал отрицать очевидное.

— Винтовку я нашел, — не моргнув глазом заявил он.

Василий Сергеевич не выдержал и рассмеялся:

— Да ну? Никогда ни от кого не слышал подобного заявления! Перестаньте ваньку валять, каждый второй, взятый с оружием, утверждает, что он подобрал его на улице и нес сдавать в отделение, а тут — вот незадача! — патруль на дороге встретился.

— Я такой глупости не говорил, — улыбнулся

Медведев. — Поехал в выходной на рыбалку, люблю один посидеть на берегу. Работаю с людьми, устаю от общения. Забрел в тихое местечко возле заброшенной деревни Берово. Недалеко от Москвы, а глухо. Сначала отличная погода стояла, а потом ливень пошел стеной, враз промок, да еще ветер подул. Я склонен к простуде, вот и решил зайти в один из сохранившихся домов, чтобы посидеть в укрытии, штаны с рубахой подсушить.

Филипп выбрал относительно целую избу, разделся, развесил одежду и от скуки стал бродить по брошенному дому. Открыл большой кованый сундук и нашел в нем дорогую снайперскую винтовку.

Медведев любил оружие, умел с ним обращаться и очень обрадовался находке. Он тщательно осмотрел ружье, а затем унес его с собой.

— Украл? — уточнил Белов.

— Ну, можно и так сказать, — не смутился Филипп, — хотя если никто о пропаже не заявил, то как дело о воровстве возбудить?

Василий Сергеевич велел Филиппу показать тот дом и поехал с ним в Берово. Увы, осмотр не удался: когда милицейский десант прибыл на место, от избушки остались только головешки.

— Я печку топил, — тут же нашел объяснение произошедшему Медведев, — может, плохо ее затушил? Выпал уголек на пол, много ли старому дереву надо, вот и полыхнуло.

Василий Сергеевич опять-таки нутром чувствовал, что Медведев если сам и не является снайпером, то знает правду о нем, но Филиппа трудно было связать с убитыми, хороший адвокат даже при условии найденного оружия мог развалить дело. Белов еще раз обыскал квартиру охранника и ничего не нашел.

А Медведев упорно твердил:

— Я ни при чем!

— Заканчивай врать! — возмутился Белов.

— Правду говорю, — мотнул головой Медведев. — Ни при чем я.

— Не видел никого? Жертв не знаешь? — разозлился Василий Сергеевич.

— Нет, — ответил Филипп.

— Слушай, ты, дурак! — не выдержал Белов. — Вот результат экспертизы: на винтовке везде отпечатки твоих пальцев.

— Ага, — не дрогнул Медведев, — я же ее украл.

— Лучше признайся, — потребовал Василий Сергеевич.

— Лучше для кого? — хмыкнул Филипп. — Вы мне дело шьете, разобраться как следует не хотите. Признания не будет!

— Ну и черт с тобой, — заорал Белов, — мне и так улик хватает!

Дело передали в суд, Медведев получил пожизненное заключение. Василий Сергеевич и прокурор были довольны приговором. Выйдя из зала заседаний, Белов сказал обвинителю:

— Ладно, на свободу он никогда не выйдет, теперь будем спать спокойно.

Прокурор достала сигареты и ответила:

— Странно, что его признали вменяемым. На мой взгляд, палить по прохожим может только псих.

— Вел он себя нагло, — подхватил Белов, — вины своей не признал и в последнем слове заявил: «Сажаете за решетку первого попавшегося, потому что не можете найти настоящего преступника. Надеюсь, снайпер снова убьет кого-нибудь и все поймут, что я жертва оговора». Он определенно социопат.

ГЛАВА 4

Валя сложила руки на коленях и заглянула мне в глаза:

— А теперь вот звонят по моему старому номеру и сообщают о новом убийстве.

— Ты-то какое отношение имела к этому делу? — удивилась я.

— Работала на процессе, — вздохнула Валентина. — И уже тогда зародились в моей душе сомнения. Я видела много подсудимых, встречала и таких, которые отрицали свое присутствие на месте преступления, даже если свидетелей было море. Но, знаешь, когда человек врет, у него на дне глаз плещется нечто... этакое, и я всегда понимала: заливает по полной программе. А у Медведева ничего подобного и в помине не было. Я стала сомневаться в правильности выводов следствия. Иногда улики можно подтасовать или неверно истолковать.

— Ты работала секретарем в суде? — спросила я.

Валентина поежилась:

— Нет, прокурором.

— Кем? — с сомнением переспросила я.

Валя сказала:

— В судебном процессе участвует немало людей, среди них непременно есть представители как защиты, так и обвинения.

— Знаю, — весьма невежливо перебила я хозяйку, — но ты совершенно не похожа на строгую даму в прокурорском костюме, которая требует сурового наказания для подсудимого. Ты же даже голоса повысить не можешь, изъясняешься почти шепотом!

Валентина улыбнулась:

— Я не хотела идти на юридический, да мама заставила. Она полжизни судьей отпахала.

— Баба Нила? — обомлела я.

— Нет, — улыбнулась хозяйка дома, — моя родная мать. Она очень строгой была, я ее боялась, никогда не спорила. Приказала она в юридический идти, я поступила. Она мне карьеру выстилала, меня повышали и выдвигали по ее ходатайствам — судью Кочергину Анну Ивановну очень уважали, поэтому не обращали внимания на ляпы ее дочери. Коллеги меня ненавидели, и я знала причину. То, за что их мордами о стол прикладывали, мне спускали и на следующую карьерную ступеньку заботливо подсаживали. Я совершенно не подходила для прокурорской должности. Как увижу на процессе мать, жену, детей подсудимого, такая жалость берет! А иногда потерпевшие подлые попадались, в особенности в делах по изнасилованиям. Когда мою мать инсульт разбил, я под предлогом ухода за ней уволилась, старый мобильный отключила, новый завела. Мама умерла быстро, двух недель не пролежала.

— Где ты сейчас работаешь? — поинтересовалась я.

Валечка опустила глаза:

— Моя бывшая одноклассница Ната Корчевникова владеет кафе, я там сутки через трое барменом стою.

Я была потрясена: из прокуроров в составители коктейлей — крутой, однако, вираж.

— Мне нравится, — продолжала Валя, — платят, правда, немного, потому Коля и решил первый этаж сдать. Живем мы на деньги от жильцов, еще городскую квартиру сдаем, прибавь пенсию бабы Нилы и мою зарплату. К сожалению, расходов тоже хватает, в доме надо то одно, то другое починить.

— Да уж, — сочувственно подхватила я, — скажи спасибо, что у вас отопительная система в порядке.

— Тьфу-тьфу, — суеверно отреагировала Рублева, — еще лекарства бабы Нилы очень дорогие, а Коля много тратит на организацию бизнеса. Пока ему не везет, а на чужого дядю он пахать не желает.

Я кивнула. Выгодная позиция: Николай хорошо устроился, ищет путь к богатству, а пока его не нашел, сидит у жены на шее.

— Коля непременно добьется успеха! — жарко воскликнула Валя. — Спиртовой завод — фуфло, муж придумал новую, очень оригинальную идею, через год он станет олигархом. Не смотри на меня такими глазами, я вполне довольна своей жизнью, есть в ней много положительных моментов.

— Назови хоть один, — выпалила я.

— Моя мама с Колей постоянно цапалась, — призналась Валя, — она в глаза ему заявляла: «Ты женился на Валюше по расчету, сел ей на шею и поехал. Мужик обязан деньги в дом приносить, а ты ерундой занимаешься, иди работать». Она не понимала, что Коля творческий человек. Зато когда мама заболела, у них возник полный альянс, зять за тещей ухаживал, книги ей читал.

— Идиллия, — съязвила я и прикусила язык.

Валечка не уловила иронии:

— Да. Теперь я живу тихо. Вот только этот

звонок душу растревожил. Что там случилось, на улице Фастова? Надо срочно туда ехать.

Я решила успокоить Рублеву:

— Валюша, оцени ситуацию со стороны. Ты давно не включала телефон и не пользовалась старым номером. Следовательно, люди, с которыми ты свела знакомство, став барменшей, не могут звонить, они этого номера не знают.

Валентина кивнула:

— Новый телефон я сообщила Коле и очень близким людям. Кому попало не давала.

— Ты уверена, что преступление снайпера удалось сохранить в тайне от газетчиков. Значит, простой хулиган ничего не мог о нем слышать. Напрашивается вывод: над тобой решил позабавиться кто-то из прежних коллег. Вероятно, вы вместе работали над делом Медведева, и ты чем-то ущемила его интересы. Подумай и сообразишь, кто автор дурацкой шутки, — оттарабанила я.

— А если снайпер на свободе? — прошептала Валя. — Если на самом деле взяли не того? Вдруг он продолжит убивать? Я поеду на Фастова.

— Опасная и безрассудная затея, — попыталась я остановить Валентину. — Знаешь, иногда бывают подражатели, они тщательно копируют серийного убийцу. Лучше позвони Белову.

— Василий Сергеевич умер, — ответила Валя и покраснела. — Утонул на рыбалке, упал с лодки, от холодной воды у него случился сердечный приступ.

— Тогда о звонке нужно сообщить в милицию, — не успокаивалась я.

— А если это шутка? — нахмурилась Рублева. — Прикол? Представляешь последствия?

Я протянула Валентине сотовый:

— Забери, да не забудь его выключить, а лучше выброси симку. Тогда уж точно никто тебя не достанет.

Валя встала.

— Ты куда? — насторожилась я.

— На улицу Фастова, — решительно ответила она.

— На дворе мороз, — я предприняла последнюю попытку ее остановить, — снег идет.

— Февраль есть февраль, — согласилась Рублева.

Я взяла сумочку:

— Давай тебя отвезу.

— Зачем? — испугалась Валя. — Я сама доберусь.

— Мне все равно надо на встречу, — пояснила я. — Заодно и смотаемся.

— Ну только если тебе это не внапряг, — сдалась она. — На машине, конечно, удобнее. Сейчас, только глаза накрашу, без туши я на поросенка похожа.

Мне не хотелось сидеть у Рублевой, пока та приводит себя в порядок. Решив прогреть машину, я спустилась в прихожую и не удержалась от смешка. Под вешалкой стояли не особенно дорогие сапожки на искусственном меху. На них голубели бахилы, которые приобретают посетители больниц. Обычно люди натягивают их на обувь, чтобы не занести в помещение уличную грязь. А вот баба Нила поступает иначе: она бережет обувь от воздействия внешней среды. Ее сапоги, купленные на самом дешевом столичном рынке, отнюдь не шикарны, но старуха считает их огромной ценностью. У Рублевых туго с деньгами, учитывая тот факт, что Колян не имеет стабильного дохода, Валентина зарабатывает гроши, а баба Нила пенсионерка. Обеспеченные люди не станут сдавать часть дома. А Рублевы сводят концы с концами только благодаря жильцам. Понятно, почему старуха с пиететом относится к сапогам. Всякий раз, выходя на улицу, она напяливает бахилы, бормоча себе под нос:

— Гады! Сыплют реагент, кожа портится, коробится, сгниют сапожки, где новые взять? Че, я Буратино с золотыми монетами? Сама зарабатываю, цену рублям знаю! Отменили калоши-то! Вот я и выкручиваюсь!

В бахилах баба Нила идет до станции, в электричке их снимает, потом снова натягивает, чтобы добежать до метро, в подземке стаскивает, и так целый день. Зато обувь цела! Бахилы старуха добывает в клинике, где моет полы. Подозреваю, что она забирает использованные посетителями, в сарае у нее хранится целый мешок с ними. Кстати, о сарае. Баба Нила собрала там огромное количество барахла, а в подполе держит овощи, выращенные на своей делянке, и собственноручно закатанные банки. Консервы у нее великолепные, огурчики хрустят, помидоры не теряют цвет, чеснок вышибает слезу.

Только, к сожалению, на земле много людей, которые, как стрекоза из известной басни, все лето танцуют, поют, а зимой есть хотят. Помнится, егоза притопала к муравью и вежливо попросила ее накормить Человек же поступает иначе — он попросту лезет в чужой погреб. Пару раз при мне баба Нила лишалась части запасов. Кто-то уносил ее банки, отсыпал картошку. Потом старуха заподозрила, что некто шарит в отсутствие хозяев и в доме. Грабитель действовал аккуратно, но хозяйский глаз заметил неправильно сложенные полотенца в шкафу и еще ряд мелочей, указывающих на появление постороннего лица. Вот тут терпение бабы Нилы лопнуло, и она решила поймать мерзавца. Чтобы застать негодяя на месте преступления, старуха придумала сигнальную систему: самая обычная веревка, хитро натянутая на полу сарая, «выходит» в огород, змеится, на манер электропроводки, на специально вбитых кольях и заканчивается на кухне целой гирляндой колокольчиков. Заденет чужая нога «тревожный шнур», — раздастся трезвон, который вор не услышит, но услышит пенсионерка. Дальше — понятно.

Надо отметить, что баба Нила совсем не жадная, она радушно угощает всех, кормит супом и меня, и Томаса, и Нину, и Прасковью Никитичну. Мы живем коммуной, продукты в холодильнике и содержимое кастрюль на плите считаются общими. Почему же она так хочет поймать вора? Да потому что он вор! Приди человек в дом открыто, попроси он с голодухи пять картошин, баба Нила вручит ему мешок и еще консервов даст в придачу. Но воровать нельзя! Грабителя следует отловить и прилюдно высечь розгами. К преступникам баба Нила беспощадна.

Так что теперь мы ожидаем поимки грабителя.

Втиснувшись в мою малолитражку, Рублева засопела и заерзала на сиденье.

— Неудобно? — заботливо осведомилась я.

— Тесно, ноги некуда вытянуть, — призналась она.

— Сбоку есть рычажок, потяни его, и кресло отъедет назад, — объяснила я.

— Супер! — воскликнула Валя. — Хорошая машина, но очень низкая, и «морды» почти нет, а Коля говорит: «Чем длиннее капот, тем длиннее жизнь».

— Твой супруг прав, — кивнула я. — Собираюсь пересесть на джип.

— Ух ты! — восхитилась Валя. — Какой?

— Сейчас покажу, — пообещала я. — Видишь вон там, справа, в соседнем ряду, серебристый?

Валентина чуть не свернула шею, разглядывая внедорожник.

— Шутишь, да? Это же «БМВ», он более ста тысяч долларов стоит. Последняя модель, напоминает по виду бульдога.

Настал мой черед удивляться.

— Извини, я глупо пошутила! А ты хорошо разбираешься в машинах?

— Да откуда, у нас с Колей колес нет и никогда не было. Машина — дорогое удовольствие, сначала ее купить надо, потом застраховать, чинить, мыть, бензином заправлять. Лучше на общественном транспорте ездить. А про джип «БМВ» я от бабы Нилы знаю, она Коле брелок для ключей купила, синий. А мне объяснила: «Это логотип крутой автомобильной марки, но она, зараза, дорогая».

Я поняла, что случайно наступила на больное место. Вероятно, Валентина хотела бы сама сидеть за рулем, но ей никогда не купить собственный автомобиль.

Остаток дороги мы провели под аккомпанемент радио, которое безостановочно вещало о пробках, пело о неразделенной любви и рекламировало средство тройного действия от облысения, поноса и насморка в одной таблетке.

Улица Фастова оказалась небольшим переулочком, зажатым между несколькими высотными зданиями. Она была прямой и хорошо просматривалась.

— И где труп? — спросила я.

— Может, его увезли? — предположила Валя. — Звонили-то давно.

— Но тогда здесь должны находиться люди, изучающие место преступления, — резонно возразила я. — Сама знаешь, этот процесс не прост, он занимает много времени.

— Наверное, уже закончили, — промямлила Валентина, — дома тут дорогие, не захотели жильцам неудобство создавать.

Мне последний аргумент показался совсем уж нелепым. Похоже, Рублевой очень не хочется верить в хулигана, который решил поиздеваться над бывшим прокурором. Я вылезла из машины, огляделась, увидела маленькую пекарню и направилась к ней. Вошла внутрь и спросила у тетушки за прилавком, очень смахивающей на фрекен Бокк:

— Не видели здесь труп?

Баба уронила на пол плюшку с вареньем и переспросила:

— Что-что?

— Сегодня на улице кого-нибудь убили? — уточнила я.

— Где? — заморгала продавщица.

Я указала на большое окно:

— Там, на тротуаре.

Тетка наклонилась, подняла булочку, сдула с нее пыль, без всякого колебания положила на поднос к другим плюшкам и буркнула:

— Ты из дурки сбежала?

Я достала рабочее удостоверение, подтверждающее мой статус частного детектива. Хорошо, что в нем не сказано о закрытии нашей разыскной конторы.

— Из ментовки, — сделала глубокомысленный вывод пекарша. — И чего?

— Нам сообщили об убийстве на улице Фастова, — сухо сказала я. — Где тело?

— Спокойно у нас, — не проявила волнения тетка, — ни азеров, ни чеченов, люди вокруг тихие, на хороших машинах. Пошутил кто-то.

— Вы Зинаида? — продолжила я.

— Нет, Тамара Федоровна, — с достоинством представилась булочница, — частный предприниматель Изотова, все бумаги в порядке. Хочешь булочку? Могу кофейку налить.

— А где Зина? — спросила я.

— Какая? — прозвучало в ответ.

— Та, что здесь торгует.

— Я одна тут, и пеку, и за прилавком стою, — пояснила Тамара Федоровна. — Хозяйка, уборщица, торговка — все я. Никаких Зин нет.

— Вы уверены? — уточнила я.

Тамара Федоровна уперла руки в бока:

— Конечно!

— Мобильный вам не оставляли? — ощутив прилив злости, поинтересовалась я.

Булочница взяла из кассы телефон:

— Звоните, не жалко, у меня безлимитный тариф.

Я схватила аппарат. Значит, хотя бы часть информации, сообщенной шутником, оказалась правдой.

— Спасибо, вы нам очень помогли.

— Ерунда, — во весь рот улыбнулась Изотова.

Я повернулась и сделала шаг к двери.

— Эй, стой! — забеспокоилась частная предпринимательница. — Ты куда?

— В машину, — ответила я.

— Трубку верни, — потребовала Изотова. — Много вас таких шляется. Если ты из милиции, это еще не гарантия, что не сопрешь мобилу, а она новая. Отсюда звони, я подслушивать не стану.

Мне пришлось вернуться к кассе.

— Вы дали мне свой телефон?

Тамара Федоровна вновь подбоченилась:

— А то чей?

В булочной сильно пахло ванилью, корицей и сдобным тестом. От большого электродухового шкафа, в котором румянились багеты, исходил жар, а кондиционера не было. Я расстегнула куртку.

— Человек, рассказавший мне про труп, предложил заглянуть в эту пекарню.

— Обалдеть! — возмутилась тетка.

— Сказал, что оставил продавцу Зинаиде мобильный, — устало договорила я.

Духовка противно запищала. Тамара Федоровна нацепила толстые рукавицы, распахнула дверцу, вытащила противень, установила его на специальной доске, повернулась ко мне и зачастила:

— Никого тут не замочили, Зинаиды здесь никогда не было, мобила моя, сегодня ко мне только постоянные покупатели шли. Ложный был вызов, придурки балуются или дети. Забудь.

— Вы правы, — пробормотала я и открыла дверь.

Звякнул колокольчик. Мне почему-то стало нехорошо, закружилась голова — скорее всего, пребывание в помещении, где нечем было дышать, губительно подействовало на сосуды. Валентина стояла у машины. Увидев меня, она шагнула на проезжую часть, направляясь на противоположную сторону улицы, где я пыталась справиться с дурнотой.

С неба раздался странный звук, словно кто-то наступил на сухую ветку. Я вздрогнула, обернулась, увидела за собой дверь пекарни, перевела взгляд на Валю и приросла к грязному асфальту.

Валентина чуть согнула колени, опустилась на мостовую как в замедленной съемке, запрокинула голову и легла на правый бок. Висевшая на ее руке лаковая сумочка отлетела в сторону. Вокруг рухнувшего тела взметнулись крохотные фонтанчики грязи и осели на бежевой куртке.

Я медленно побрела вперед. Каждый шаг давался с трудом, на голове словно сидела шапка из ваты. Потом бац — невидимая рука ее сдернула, перед глазами перестала трястись черная пелена, я кинулась к Вале.

Первое, что я увидела, — кровавое пятно справа от ее головы.

— Убили-и! — завопила Тамара Федоровна, выскакивая из пекарни. — Убили-и!

— Дай телефон, — приказала я и помчалась в булочную. Костин в отъезде, но не все же его коллеги отправились в Украину !

ГЛАВА 5

К огромной моей радости, в момент прибытия «Скорой помощи» Валентина еще дышала.

— Она поправится? — спросила я у хмурой женщины, которая хлопотала около раненой.

Врач ничего не ответила, а фельдшер, тучный мужик неопределенного возраста, сказал:

— Конечно, через два дня будет дома картошку жарить.

Я чуть не запрыгала от радости, а доктор укоризненно покосилась на фельдшера и с неохотой произнесла:

— Ранение в голову, отстрелено ухо. Сделаем, что возможно.

— Она жива, — пролепетала я, — значит, все не так плохо.

— Ага, — без особого энтузиазма кивнула врач, — ладно, поехали.

Я наклонилась над Валей, поправила на ней одеяло и шепнула:

— Все будет хорошо, мы его поймаем.

Губы Рублевой шевельнулись.

— Повтори еще раз, — попросила я.

— Черви, — с трудом выдавила Валя, — черви! Скажи им ..

— Что она имеет в виду? — испугалась я.

— Глючит, — пожал плечами фельдшер, — у нее черепно-мозговая травма.

— Что можно сказать червям? — не успокаивалась я.

Фельдшер закатил глаза:

— Господи, да отойди ты от машины. Она тебе ничего не говорила, это бред.

С включенной сиреной «Скорая помощь» задом подалась сквозь толпу непонятно откуда набежавших людей, мне внезапно стало холодно и одиноко.

Чьи-то пальцы вцепились в мое плечо, и раздался знакомый баритон:

— Девушка, помогите потратить мою зарплату.

Я сделала шаг и увидела Макса. Страх исчез, несмотря на жуткую ситуацию, на моем лице сама собой появилась улыбка.

— Нахал! — взвизгнула стоявшая чуть поодаль старушка, закутанная в клочкастую шубу. — Ну и времена настали! Сразу о деньгах разговор ведут! Иди мимо! Не приставай к нам!

— Бабуля, — нежно пропел Макс, — употребление местоимения первого лица во множественном числе в данном случае неуместно, я пытаюсь склеить только девушку. Вы-то мне зачем?

Пенсионерка зашипела гюрзой:

— Сейчас в милицию позвоню! Пусть тебя посадят! Распустил язык!

— Бабулечка, не расстраивайтесь, — вклинилась я в беседу. — Уж извините, это шутка. Парня зовут Максим, он мой друг, а теперь, простите, нам пора.

Не дожидаясь ответа от ошарашенной бабуси, я быстро пошла в сторону двух только что подъехавших автомобилей и с радостью увидела, как из одного вылезает Павел Гладков, приятель Костина. Слава богу, приняв мой звонок, Паша решил прибыть на место происшествия самолично.

Я ринулась к Гладкову, тот мимоходом поцеловал меня в щеку и бурно обрадовался Максу. Когда мужчины закончили обоюдный процесс похлопывания по спине и рукопожатий, обменялись вопросами про дела, я не выдержала:

— Вы знакомы?

— Ты умеешь делать логические выводы, — с самым серьезным видом заявил Паша.

Макс погладил меня по голове:

— Умница! Мы с Павлухой пару раз вместе работали.

— Он мне жизнь спас, — торжественно объявил Гладков.

— Да ладно, — отмахнулся Максим, — каждый поступил бы так же!

Паша встряхнулся, словно промокшая собака, и сменил тон:

— Что случилось?

Я самым подробным образом изложила ход событий. Пока Павел меня слушал, его люди оттеснили толпу в сторону одного из домов и начали осмотр места происшествия.

— Никакого трупа здесь не было, мобильного в булочной не оставляли, — завершила я свой монолог. — Звонивший нас обманул. Наверное, это хулиган, задумавший поиздеваться над Валентиной.

Гладков вынул сигареты:

— Любители розыгрышей не стреляют объектам своих шуток в голову. Очевидно, Рублеву специально сюда выманили.

Иногда я, не подумав, задаю удивительно глупые вопросы. Вот сейчас, например:

— Зачем зазывать Валю на улицу Фастова?

Павел чиркнул зажигалкой:

— Чтобы убить. Поэтому киллер соврал сначала про труп, затем про некую Зину и мобильный, зная, что Валентина на эту удочку клюнет.

Максим громко чихнул и выдвинул свою версию:

— У Валентины была опасная профессия. Многие мечтают отомстить прокурору. Осужденные больше всего не любят представителей обвинения. Даже судьи, которые выносят им приговор, на втором месте в списке их врагов.

— Ну и холод, — пожаловался Гладков, — я весь промерз.

— Мороза-то нет, — возразила я.

— Зато сыро и ветрено, — встал на сторону приятеля Макс. — Уж лучше минусовая температура, чем промозглость.

Я кивнула в сторону лавчонки Изотовой:

— Можно заглянуть в пекарню, выпить кофе и слопать по плюшке.

— Гениальная идея, — обрадовался Паша и

крикнул одному из парней в резиновых перчатках: — Миша, мы в булочную пойдем!

Булочки с вареньем у Тамары Федоровны оказались теплыми, но какими-то неправильными.

— Раньше слопаешь одну калорийку[1] и весь день сыт, — вздохнул Гладков, отправляя в рот четвертую завитушку с изюмом. — А эти как из воздуха, вроде большие, но начнешь жевать — и глотать нечего.

— Зато кофе горячий, и дождь не капает, — постаралась я найти что-то хорошее в ситуации.

Паша отодвинул пустую тарелку:

— Сделаем предварительные прикидки. Филипп Медведев был осужден и сейчас кукует на зоне. Кто может мстить прокурору, работавшему на процессе?

— Родственник преступника, — тут же ответила я.

— Плохо представляю себе мать-старушку со снайперской винтовкой, — подал голос Макс, — и по статистике, все городские стрелки — мужчины, ни одной бабы среди них нет.

Но я не спешила признавать, что не права.

— Все равно нужно проверить семью Медведева.

— Возможно, это подражатель, — выдвинул другую версию Гладков.

— Пресса не печатала материалов про снайпера, — напомнила я. — Откуда подражатель мог узнать о преступлениях?

---

[1] Калорийка — так в советские времена москвичи называли «Калорийную булочку» стоимостью в 10 копеек, ее выпекали из не очень сдобного теста с небольшим количеством изюма. *(Прим. авт.)*

Максим снял куртку и повесил ее на спинку стула.

— Масса вариантов. Например, он близкий друг стрелка.

— Значит, возвращаемся к моей идее про семью и приятелей, — обрадовалась я, — или кто-то из причастных к следствию все же проговорился. Надо проверить всех сотрудников, так или иначе соприкасавшихся с этим делом.

Павел подобрал с тарелочки крошки.

— Еще есть работники прокуратуры, суда, следственного изолятора, адвокат, конвойные, сокамерники. Только начни перечислять тех, кто знал о Медведеве, и враз пара сотен людей наберется: он был в пересыльной тюрьме, ехал в «столыпине»[1], какое-то время провел в карантине, потом очутился в камере. Сколько народу, несмотря на особые условия содержания, встретил Медведев и с кем откровенничал?

— Есть еще одно предположение, — протянула я. — Вдруг он не врал!

— Кто? — удивился Паша.

— Медведев, — уточнила я. — Он ведь не сознался в преступлениях, утверждал, что случайно нашел винтовку и попросту ее украл. А патроны отправился покупать, чтобы пострелять.

Гладков вынул сигареты, покосился на Тамару Федоровну и сунул пачку назад в карман.

---

[1] «Столыпиным» до сих пор в определенных кругах именуют вагон, в котором зэков везут к месту отбывания наказания. Название он получил от фамилии Петра Столыпина, премьер-министра царской России. Именно он первым предложил отправлять каторжников по железной дороге. До этого арестанты шли пешком через всю Россию. (*Прим. авт.*)

— Ага, ловко выходит. Оружие спер, изба, где его нашел, очень вовремя сгорела. Слышали это, и не раз. Могу процитировать тебе вчерашнее заявление одного находчивого мальчика, которое он сделал дознавателю: «Я сидел дома, читал поэму Пушкина, и тут, без моего согласия, открыв входную дверь, ко мне ворвалась девушка, поскользнулась, упала, разбила принесенную с собой бутылку пива, угодила животом на случайно получившуюся «розочку», начала истекать кровью, поднялась, пошатнулась, вновь шлепнулась на стекло и так несколько раз подряд. Жертва мне не знакома, я ее и пальцем не тронул, так увлекся «Евгением Онегиным», что не слышал шума и ничего не видел».

Максим засмеялся, но я даже не улыбнулась.

— По делу одного серийного педофила расстреляли невиновного человека. Все улики были против него, никто не сомневался, что убийца детей пойман, но арестованный упорно твердил: «Я никого не трогал». Вот только ему никто не поверил, и беднягу лишили жизни[1]. Ошибка следствия привела к трагедии и позволила настоящему преступнику продолжать мучить малышей. Вероятно, Филиппа подставили.

— Как? — резко перебил меня Павел.

— Элементарно. Он действительно случайно вошел в избу и взял или, если хотите, украл винтовку. А преступник видел, как Медведев ее уносил, поскольку тоже находился в заброшенной деревне.

— И позволил кому попало взять оружие? — перебил меня Макс. — Не пристрелил? Вокруг

---

[1] Реальный факт.

никого нет, снять нахала для снайпера не представило бы труда, пиф-паф, уноси готовенького, рядом лес, река, глушь: спрятал тело и свободен. Почему киллер молча наблюдал, как винтовку забирает посторонний?

— Наверное, он понял, что есть шанс использовать Филиппа, — предположила я.

— Ну-ну, — пробасил Гладков.

— Дослушайте до конца! — возмутилась я. — Давайте зададим Медведеву простой вопрос: по какой причине он отправился на рыбалку именно в тот район Подмосковья? Может, кто-то ему подсказал: «Фил, езжай в Берово, там огромные щуки ловятся! По десять кило каждая. Устанешь, заходи в избу с зеленой крышей, она раньше моей теще принадлежала, открой сундук, там заварка осталась». Медведев послушался и увидел... винтовку.

— Плохо узлы завязываются, — забубнил Макс. — Если отправиться в Берово ему посоветовал сослуживец — посторонний-то не мог подсунуть в сундук улики, — то Филипп должен был сообразить: оружие брать нельзя, друг сразу поймет, кто вор.

— Не удержался, — я отчаянно защищала свою версию, — у Филиппа страсть к оружию. Такие люди никогда не оставят винтовку лежать просто так, непременно потрогают ее, захотят изучить. Вероятно, киллер надеялся заполучить отпечатки Медведева на стволе, а тот унес снайперское снаряжение и облегчил задачу преступника. Сейчас киллер успокоился и взялся за прежнее.

— Зачем нападать на Валентину? — уперся Павел. — Это лишено всякой логики. Если мотив — месть за слишком суровый приговор или за осуждение невиновного, тогда понятна агрессия против прокурора. Но если ты права, то Филиппа подставили намеренно. В этом случае киллеру надо сидеть тихо и не изображать, что он мстит за невинно пострадавшего.

— Некоторые преступники хотят славы и негодуют, если их лавры достаются другому. Помните дело Сергея Ярового? Следствие сразу пошло по ложному пути, заподозрило в убийстве восьми женщин таксиста, которого и арестовали. За «горячую» тему ухватились журналисты, расписали предполагаемого преступника яркими красками: «Убийца десятилетия», «Современный Джек-потрошитель», «Маньяк, который держит в страхе столицу». И что произошло дальше?

Паша молча складывал из бумажной салфетки кораблик.

— Забыл? — ехидно осведомилась я. — Напомню: спустя неделю после задержания таксиста, кстати, тоже твердившего о своей невиновности, в Москве произошло новое убийство, и следователю позвонил настоящий маньяк, который был донельзя возмущен ошибкой правоохранительных органов и кричал в трубку: «Немедленно выкиньте самозванца из камеры. Убийца десятилетия, современный Джек-потрошитель — это я. Никому не отдам своей славы, организуйте для меня пресс-конференцию».

Завершить пламенную речь мне не дал звонок, доносившийся из лакового ридикюльчика.

— Ты купила новую сумку? — спросил Макс, который, в отличие от большинства мужчин, всегда замечает любые изменения в облике своей подруги.

— Нет, — прошептала я, вынимая мобильный и отмечая, что Валя не послушалась меня, не выключила старую трубку, а зачем-то прихватила ее с собой. — Это Валина, валялась рядом с ней, а я ее взяла, чтобы отвезти домой. Алло, слушаю!

— Медведев не виноват, — проскрипело из сотового, — его нужно освободить, иначе я буду убивать до тех пор, пока до ментов не дойдет, что Фил ни при чем. Снайпер я, и меня вам не поймать.

Я пнула под столом Павла и продолжила беседу:

— Что-то не верится.

— Почему? — возмутился скрипучий голос.

— Ты промахнулся, — подначила я киллера, глядя, как Гладков судорожно нажимает на кнопки своего телефона, — настоящий снайпер убивал жертв одним метким выстрелом, а ты, имитатор, отстрелил Валентине ухо. Нанес ей тяжелую травму, но, слава богу, не лишил ее жизни. Плохо стреляешь.

— Думаешь продержать меня на трубке, чтобы менты засекли? — хохотнул убийца. — Пока они меня обнаружат, я уйду спокойно. Что же до моей меткости, то предлагаю тебе цель на выбор. Видишь подставку с шоколадом?

— Где? — не поняла я.

— У кассы, — пояснил собеседник, — слева.

У меня непроизвольно задергалась щека.

— Да.

— Говори, какую сбить: «Аленку», «Вдохновение» или «Экстру»?

— Синюю плитку с балериной, — не замедлила я с ответом.

— Отлично, — одобрил стрелок, — не вешай трубку, это секунда.

Я не успела моргнуть, как раздался странный звук, и возле кассового аппарата в воздух взмыли темные крошки.

— Жди звонка, — донеслось из трубки, и звонивший отсоединился.

— Мама! — заорала Тамара Федоровна, не поняв, что случилось. — Как вы шоколад взорвали?

Я вскочила на ноги.

— Не шевелись, — побелевшими губами сказал Павел.

— Мы в безопасности, — легкомысленно отмахнулась я, — если б он хотел — убил бы нас давно.

— Вот это класс! — воскликнул Максим.

Гладков схватил телефон:

— Женя, эксперта сюда, всем надеть бронежилеты, стрелок рядом, блокируйте подъезды близлежащих домов, перекройте улицу со всех сторон.

— Он давно ушел, — пробормотала я. — Интересно, как ему удалось раздробить плитку шоколада, не повредив окна?

— Форточка открыта, — пояснил Макс. — Пуля пролетела через нее и угодила в выбранное тобой «Вдохновение». Да уж, это мастер, теперь я верю, что он Валентину не хотел лишить жизни, отстрелил ей ухо из желания привлечь к себе внимание.

Я вцепилась в телефон Рублевой:

— Снайпер обещал перезвонить.

— Лучше нам уйти в надежное укрытие, — откровенно испугался Паша.

Мы встали и по стеночке начали пробираться к двери. До сих пор я никогда не была на прицеле и не понимала, насколько страшно ощущать себя на мушке, зная, что моя жизнь зависит от человека, который сейчас наблюдает за своей жертвой при помощи современной оптики и решает мою судьбу.

— Эй! — остановила нас Тамара Федоровна. — А заплатить?

— Мы рассчитались, — мрачно сказал Павел и распахнул дверь, за которой стоял омоновец с большим железным щитом.

— За шоколадку не отдали! — возмутилась булочница. — Она денег стоит.

Макс открыл кошелек, бросил на столик купюру и неожиданно сказал:

— Поймаем мерзавца, заставлю его мне деньги вернуть.

ГЛАВА 6

Хотя я и ожидала звонка, но резкий звук все равно заставил вздрогнуть. Я нажала на кнопку громкой связи.

— Мое требование, — без предварительного вступления объявил голос, — немедленное освобождение Филиппа Медведева. Если он завтра в девять утра не будет на свободе, получите новый труп.

— Понимаете, — замямлила я, — человека нельзя просто так отпустить, существуют всякие формальности.

— Медведев невиновен.

— Хорошо, хорошо, не волнуйтесь, давайте я передам трубку человеку, который лучше меня объяснит процедуру вызволения из...

Договорить мне не удалось. С улицы послышались крики, шум, топот. Гладков высунулся из-за микроавтобуса, за которым мы сидели, и коротко выругался.

— Не стоит нервничать, — сказал снайпер, — я всего-то снял с дурака патрульного фуражку. Если он обложился, я не виноват. Шутки в сторону. Общаюсь только с тобой. Проблемы с освобождением меня не волнуют. Медведева надо отпустить. Иначе будет новый покойник. Расскажешь где нужно правду о киллере. Ты можешь это устроить! Ты все можешь, если захочешь.

Трубка замолчала.

— ...! — выругался Паша. — Прости, Лампа.

— Ничего, — устало ответила я, — другого слова и не подобрать. Что предпримем?

— Для начала наденем на тебя бронежилет, — распорядился Гладков. — Не снимай его ни при каких обстоятельствах.

— Даже в душе? — хмыкнула я.

— Как это сексуально! Всю жизнь мечтал иметь дело с дамой, чьи прелести прикрыты свинцовыми пластинами, — на полном серьезе произнес Макс. — Вот она входит в спальню, легким движением сбрасывает платье, медленно стягивает чулки и... о! Вау! Начинает расстегивать бронежилет !

— Прекрати, — прошипела я, пиная его. — Паша, не подумай чего плохого, мы с Максом просто дружим.

— А каска? — не утихал Вульф. — Редкий мужчина не возбудится в момент, когда с головы партнерши свалится железная миска на ремешке! Лампа, непременно носи каску!

— Дурак! — фыркнула я.

— Дельное предложение про каску, — оживился Павел, — мы отвечаем за твою безопасность.

Спустя полчаса на меня натянули жилет темного цвета. До сих пор я видела броню лишь в кино и не предполагала, какая это тяжелая и неудобная вещь. В сериалах женщины-полицейские одной рукой вытаскивают с заднего сиденья автомобиля нафаршированную железом безрукавку, живо влезают в нее, а потом прытко бегают, прыгают, стреляют. Может, сотрудницы правоохранительных органов просто тренированные и физически крепкие? Меня этот предмет одежды придавил к земле. Не то что носиться гепардом, а даже просто идти получалось с трудом. Чтобы не привлекать внимания посторонних, я нацепила «обновку» на тонкую футболку, а сверху прикрыла ее кашемировым свитером и курткой. Шевелить головой мешал воротник-стойка, защищавший горло, под мышками давило, повернуться получалось исключительно всем телом, поясница потеряла подвижность. Вдобавок от жилета отвратительно воняло.

— Увози ее домой, — велел Паша.

Максим потянул меня за рукав:

— Пошли.

— Секундочку! — возмутилась я. — Хотите от меня избавиться? Номер не пройдет. Снайпер желает беседовать исключительно со мной.

— Приехал психолог-переговорщик, — объявил Гладков. — Отдавай телефон.

Я прижала аппарат к груди:

— Нет. Ты совершаешь ошибку. Не знаю, почему киллер выбрал именно меня в качестве посредника, но он это сделал. Ваш душевед испортит все дело, погибнут невинные люди. Необходимо выпустить Филиппа Медведева.

— Первое правило: никогда не соглашайся на требования похитителя или шантажиста, выдвигай встречные предложения, — забасили из-за угла, — иначе преступник сообразит, что нас можно прогнуть, и обнаглеет.

— Это ваш психолог? — рассердилась я.

— Медведева освобождать нельзя, — решил урезонить меня Паша, — да и не в нашей компетенции заниматься такими проблемами. Стрелок выдвинул невыполнимое условие, до утра Филиппа не отпустят.

— Не вижу особых трудностей, — крепко вцепившись в старый телефон Вали, возразила я. — Один звонок начальнику колонии, и Медведев на свободе.

Паша и Макс засмеялись.

— Не надо на самом деле его освобождать, — продолжила я, — давайте попытаемся обмануть снайпера. Если он затеял нападение на Валентину с целью вызволить Филиппа, то непременно захочет с ним связаться. Останется лишь проследить за Медведевым.

— Даже если ты и права, — устало сказал Паша, — то это спецоперация, она за два часа не организовывается.

— Снайпер убьет еще одного человека, — твердила я.

— Нет, — уверенно затрубил полный мужчина, заходя за микроавтобус, — если за дело возьмется профессионал, все проблемы отпадут.

— Под суперпрофи вы подразумеваете себя? — уточнила я.

— Отдай, пожалуйста, аппарат, — попросил Макс. — Знакомься, это Юрий Петрович.

Я протянула толстяку мобильный Валентины и повернулась к Гладкову:

— Снимите с меня бронежилет. Раз я выхожу из игры, опасаться мне нечего.

— Пока я не скомандую, вы будете ходить в броне, — высокомерно возразил Юрий Петрович.

— Лампа, поехали! — Макс потащил меня к машине. — Хочешь, я сам сяду за руль?

— Нет, — пропыхтела я, открывая дверь, — а ты сюда пешком притопал?

— Такси взял, — улыбнулся Максим. — Люблю наемные экипажи. Что хорошего в моем «Бентли»? А в такси свежим ветерком из окна дует, радио «Шансон» блатняк выдает, водила истории из своей жизни рассказывает, и не заснешь по дороге: дернет шофер рычаг переключения скоростей, пассажир лбом в торпеду впечатывается, это лучше всякого будильника срабатывает!

— Откуда ты знаешь Гладкова? — спросила я, притормаживая у светофора.

— Честно? — прищурился Макс.

— По возможности, да, — кивнула я.

— Я был одно время любовником его жены, — не меняя выражения лица, ответил мой спутник.

От неожиданности я нажала на тормоз.

— Эй, поосторожней, — возмутился Макс, — не играй в Шумахера!

— Любовником жены? — оторопело переспросила я. — Где вы познакомились?

— Как в анекдоте, — сказал Макс. — Пашка уехал в командировку, вернулся раньше, вошел в квартиру и... здрассти.

— И он тебя не убил, — пролепетала я, — не вышвырнул с балкона? Не пристрелил из табельного оружия?

Максим потер рукой затылок:

— Не-а. Наоборот, обрадовался, с тех пор постоянно повторяет: «Вульф мне жизнь спас». Он давно разъехаться с женушкой хотел, но не получалось, баба развода не давала, справки из больницы в суд таскала: то она сердцем плохая, то гипертонический криз у нее, то камни в почках, и каждый раз заседание суда на полгода откладывали. А тут ее с чужим мужиком застали!

— Врешь, — засмеялась я.

— Ага, — кивнул Макс, — причем беззастенчиво.

— Но про спасенную жизнь он вспоминал, — не смогла я удержать разбушевавшегося любопытства.

— Я вынес Пашку из зоны обстрела, — нехотя пояснил Макс. — Он упал, подняться не мог, я его вытащил. Давай оставим эту тему. Лучше расскажи, как смоталась к Алику. Вы договорились?

Моя нога отпустила газ и нажала на тормоз.

— Алик! Я про него совсем забыла! Что теперь делать?

Макс взял из подставки бутылку воды, сделал пару глотков и мирно сказал:

— Ничего, поужинаем и ляжем спать.

Я насторожилась:

— Ты вознамерился у меня остаться?

Максим съежился:

— Холодно, тетенька, есть хочется, и до дома далеко.

— Ну ладно, — сдалась я. — Но даже не надейся!

— На что? — удивленно заморгал мой пассажир.

— На то, — сердито ответила я, — сам знаешь.

— Не понимаю, — замотал головой Макс, — к вечеру мозг устает. Ты не хочешь налить другу чаю?

— Пей сколько угодно, но остального не будет, — категорично заявила я.

— Тормозни у супермаркета, — заныл нахал, — сыру куплю, колбаски, хлеба.

— У меня полно еды, — заверила я.

— Ага, — застонал Максим, — ты примешься за ужин, а мне слюни глотать?

— Сделаю бутербродов на двоих, в чем проблема?

— Сама только что предупредила: «Чаю сколько угодно, остального не будет», — процитировал Макс.

— Накормлю тебя досыта, но потом ты уйдешь! — обозлилась я.

— На улицу? Ночью? В феврале? — ужаснулся спутник. — Ты, однако, безжалостна.

— Отправишься в соседнюю комнату, закроешь дверь и до утра не сунешь в мою спальню носа! — взвилась я.

Максим посидел молча пару минут, потом осторожно тронул меня за рукав:

— Лампа, можно спросить?

— Ну, валяй, — милостиво согласилась я.

— А зачем мне совать нос в твою спальню? — изрек Макс. — Разве в другой комнате спать неудобно?

— Издеваешься? — зашипела я.

Максим округлил глаза, скорчил идиотскую гримасу и прошептал:

— Нет. Просто не понимаю! Это же невоспитанно — мешать даме спать.

— Дебил, — рассвирепела я, — хватит прикидываться. Имей в виду, попытаешься ко мне приставать, получишь в нос!

— А-а-а! — хлопнул себя по лбу безобразник. — До меня дошло! Вот какие мысли бродят в твоей голове! Секс! Но я не могу протянуть к тебе лапы! Это исключено.

Я обиделась:

— Почему? Разве я уродина?

— Конечно, нет, — с жаром возразил Макс. — Ты очаровательна, но наши отношения... они... такие дружеские, откровенные, нежные... Нет, не могу, даже не предлагай! Лечь с тобой в одну постель, это словно... переспать с подругой мамы!

Меня чуть не задушила злость.

— С ума сошел? Мы с тобой одногодки!

— Нет, нет, и не проси! — замахал руками Максим. — Боюсь потерять твое расположение, не готов изменить статус наших отношений, они после совместной ночи могут стать менее открытыми. Очень ценю твое предложение, спасибо, я польщен, но нет! Останемся друзьями. Знаешь, на всякий случай я подопру дверь в свою комнату шкафом. Вдруг ты начнешь меня активно домогаться?!

Мне захотелось треснуть хама по носу.

— Я? Ты что-то путаешь! Это я сказала: оставь надежду на секс!

— Тише, тише, — зашептал Максим, — ты приказала: «Уйдешь и до утра не заглянешь в мою спальню». Извини, я неправильно понял, решил, что ты ждешь меня на рассвете. До утра, мол, не надо, а потом сколько угодно!

— Баран! — выпалила я.

Макс вгляделся во тьму за окном:

— Где?

— Кто? — не поняла я.

— Баран, — уточнил спутник.

— Ты! — гаркнула я.

— Как хочешь, милая, только не расстраивайся, — смиренно потупил взор негодник. — Я согласен быть енотом, хорьком, козлом, ослом, тигром, кабаном...

Я въехала в Брехалово, припарковалась у забора и молча вылезла из автомобиля. Макс двинулся следом, называя все новых представителей животного мира, успокоился он, лишь увидев на кухне Томаса и бабу Нилу.

— Радость моей души сверкает, словно алмаз, — выпалил американец, пожимая Максу руку. — Желаешь вкусить нектар зеленого куста?

— Лучше черный чай, — ответил приятель и покосился на миску, куда бабка складывала нечто, похожее на помятые шарики для пинг-понга.

— Ужин готовите? — спросила я.

— Блины пеку, — меланхолично кивнула старуха.

— Странные они у тебя, — заметил Макс старухе. В отличие от меня, почти ко всем, невзирая на возраст, он обращался на «ты». — Похожи на клубки.

— Первый блин комом, — пропела баба Нила. — Сковородка дерьмовая, поэтому у меня и второй, и третий слиплись. Вот я и решила: не получаются блинчики, буду жарить комочки. Бери, они с виду страхолюдские, а на вкус хорошие.

Макс сел к столу, я пошла в коридор.

— Ты куда? — раздалось вдогонку.

— Хочу помыться, — ответила я, входя в ванную.

Едва я стянула свитер, как в дверь поскреблись.

— Что надо? — весьма невежливо крикнула я.

— Давай помогу жилет снять, — промурлыкал Макс.

— Сама справлюсь, — отмела я его предложение.

— Не получится, там застежки хитрые, — донеслось из-за створки.

— Ерунда!

— Не сумеешь их расстегнуть! — настаивал приятель.

Я пустила душ на полную мощность и заорала:

— Благодарна за трепетную заботу, но я уже

сижу в пене. Номер не прошел! И в спальню тебя не впущу! Лучше иди к Николаю и расскажи, что случилось с его женой.

Очевидно, Максим ушел, потому что в коридоре установилась тишина. Я нащупала крепление свинцовой безрукавки и предприняла попытку его открыть. Не тут-то было. Язычок даже не пошевелился.

Около четверти часа я, вспотев от напряжения, дергала застежки в разные стороны, но успеха не достигла. Оставалось признать: Макс был прав. Железная рубашонка имела некий секрет, не знаешь его — не снимешь. Следовало опустить хвост, поджать уши и пойти к Максу, бормоча: «Извини, пожалуйста, вызволи меня из плена».

Но меньше всего на свете мне хотелось поступать подобным образом. Тупо постояв у раковины, я приняла соломоново решение. Надо налить в ванну немного воды и сесть в нее таким образом, чтобы не замочить жилет. Снизу я буду чистая, сверху останусь потной, но ведь это лучше, чем полностью грязное тело? Теплая вода успокаивает. Расслаблюсь, глядишь, и соображу, как победить застежки.

Сказано — сделано. Когда воды натекло примерно на треть, я алчно осмотрела ряды банок и флаконов на бортике, выбрала емкость с ароматической солью, открыла ее, с наслаждением вдохнула нежный запах ванили и корицы, чуть наклонилась, услышала тихое цоканье, повернула голову, увидела под раковиной нечто ужасное, заорала, потеряла равновесие и шлепнулась в ванну.

ГЛАВА 7

Вы когда-нибудь пытались совершить заплыв в бронежилете? Если нет, то и не пробуйте: поверьте опытному человеку на слово, это очень неудобно.

Едва не захлебнувшись, я высунула голову из воды и попробовала сесть. Мне показалось, что на груди лежит чемодан с кирпичами. После десятой неудачной попытки я поняла, что приподняться не удастся. Но я не привыкла сдаваться. Если не получается маневр с верхней частью тела, то нижней я могу управлять спокойно. Теперь вспомним закон Архимеда, мы его изучали в школе, кажется, в третьем классе: «Тело, погруженное в воду, всплывает, если в бассейн из двух труб поступает одинаковое количество жидкости».

Я выпростала ногу, пальцами стопы дотянулась до крана, повернула его и взвизгнула. Забила ледяная струя. Надо добавить горячей. Спустя несколько секунд задача была выполнена, я стала ждать всплытия, одновременно пытаясь найти в патовой ситуации положительные стороны. Хотела помыть половину тела, а теперь буду чистой целиком. Правда, купаться пришлось в джинсах, футболке, носочках и пресловутом жилете. Зато тапочки остались на полу, они сухие. Заодно и свинцовая гадость освежится и перестанет вонять. Вместе со мной в ванну угодила и банка с солью, она растворилась, от терпкого аромата ванили и корицы можно было одуреть. Но ведь я могла уронить бутыль с пеной, и сейчас бы белые пузыри подпирали потолок. Не стоит зацикливаться на мелких неприятностях, лучше поискать плюсы в сложившейся ситуации. Вот сейчас вода меня поднимет к краю ванны и перевалит через него; очутившись на полу, я смогу встать, разденусь, натяну халат, повешу на веревку джинсы...

План не сработал: я не всплыла, вода прибывала, грозя утопить госпожу Романову. Очередная попытка сесть завершалась неудачей. Ноги, пытавшиеся нащупать краны, соскальзывали.

— Люди! — заорала я, отплевываясь. — Тону! Спасите! На помощь! Скорей! Сюда!

Белая дверь рухнула под напором ударов. В ванную влетели Макс, Томас и баба Нила. В этот момент моя голова полностью очутилась под водой, глаза закрылись и открылись лишь после того, как я ощутила холод. Первый, кого я увидела, был Томас с пробкой в руке.

— Твой хобби кругосветного путешествия без яхты весьма удивителен и небезразличен для общего здоровья, — сказал американец.

Вот странность: он путает падежи, неправильно употребляет предлоги, пользуется странной лексикой, и произношение у парня отвратительное, но все его прекрасно понимают.

— Ты хотела утопиться? — деловито поинтересовался Макс.

— Нет, — прокашляла я, — упала случайно.

— Почему воду не выключила? — не успокаивался приятель.

— Понадеялась на закон Архимеда, — честно призналась я, когда Томас и Макс вынули меня из ванны.

— Закон Архимеда? — поразился приятель. — Я и не подозревал, что ты помнишь даже элементарные сведения из физики.

— Если арбуз упадать с дерева в воды, он выплюхнет столько, сколько в нем есть тяжелого, — подняв указательный палец, продекламировал Томас.

Макс засмеялся:

— Ну, молодец! Малек перепутал, приплел еще и историю с Ньютоном, на которого, кстати, шлепнулось яблоко, а не арбуз. В остальном тебе крепкая четверка, садись на место.

— При чем здесь Ньютон? — вмешалась я. — Сказано тебе — закон Архимеда!

— Ну, и как он звучит? — склонил голову к плечу Макс.

— Тело, погруженное в воду, всплывает, если в бассейн из двух труб поступает одинаковое количество жидкости, — без запинки оттарабанила я.

Томас противно захихикал, Максим быстро расстегнул защелки бронежилета.

— Говорил нам в шестом классе физик по кличке Гризли: «Недоумки, зазубрите правила, они вам, дебилам, в жизни понадобятся, если, конечно, вы доживете до окончания школы». А я его не слушал. Только теперь сообразил: Гризли-то нас по-отечески наставлял, вкладывал в головы бурсаков[1] знания. Жаль, что у тебя, Лампудель, подобного учителя не было. Тогда бы ты знала, что Архимед изрек: «На всякое тело, погруженное в жидкость, действует выталкивающая сила, направленная вверх и равная вытесненной им жидкости». Поясняю для непонятливых. Если, надев спасательный жилет, ты запрыгнешь в ванну, налитую до краев ключевой водицею, то мы, собрав с пола выплеснувшуюся воду, узнаем, сколько ты весишь. Но, пока будем производить подсчеты, Лампа мирно утонет. Сообщаю теперь

---

[1] Бурса — школа, бурсак — ученик — устаревшие, теперь не употребляемые слова. *(Прим. авт.)*

правило Вульфа, то есть мое личное наблюдение: организм, закутанный в брезент, нашпигованный броней, утонет за столько секунд, сколько в нем килограммов. Или утопает, извини, не уверен, что правильно изменил глагол. Важен эффект, а не грамматика. Мораль: не совершай заплыв в обмундировании ОМОНа, кирдык наступит быстро.

— Кто есть таков кирдык? — заинтересовался Томас. — Национальный житель страны другой из состава России?

— Кирдык обитает в государстве Кирдыкстан, — не моргнув глазом ответил Макс.

— Загадочен язык русаков, — пригорюнился Томас, беззастенчиво наблюдая, как я вылезаю из мокрой футболки. — Вчерашним днем, надеясь поланчевать, ноги принесли меня к трамваю, где продать голодающим шаурму. Задумал купить пять штук, хотев угостить Нина, баба Нила и детей, рожденных от них всех. Встав в угол, не поняв, как спросить: дайте пять шаурма? Пять шаурмов? Пять шаурменей? Пять шаурм?

— Не думай о падежах, — посоветовал Макс, — тебя поймут, просто пропой: «Раз, два, три, четыре, пять, хочу шаурму опять».

— О! Спасибо! — обрадовался Томас.

Я закуталась в Нинин халат и запоздало обиделась:

— Не садилась я в ванну, случайно упала!

— Где-то здесь ты прячешь бутылку с водкой? — ухмыльнулся Макс. — Хлебнула из горлышка и не удержалась на ногах?

— Испугалась того, кто сидел под раковиной, — после колебания ответила я, — и потеряла равновесие.

— Да ну? — вскинул брови приятель. — Там

отдыхал зеленый человечек? Чертик? Или торчала черная-черная-черная рука?

— Там мохнатый клубок ворочался, — вздохнула я. — Довольно большой, размером с кошку. Уши, хвост, глаза, усы.

Макс нежно обнял меня:

— Пойдем, заинька, тебе надо баиньки. Если кто-то выглядит, как кошка, имеет хвост и уши, как у кошки, мяукает, как кошка, то это стопроцентно кошка.

Я попыталась поспорить:

— Не совсем верное утверждение.

— Хорошо, хорошо, — закивал Макс, — согласен, все, как у кошки, а по сути, слон.

Продолжая нести чушь, он довел меня до кровати, взбил подушки, перетряс одеяло. Пока я раздевалась и укладывалась, он сгонял на кухню, принес мне шоколадку, чашку чая и сунул в руки книгу.

— Новая Полякова! — обрадовалась я. — Макс, ты такой внимательный! Купил мне детектив! Спасибо!

Вульф пошел к двери во вторую комнату:

— Знаешь, я подумал: если у Лампы будет книга, она не станет ко мне приставать ни с вопросами, ни с сексом. Увлечется сюжетом, а я спокойно отдохну. В конечном итоге криминальный роман я приобрел для себя.

Умиление враз покинуло меня, еще бы секунда, и я запустила бы в Макса томиком, но он весьма вовремя шмыгнул во вторую комнату. Я начала читать. Вокруг установилась полнейшая тишина: Томас не шумел, со стороны комнат Нины Силаевой тоже не доносилось звуков, меня постепенно захватил сюжет, спать расхотелось. Вдруг из дальнего угла, где возвышался апофеоз советской электронной промышленности — телевизор «Рубин» на паучьих ножках, послышалось тихое шуршание, потом легкий стук коготков.

Муля, вальяжно раскинувшаяся в кресле, подняла голову и недовольно заворчала. Остальные собаки не обращали внимания на звук. Мопсы крайне дружелюбны: любых живых существ, включая грызунов, они считают друзьями. Мыши могут спокойно кататься верхом на Аде, Капе и Фене. Для Рейчел полевки — не стоящая внимания добыча, ради такой мелочи она даже глазом не моргнет, а Рамик, несмотря на тяжелое дворовое детство, крайне брезглив. Я же, в отличие от большинства женщин, не теряю головы, услышав тихое попискивание. Одна Мульяна у нас начинает нервничать, когда в дом являются непрошеные гости. Муля совсем не злая, просто ей мешают посторонние звуки.

— Эй, мышки, немедленно уходите! — скомандовала я, не отрывая глаз от страницы. — Вчера вам повезло, схомячили шоколадку, беззаботно оставленную мною на тумбочке, но сегодня ничего вкусного и в помине нет! Брысь!

В ответ раздалось бодрое чиханье. Я лениво переместила взор и увидела кошку серо-черно-коричневого цвета, со здоровенной мордой. Изо рта ее торчали два длинных клыка, у нее были круглые уши, чуть раскосые черные глаза, вытянутый, на конце обрубленный нос и крохотные передние лапки. Чудо-юдо сидело столбиком, лапки оно сложило на груди.

— Мама, — прошептала я, — ты кто?

Неизвестный зверек приподнял верхнюю губу и свистнул. Мопсы вскочили, Рейчел завыла, Рамик залаял во всю мощь.

— Что случилось? — спросил Макс, входя в мою комнату.

Я ткнула пальцем в сторону стола:

— Сидит.

— Кто? — деловито осведомился приятель.

— Там, — прошептала я, — гибрид кошки и хомяка!

Максим отобрал у меня книгу:

— Не верь писателям, они вруны, таких существ в природе не бывает! Вот уж не ожидал от Поляковой ничего подобного. Обычно у нее добротные детективы, а не ерунда.

Дверь в коридор распахнулась, вошла Нина Силаева.

— Кто кричал? — спросила она.

— Лампа увидела некое чудо-юдо, — без тени улыбки заявил Макс.

Силаева попятилась:

— Кого?

Я схватила халат:

— На столе сидел то ли скунс, то ли хомяк, не знаю, как его назвать. В общем, жуть.

— Если ты слопала на ночь комки, которые испекла баба Нила, то неудивительно, что тебе ужасы мерещатся, — заметила Нина. — Желудок расперло, оттого и кошмары.

В спальню медленно вплыла Прасковья Никитична.

— Видела сейчас зайца без ушей в пальто с меховым воротником, — сообщила она, — мимо прошел!

— Здорово! — кивнул Макс. — Прямо Алиса в Стране чудес. Кролик тебя случайно чай пить не позвал? Не сказал, что опаздывает?

— Нет, — не смутилась Прасковья Никитична, — он молчал.

— Мама, иди-ка ты спать! — распорядилась Нина.

— Не хочу, — уперлась Прасковья Никитична, — нечего из меня дуру делать! Заяц был!

— Бабушка тоже «блинами» объелась? — предположил Макс.

— Нет, она грибов покушала, — помотала головой Нинуша. — Я опят на зиму в масле закатала, они хорошо с картошечкой идут.

— Ах, грибочки — протянул Максим. — Понятненько!

— Эй, чего не спите? — присоединился к нашей компании Николай. — Ночь на дворе.

— Лампа увидела помесь белки со свиньей, — ввел его в курс дела Макс. — А Прасковья Никитична повстречала зайца в пальто. В остальном все нормально.

— Заяц был под пальто голый, — рассердилась бабка.

— Совсем? — разинул рот хозяин дома.

— Неприлично, правда? — хохотнул Максим. — В присутствии незнакомых людей шляется без штанов! Фу!

— Вижу, вы хотите из меня идиотку сделать, — нахмурилась Прасковья. — Думаете, если я иногда забываю, как меня зовут, то всегда кретинка? Зайцы не носят кальсоны.

— Звучит, как песня, — закряхтел Томас, незаметно присоединившийся к дружной компании, — зайцы не носят кальсоны. Недавно слышать по радио! Бодрая мелодия для военного вальса!

— Смотрите, — торжественно заявила Прасковья Никитична, — вон он! Его свинка приголубила.

Все одновременно повернулись в ту сторону,

куда указывал артритный палец старухи. Возле окна лежала Муля. Около нее уютно устроилось лохматое чудовище. Оно явно сообразило: мопсиха обладает гипертрофированным материнским инстинктом и не сделает ему ничего плохого. Наши собаки приучены к четвероногим визитерам: большинство знакомых, отбывая в отпуск или командировку, привозят своих питомцев в Мопсино. Рейчел толерантна как к собакам, так и к кошкам, Рамику без разницы, кто еще поселился в доме, Ада окажет гостю почет и уважение, если только незнакомец не обнаглеет и не полезет к ней в миску, Феня начнет вздыхать, словно говоря: «Ну вот, опять приживалы», а затем тщательно спрячет от варягов пластмассовые косточки и плюшевые игрушки. Капа тут же предложит поиграть с ней в догонялки, а вот Муля особое дело. Она будет трепетно ухаживать за постояльцем, тщательно вылижет его, обогреет, приласкает.

— Заяц! — обрадовалась Прасковья Никитична.

— Степан, стервец! — зашумел Николай. — Вот ты куда удрал!

— Ты его знаешь? — поинтересовалась Нина.

— А то нет! — хмыкнул Рублев. — Сам на рынке купил.

— Оригинальный организм, — одобрил Максим. — Как его зовут?

— Степан, — ответил Колян и стал причмокивать, подзывая зверушку.

Но Степе очень нравилось греться о толстый бочок Мули, он даже не пошевелился.

— Хочется узнать, каких Степаша кровей, — спросил Макс, — он тигр, кот или суслик?

— Быдра, — сообщил Колян, — мой лучший бизнес.

— Быдра? — переспросила я. — Такого зверя не существует.

— Вон же, сидит, — возразил Рублев. В логике ему не откажешь.

— Я выдру знаю, — вступила в разговор Нина.

— Мать ему и есть выдра, — кивнул хозяин, — а отец бобер. Плюсуем, получаем быдру. Уникальная помесь: мех, крепкие зубы, а питается деревяшками. Со всех сторон выгода! Разведу их и буду продавать, пойдут влет, лучше шаурмов.

— Шаурмов! — повторил Томас. — О! Надобно утрамбовать к памяти верное произношение множественного числа!

— Расхватают за час, — потирал руки Колян, — всем понадобятся. Если хотите для радости, ну, типа, скотина в доме, то очень экономно. Желаете шубу — шикарный мех.

— Отвратительно! — возмутилась я.

— Это ты жалостливая, в куртке носишься, а другим бабам шубку подавай! — возразил Колян.

— Еще быдру можно использовать для столярных работ, — с самым серьезным видом подхватил Макс, — вместо циркулярной пилы, например, или рубанка.

— Об этом я не подумал, — признался Колян.

— И кто тебе посоветовал заняться разведением быдр? — неожиданно грамотно спросил Томас.

Рублев упер одну руку в бок, вторую вытянул вперед, словно главнокомандующий, напутствующий войска перед решающей битвой, и выдал вдохновенную речь. Если отбросить в сторону цветистые выражения и заверения: «Заработаю пару миллиардов и уйду на покой», то выяснилось следующее.

Потерпев фиаско с домашним спиртзаводом, Колян решил поискать новый род деятельности и обнаружил в Интернете парня, который сообщал о быдрах. Рублеву идея разведения мутантов показалась великолепной, он смотался в городок Королев и приобрел два экземпляра: Петра и Степана.

На этой фазе рассказа Нина засмеялась, а я спросила:

— Ты надумал создать семейную пару быдр и получить многочисленное потомство?

— Ну да, — подтвердил хозяин. — Продавец объяснил, они производят по десять-пятнадцать быдрят за раз. Через год я куплю дом на Таити!

— Ничего не получится, — отрезал Макс.

— Зря не верите, — надулся Колян. — Вот позову вас к себе в имение на лето, тогда и увидим, кто прав.

— Петр и Степан потомства не дадут, — сказала я.

— Почему? — удивился Николай.

— Ну ты даешь! — восхитился Макс.

Томас похлопал Рублева по плечу:

— Геи не способны делать детей, у них болезнь сексуального организма.

— Петя и Степа здоровы, — бросился на защиту подопечных Колян, — продавец мне ветпаспорта дал.

— Скатайся завтра к быдрозаводчику и купи Таню, — посоветовала я. — Если в стае появится дама, дело пойдет.

— На третьего зверя денег нет, — загундел Колян, — и там всего двое было, остальных разобрали. Ничего, они управятся. Степан, пошли наверх.

Не обращая на нас внимания, Рублев подошел к уснувшему зверьку, взял его на руки и ушел. Случившееся с женой, кажется, занимало его меньше, чем грядущее быдропроизводство.

— Странно не знать о жизни сексуально безграмотного организма, — выдал Томас. — Рожает женская особь, мужские не рожают.

— Охохоюшки, — выдохнула Нина. — Мужик нынче странный пошел!

— Где я? — вдруг спросила Прасковья Никитична. — Отдайте паспорт, почему свидание отменили?

— Мама, все в порядке, — сказала Нина и повела вновь впавшую в безумие старушку в коридор.

— Надеюсь, до утра в нашем сумасшедшем доме будет тихо, — буркнул Макс. — Впрочем, до рассвета уже недолго. Лампуся, сделай одолжение, не ори больше, подумаешь, увидела быдру, не стоило нервничать.

ГЛАВА 8

Проснулась я от резкого запаха табака. Открыв глаза, увидела огромную лохматую фигуру у моей кровати и заорала:

— Быдра!

Животное отпрянуло, наткнулось на кресло и со всего размаха в него село.

— Ну вот опять, — заворчал Максим, высовываясь из второй комнаты. — Мы же вчера договорились. Привет, Павлуха!

Быдра кашлянула:

— Макс? Так вы с Лампой, типа, того, ну, вместе?

Тут только я поняла, что в комнате находится не помесь бобра с выдрой, ухитрившаяся за ночь вымахать до космических размеров, а следователь Гладков, одетый в косматый полушубок.

— Как ты в дом вошел? — разозлилась я.

— Он открыт, — пожал плечами Павел.

— Что это ты нацепил? — не утихала я.

— Куртку из волка, — пояснил Гладков. — На улице мороз вдарил. А ты всегда спросонья ругаешься?

— «Быдра» — это не ругательство, а порода животных! — возмутилась я.

— Что случилось? — спросил Макс.

Павел расстегнул клочкастый тулуп:

— Лампа, одевайся, поедешь с нами.

— Куда? — насторожилась я.

— В управление. Этот гад хочет только с тобой беседовать, — зачастил Гладков. — Если к полудню не выйдешь с ним на связь, сучий потрох убьет новую жертву.

Меня смело с кровати. Я схватила джинсы, побежала к шкафу за свежей футболкой Но на полдороге заставила себя остановиться.

— Зачем ехать-то? Давай аппарат, разговаривать можно и отсюда.

— Нет, — уперся Павел. — Надо исключительно из кабинета, в присутствии спецов и аппаратуры, способной определить место нахождения мертвеца.

— Мне нетрудно, — согласилась я, — но что будет, если снайпер поймет, что его хотят вычислить? Можешь процитировать его требование?

Павел нахмурился:

— Говорить буду только с бабой. Мобилу ей дайте. Времени у вас до двенадцати. Подсунете психолога — в пять минут сниму первого прохожего. Никаких ментовских штучек.

— Значит, ваш супер-пупер душевед с киллером не договорился, — злорадно сказала я. — Ты уже совершил одну глупость, когда позвал толстяка, а теперь собираешься сделать новую: вести переговоры из кабинета. Преступник конкретно высказался: никаких ментовских штучек. Давай старый мобильник Валентины, попытаюсь наладить с психом контакт.

— Мы едем в управление, — с упорством ишака повторил Гладков. — Ты плохо представляешь, что у нас творится. Начальство стоит на ушах. В городе снайпер, это не шутка. Если в первый раз, когда орудовал Медведев, удалось скрыть серию от прессы, то теперь я не уверен, что журналюг удастся оставить за бортом.

— Никак не пойму: ты опасаешься за жизнь людей или решил потрафить своим боссам, которые боятся огласки? — спросила я.

Гладков резко встал:

— В городе снайпер! Он в любой момент может выстрелить на поражение.

— Значит, нужно предупредить население, — топнула я ногой. — Оповестить народ об опасности, попросить без необходимости не выходить из квартир.

Паша вынул из пачки сигарету:

— Посеять в городе панику? Поверь, это намного страшнее, чем убийца с винтовкой.

— Здесь не курят, — мстительно сказала я. — По-твоему, с десяток застреленных москвичей лучше, чем эвакуация населения?

Гладков воздел руки к потолку:

— Господи, дай мне терпения. Эвакуация! А о деньгах ты подумала? В какую сумму она выльется?

Я скрестила руки на груди:

— Отлично, давай разберемся, зачем городской казне миллионы? Чтобы обеспечить жизнь Москвы. А если в городе истребят население, то...

— Короче, ты отказываешься нам помогать, — перебил Паша.

— Нет, но считаю, что ты совершаешь ошибку, — мрачно ответила я.

— Поехали, — распорядился Гладков.

И как мне следовало поступить?

Через пятнадцать минут я взяла сумочку и пошла к двери.

— Бронежилет! — скомандовал Макс. — Где он?

— У батареи, на стуле висит, — ответила я, — сушится.

Павел легко взял безрукавку, быстро сдернул с меня свитер, надел на футболку средство защиты и закрыл защелки. Я вскрикнула.

— Кожу прищемил? — удивился Гладков.

— Горячо, — прошептала я, — железки нагрелись. Теперь я знаю, что ощущает цыпленок на раскаленной сковородке, когда его придавливают сверху грузом.

— Нет сил терпеть? — насупился Павел.

— Нормально, — чуть громче произнесла я. — Пойду к своей машине. Насколько я понимаю, Максима ты не приглашаешь?

Гладков развел руками:

— Выполняю приказ шефа.

— Мне надо в офис, — засуетился Макс. — Будете зазывать хлебом-солью, все равно откажусь, работы по ноздри.

— Можешь выгулять и накормить собак? — спросила я.

Приятель помахал рукой:

— Езжай спокойно, все будет сделано.

— Это она? — весьма невежливо спросил огромный, похожий на медведя мужчина лет пятидесяти, когда Павел ввел меня в здоровенный кабинет, заставленный дубовой мебелью.

— Так точно, — отрапортовал Гладков. — Евлампия Андреевна Романова.

— Добрый день, — сухо кивнул его шеф.

Второй мужчина, в дорогом костюме и рубашке с галстуком, оторвался от кормления рыбок в аквариуме и приветливо представился:

— Арсений Леонидович Филатов, помощник Льва Георгиевича, впрочем, можно без отчества. Сеня.

В отличие от шефа, секретарь был длинноногим и тощим и смахивал на цаплю. Сходство с птицей усиливали длинный нос и нелепо изогнутые руки. Я решила продемонстрировать готовность к сотрудничеству:

— Тогда я Лампа.

— Вперед! — скомандовал Лев Георгиевич.

Мы прошли по короткому коридору мимо двух плотно закрытых дверей и в конце концов очутились в помещении, битком набитом компьютерами, телефонами, телевизорами и всевозможными коробочками с антеннами. Посередине на офисном стуле вертелся тощий парень, напоминавший геккона.

Мне стало смешно: не управление, а зоопарк. Лев — медведь, Сеня — цапля или, скорее, журавль, а теперь еще и ящерица.

Лев Георгиевич сухо кивнул компьютерщику и уставился мне в переносицу.

— Внимание! Ваша задача — продержать объект на линии как можно дольше. Скажите ему, что находитесь дома одна и готовы ему помогать.

— А вдруг снайпер проследил за Павлом и видел, как мы входили в управление? — резонно спросила я.

Компьютерщик втянул голову в плечи, Гладков попятился к двери. Мне стало понятно: шеф не терпит возражений, сейчас начнет метать громы и молнии.

Лев Георгиевич скрипнул зубами, но удержался от праведного гнева.

— Работаем по плану, без отсебятины. Берете трубку и отвечаете: «Слушаю. Нахожусь в квартире».

Я невольно обратила внимание на то, что запястье шефа украшают дорогие часы на светло-сером, каком-то не мужском ремешке, и кивнула:

— Хорошо, где текст?

Босс моргнул, медленно, словно уставшая черепаха.

— Что вы имеете в виду? — вмешался Сеня.

— Раз запрещена импровизация, значит, подготовлен сценарий беседы, — мирно объяснила я. — Готова его зачитать.

— Кого ты привел? — заревел Лев Георгиевич, пытаясь взглядом просверлить в Паше дырку. — Убирайся немедленно вон!

— Евлампию Андреевну, — проблеял Гладков, пятясь к двери.

Мне стало стыдно. Ну кто виноват, что мне не понравился местный главнокомандующий. Похоже, он красит волосы, а потом тщательно скрепляет их при помощи лака или воска. Вот вы как относитесь к таким мужчинам? Впрочем, если так за собой ухаживает человек из шоу-бизнеса, модельер, дизайнер, любой представитель фэшн-индустрии, я не удивлюсь. Но обнаружить подобного типа в среде борцов с преступностью немного странно. А еще от Льва Георгиевича интенсивно пахнет одеколоном с шипровыми нотами. У меня от такой парфюмерии разом начинается спазм всех сосудов.

Похоже, Лев Георгиевич сообразил, что я не пала жертвой его красоты, и разозлился. Вот только на орехи достанется не Лампе, которая не подчиняется боссу, а Гладкову и бессловесному компьютерщику.

— Извините, — улыбнулась я, — насчет сценария я пошутила.

И тут мобильный Валентины, лежавший на столе, заорал дурным голосом.

— Берете на счет три, — шепнул компьютерщик.

— Тишина, — скомандовал шеф, — работаем.

Я поднесла «раскладушку» к уху:

— Алло.

Два компьютера зажгли экраны, на одном возникла карта, на другом — множество кругов со стрелками.

— Медведева не освободили, — произнес голос, — но ты можешь это сделать. Я знаю, что можешь!

— Вы же понимаете, что милиция не имеет отношения к Главному управлению исполнения наказаний, — ответила я, — следователь и оперативники только собирают доказательства, приговор выносит суд, а содержат осужденного на зоне. Разные ведомства не могут быстро договориться. Дайте им побольше времени.

— Ладно. Филипп должен быть на свободе к семнадцати часам. Иначе вы получите новый труп, — прошипели из трубки, — ровно в семнадцать.

Я покосилась на парня, перед которым на мониторе с калейдоскопической скоростью менялись карты районов Москвы и бегал зеленый луч.

— Предлагаю вам компромисс, — нежно пропела я. — Вы даете мне двадцать четыре часа, а я добиваюсь освобождения Филиппа. Кстати, почему вы так озабочены его судьбой? Он ваш друг? Родственник?

— Ты не дома! Ладно! Получишь, что заслужила, — каркнул в ответ голос. — Не хочешь звонить своим приятелям? А ведь можешь!

— Стойте, — заорала я, — вы правы! Я в спецлаборатории! Не хотела сюда идти, но меня заставили. Вас пытаются засечь! Но я могу помочь! И вам, и Медведеву! Я верю, что он не виноват. Эй, ничего не делайте!

— Семь ворон на семи холмах, в погребе бабушки Гусыни письмо от Тима-плотника, — раздалось из телефона. — Воспользуйся ключом Мартина, он откроет дверь. В семнадцать часов Филипп должен быть свободен, или новый труп. Точка.

Трубка запищала, я оторвала ее от вспотевшей руки и сунула в карман.

— Засекли?

— Да, — кивнул айтишник, — вот адрес.

Сеня выхватил листок и исчез, Лев Георгиевич удалился походкой императора. Я села на табуретку.

— Ваш шеф всегда такой?

— Долдон, — вздохнул специалист по компам. — Непрофессионал, командует тут, потому что правильно женат. Ни с кем не здоровается. Я скоро уволюсь, надоело! Здесь хорошо только таким, как Арсений, лижет Левушке задницу и счастлив. Тебя правда Евлампией зовут?

— Лучше Лампа, — улыбнулась я.

— Герман, — представился парень.

— Литературное имя, — заметила я. — Сразу «Пиковая дама» на ум приходит. Откуда звонил снайпер?

Герман ткнул пальцем в экран:

— Город Истра, переговорный пункт. Туда быстро не добраться!

— Логичнее отправить местную группу захвата, — вздохнула я. — Не из Москвы же омоновцам ехать.

— Ты небось полагаешь, что стрелок мирно в зале сидит и задержания ждет! — фыркнул Герман. — Знаешь, кем шеф до назначения сюда служил? В институте лекции читал, по философии или истории, точно не знаю.

— Врешь! — выпалила я.

— Честно, — подтвердил Герман. — «Не имей сто рублей, не имей сто друзей, а женись, как Райкин-бей». У шефа фамилия Райкин, а «бей» ему прибавили за восточную любовь к кальяну и остроносым ботинкам.

— Не верится как-то, что на такой пост назначили непрофессионала, — с сомнением протянула я.

— Одна тетенька, дочь генсека, вышла замуж за дяденьку, — ответил Герман. — Был он всего-то мелкий офицер, а пока от загса до дома счастливым молодоженом ехал, превратился в капитана — майора — полковника. Прецеденты стремительных карьер уже были. Думаю, больше сюда снайпер не позвонит, до пяти вечера его требование не выполнят, будет новая жертва. Разгадывай скорей загадку.

Мне стало душно. От бронежилета исходил жар. Может, пластины, греясь всю ночь у батареи, до сих пор не остыли?

— О чем ты?

Герман подпер голову рукой:

— Стрелок же сказал: ключ у Мартина. В погребе бабушки Гусыни лежит письмо от Тима-плотника. Еще сюда примешаны семь ворон на семи холмах.

— Семь холмов — это Москва, — предположила я. — Город на семи холмах — столица России. А кто такие семь ворон?

— Может, это название улицы? — высказал свое мнение Герман.

— Не припомню такую, — поежилась я. — Семь ворон! Я коренная москвичка и не слышала ничего похожего.

Герман бойко застучал по клавиатуре.

— Вот, — спустя некоторое время заявил он, — есть трактир «У бабушки Гусыни». Слышала?

— Нет. А адрес какой? — встрепенулась я.

— Седьмая Вороновская улица, дом сто десять, — торжественно заявил Герман.

— Семь ворон! — подпрыгнула я. — Можешь показать по карте?

Компьютерщик вцепился в одну из пяти мышек, лежавших на его столе, я уставилась в экран.

— Спасибо, надо же, совсем просто, — выдохнула я. — Дай мне свой номер телефона. У меня есть приятель, владелец фирмы, которая занимается интересными делами. Могу тебя с ним свести, Максу нужны толковые сотрудники. К сожалению, я сама временно лишилась мобильного. Сейчас поеду, куплю новый и пришлю тебе смс, а заодно скину телефон Макса.

Герман черкнул несколько цифр на листочке, я протянула ему визитку.

— Тебе придется доложить о загадке снайпера

начальству. Кажется, твой босс не обратил на нее внимания.

Герман крутанулся на стуле:

— Левчик инициативу не приветствует. Даже если я и намылюсь в его кабинет, помощник тормознет. Субординация! Не имею права с суконным рылом в калашный ряд! Не спрашивают — молчу.

— Надо хоть Гладкова предупредить, — вздохнула я.

— Это без меня, — скривился Герман, — Пашка хороший мужик, но дурак и ничего не решает.

Я вышла в коридор. Первым делом надо купить новую трубку, сейчас по пути зарулю в магазин. Однако милейший Лев Георгиевич правда ноль в профессии: не среагировал на загадку и не заметил, что я взяла мобильный Валентины.

ГЛАВА 9

Из двери кабинета высунулся Арсений.

— Евлампия, извините, — улыбнулся он, — я вас провожу.

— Мне нужен Павел, как к нему пройти? — спросила я, когда мы шли по коридору.

Сеня опустил глаза:

— Лев Георгиевич очень нервничает, у него взрывной характер. Сначала злится, орет, всех увольняет, потом успокаивается и начисто забывает о конфликте.

— Супер, — не удержалась я, — великолепное качество для руководителя.

Арсений взял меня под руку:

— Наше управление создано недавно, у него особый статус, это не нравится ряду людей.

И сам Лев Георгиевич кое-кому не по вкусу, а меня многие считают лизоблюдом, не понимают, что я сотрудников защищаю. Вот вам сегодняшний пример: шеф понял, что дело снайпера почти провалено, и... уволил Гладкова.

— Как! — ахнула я. — За что?

— Паша попал под горячую руку, я же говорил, — напомнил Сеня. — И как должен поступить я, которому велено немедленно подготовить приказ об его увольнении, да еще с формулировкой про профессиональное несоответствие?

— Вот сукан! — вырвалось у меня любимое ругательство Кирюшки.

— Евлампия! — укоризненно покачал головой Сеня. — Странно слышать из ваших уст подобное! Я не буду пока ничего делать. Если через десять минут притащу шефу приказ, он его сгоряча подмахнет и Павел очутится на улице. Понимаю, что Гладков ваш приятель и, наверное, вам не понравится правда о нем: Паша хороший служака, дотошный, аккуратный, честный, исполнительный. Последний эпитет — ключевой: «исполнительный», понимаете? Гладков приучен действовать по инструкции. Если ему отдан приказ, он выполнит его быстро и качественно, но творческой жилки у него нет. Павел не сделает карьеры, ему никогда не прыгнуть высоко, не хватит ни фантазии, ни, уж извините, бюрократической хитрости. И он не из тех людей, за кого горой встанут коллеги. В сентябре Лев Георгиевич хотел уволить эксперта Кузина, так в управлении бунт поднялся. У Кузина глаз — рентген, он видит пылинку на месте происшествия, а потом сидит ночами в лаборатории, пытаясь понять, откуда она залетела.

— Не понимаю, к чему этот разговор, — нетерпеливо перебила я излишне болтливого Арсения.

— Кузина уважают за профессионализм, другого кандидата на вылет, Романа Быстрова, любят за веселый нрав и щедрость, а Гладков середнячок, о нем переживать не станут, — улыбнулся помощник босса. — Да и друзей особых у Павла на службе нет. Что будет, если его выкинут? Никакой лучезарной перспективы для него не вижу, станет охранником в магазине продуктов. Понимая, что впереди у Гладкова отнюдь не радужное будущее, я сегодня приказ не составлю. Через день Лев Георгиевич остынет и забудет о поспешно принятом решении. Но чтобы вот так манкировать прямыми распоряжениями шефа, нужно состоять с Райкиным в хороших отношениях. Я не подхалим, я просто спасаю сотрудников управления. Моя угодливость по отношению к начальству имеет не личные причины, я ангел-хранитель коллег, а они меня терпеть не могут.

— К сожалению, люди по природе своей неблагодарны, — сказала я фразу, которую наверняка ожидал услышать Арсений. — Непременно расскажу Павлу, сколько добра вы для него сделали.

Сеня усмехнулся:

— Не надо, я не собирался использовать вас в этом качестве. Вы мне понравились. Захотел позвать вас в ресторан, смутился, словно школьник, и решил немного о себе рассказать. Распустил хвост, подумал: если вы узнаете, кто позаботился о вашем приятеле, не откажетесь выпить с добрым малым чашечку кофе.

Согласитесь, взрослой женщине глупо теряться, когда мужчина зовет ее на свидание. Мне не тринадцать лет, за спиной неудачный брак, пара не особенно бурных романов, плавно перетекших в крепкую дружбу с кавалерами, а сейчас у меня конфетно-букетная стадия отношений с Максом. Тем не менее я смутилась, как пятиклассница, потупила взор и пробормотала:

— Только не сегодня. Есть человек, который не любит, когда я без предупреждения занимаюсь личными делами.

Не надо думать, что я решила ответить сладкоголосому Сене взаимностью. Помощник Пашиного шефа открыто дал мне понять: он способен нагадить Гладкову, но пока не станет открывать боевые действия. Если я категорически откажу местному интригану, на стол Льва Георгиевича ляжет приказ об увольнении моего приятеля. Недаром умные бюрократы любят повторять: все дела в конторе решает секретарша, она носит своему боссу бумаги на подпись. Дружи с тем, кто сторожит вход в кабинет начальства, и никогда не ссорься с прислугой. Шофер, охранник, домработница, фитнес-тренер — эти люди могут поспособствовать решению твоих проблем. Лучше действовать через них, чем самому идти с официальной просьбой к шефу.

— Сегодня и у меня дел по маковку, — кивнул Сеня. — Как насчет пятницы?

— Отлично! — излишне поспешно ответила я. — Часиков в семь.

— Это лучшее время, — одобрил Арсений. — Можно я сам выберу место? Только скажи, мясо или рыба?

— Курица! — засмеялась я. — И непременно десерт.

Сеня потер руки:

— Знаю шикарное заведение. Дай на секунду твой мобильный.

Я протянула ему трубку Валентины, он начал нажимать на кнопки, приговаривая:

— Это мои номера, количеством три штуки. Слушай, твой сотовый-то умер!

— Вот жалость! — расстроилась я.

— Не стоит сразу паниковать, есть хороший способ реанимации трупа, — успокоил меня Сеня и ловко вскрыл закапризничавший аппарат. — Так, вынимаем батарейку. Есть пилка для ногтей?

Я порылась в сумке и с разочарованием констатировала:

— Нет.

— А и не надо! — объявил Арсений. — Я справился без хирургического вмешательства. Гудит, пищит, звонит, пашет, как пришпоренный. Пришли мне потом смс, и я получу твой номер.

— Ловко у тебя получилось! — восхитилась я.

— Я закончил МВТУ имени Баумана, — пояснил Арсений, отдавая мне трубку. — Хорошего технаря из меня не получилось, но кое-что помню. Если сломаешь примус, зови, починю без проблем.

— Непременно, — кивнула я, — но я никак не соберусь купить суперсовременный агрегат, готовлю на костре.

Арсений рассмеялся, он явно хотел продолжить беседу, но тут в коридоре появился кряжистый мужчина в тесном костюме и вежливо спросил:

— Где прикажете ждать?

— Что вы, Михаил Николаевич, — спохватился Сеня, — никакого ожидания, пойдемте, отведу вас к шефу. До свидания, Евлампия Андреевна, надеюсь, наше сотрудничество окажется плодотворным.

Незаметно мне подмигнув, Арсений начал подталкивать дядьку к входу в приемную. Я кивнула и поспешила к лифту.

Всю дорогу до улицы семи ворон я, безуспешно терзая новый телефон, пыталась дозвониться до Паши, но постоянно нарывалась на ответ: «Абонент временно недоступен».

Поняв, что Гладков не желает ни с кем общаться, я решила поговорить с Максом и услышала в трубке: «Абонент находится вне зоны действия сети».

Лишившись возможности посоветоваться с приятелями, я решила действовать на свой страх и риск и, стоя в пробке, дозвонилась до больницы, куда положили Валю.

— Рублева находится в стабильно тяжелом состоянии, — ответил вежливо-холодный женский голос.

— Ее можно навестить? — спросила я.

— Состояние стабильно тяжелое.

— Я это поняла, хочу увидеть Валентину, — объяснила я.

— Состояние стабильно тяжелое.

— Вы автомат? — обозлилась я. — Произносите лишь одну фразу?

— Сама ты дура, — схамила трубка. — Сто раз сказано: «Состояние стабильно тяжелое», значит, Рублева в реанимации, туда не пускают!

— Можно побеседовать с ее врачом?

— Соединяю, — буркнула дама.

— Отделение реанимации, — сказал спустя некоторое время мужчина.

Я обрадовалась: доктор будет вежливее тетки из справочной.

— Здравствуйте, как там Валентина Рублева? Я ее... э... сестра.

— Состояние стабильно тяжелое.

Они что, сговорились?

— Хочется поговорить с ней, приободрить ее, когда можно приехать?

— Вас не пропустят в отделение, — бесстрастно отреагировал врач.

— Ну ладно, — сдалась я, — а стабильно тяжелое состояние — это очень плохо?

— Делаем все возможное, — ушел от прямого ответа эскулап.

— Можете передать Вале привет от Евлампии? Попросите ее не нервничать, дома полный порядок, — произнесла я.

— Если в состоянии Рублевой наметится положительная динамика, я выполню вашу просьбу.

— А почему не сейчас?

Доктор засопел:

— Рублева в коматозном состоянии.

— Она без сознания? — испугалась я.

— Состояние стабильно тяжелое.

— Пожалуйста, — взмолилась я, — поговорите со мной по-человечески. К ней не пускаете, так хоть по телефону объясните.

Врач кашлянул:

— Пациентке отстрелили ушную раковину, внутренних повреждений нет. Рублева счастливица, пуля чиркнула по голове, сняла кусок кожи с волосами, но кости целы. Понятно объясняю?

— Да, да, — закивала я, — продолжайте.

— По идее, подобные травмы хорошо заживают. Поработает пластический хирург, внешнего дефекта не будет. Но больная в коме, делать прогнозов я не могу.

— Почему она без сознания? — не успокаивалась я.

Реаниматолог хмыкнул:

— Сумей я ответить на ваш вопрос со стопроцентной точностью, получил бы Нобелевскую премию.

— Но мозг не задет? — с надеждой спросила я.

— В принципе нет, — устало подтвердил врач.

— Однако Валентина не реагирует на внешний мир?

— Правильно.

— И что будет с ней, никто не знает?

— Состояние стабильно тяжелое, — спрятался за привычную формулировку доктор.

Я поблагодарила его и продолжила путь. Ну почему сотрудники больниц никогда не высказываются прямо, бродят вокруг да около, произнося обтекаемые фразы: «Наметилась динамика», «Состояние соответствует перенесенной травме», «Больной реагирует на проводимое лечение»? Я хочу знать: Валя поправится или нет? Поэтому отвечайте просто: «Рублева непременно выздоровеет», — больше мне ничего не надо.

Ресторан «У бабушки Гусыни» явно пользовался у местных жителей популярностью: все десять столиков оказались заняты. Я подошла к барной стойке и увидела на стене, над шеренгой бутылок, черную доску, на ней аккуратным почерком девочки-первоклассницы было выведено: «Блюдо дня — гусь с яблоками и печеным картофелем». У хозяина трактира странное чувство юмора: Гусыня готовит гуся. Хотя она же бабушка: вероятно, сейчас на кухне разделывают одного из ее многочисленных внуков.

— Что желаете? — спросил бармен, протирая тряпкой полированную стойку. — Советую вишневое пиво, дамский напиток.

Я показала парню ключи от малолитражки:

— Спасибо, лучше кофе.

— Пьяный за рулем — смерть на дороге, — объявил бармен, подходя к кофемашине. — Никогда спиртное не налью, если знаю, что клиент на колесах.

— К сожалению, не все столь принципиальны, — поддержала я беседу, — кое-кому важна исключительно прибыль. Не подскажете, где найти Тима-плотника?

Юноша аккуратно поставил передо мной чашечку.

— В подвале он живет.

— И где вход? — спросила я, выкладывая на стойку купюру.

— Со двора, железная дверь, — проинструктировал меня бармен, — осторожнее, там посередине ступеньки не хватает.

Опустошив залпом крошечную чашку, я выбралась на улицу, проковыляла по обледенелому тротуару, нашла нужную дверь, преодолела лестницу, очутилась в полутемном подвале с низким потолком, по которому змеились трубы, и увидела дедушку, похожего на сказочного гнома.

— Ищешь кого? — неожиданно звонко спросил он.

— Тима-плотника, — ответила я.

— Считай, нашла, — прищурился «гном».

— Для меня у вас должно быть письмо, — сказала я.

— Может, и так, — кивнул дедуся. — От кого ждешь конверт?

— Имени отправителя не знаю, — призналась я, понимая, что ситуация идиотская.

— Саму-то как зовут? — не удивился дедок.

— Евлампия, — представилась я, — Романова.

— Царская фамилия! — восхитился «гном». —

И имя красивое, старинное, православное, но для тебя почты нет. Ты напомни, в чем дело-то?

— Ключ для Мартина, — выпалила я.

— Девичья у тебя память, — хмыкнул старик, встал и исчез в недрах подвала.

Я опустилась на перевернутый вверх дном деревянный ящик и изучила интерьер. Софа с одеялом, стол, электрочайник, пара чашек, подобие комода, а на нем книги. Любопытство всегда было самой сильной моей чертой, поэтому я встала и приблизилась к комоду. Иммануил Кант «Критика чистого разума», Фердинанд Ванштейн «Философия как искусство», Томас Бер «Единство религий мира»... Согласитесь, необычный набор для полубомжа.

Еще один фолиант был открыт, рядом на столе желтела папиросная бумага, стоял клей. Дед явно занимался реставрацией томика.

— Литературой интересуешься? — спросил «гном», появляясь в тусклом круге света. — Держи.

В моих руках оказался черный полотняный мешочек.

— Велено на словах передать, — доложил Тим-плотник, — выйди на улицу, нажми на кнопку с цифрой два и держи, тебе ответят.

Я прикинулась идиоткой:

— Ой, там телефончик! Дедушка, а кого спросить?

— Мне неведомо, — безразлично сказал дед, — посылку получила и ступай.

— Дедулечка, миленький, а кто вам ее принес? — залепетала я.

«Гном» сел в кресло и оперся на жалобно заскрипевшую ручку.

— Без понятия. Пришел домой — она лежит на столе.

Я решила поймать старика на вранье:

— Секунду назад вы сказали: «Велено на словах передать». Кем?

— Что? — не дрогнул дед. — Ты не поняла? Жми на кнопку, где двойка нарисована.

— Если вы нашли телефон здесь, то кто приказал вам сообщить про кнопку? — ухмыльнулась я.

«Гном» дернул шеей:

— Не понимаю, чего ты хочешь.

— Назовите имя того, кто принес мобильный, — строго сказала я, — иначе плохо будет.

Дед захохотал, его щеки, заросшие седой щетиной, затряслись, словно желе.

— Напугала ежа голой жопой, — произнес он. — Ты совсем свихнулась? Как мне можно хуже сделать? Из подвала выпереть? Так я другой найду. В тюрьму запихнуть? И там люди нормально живут, за коммунальные услуги не платят, баланду бесплатно имеют и одежду целую. Да таких, как я, и не сажают. Запомни, девочка: если у человека ничего нет, то испугать его невозможно, потому как отнять нечего. Людишки зубами за материальные блага держатся: квартира, машина, дача, счет в банке. Или семьей дорожат — мать, отец, дети. Еще карьеру строят, лезут вверх, трясутся, но карабкаются. С такими легко: пообещай у них добро отобрать, живо скурвятся, лишь бы сладкого не лишиться. А со мной что сделаешь? Я гол как сокол, ни от кого не завишу, никого не люблю, ничем не владею. Человек свободен, когда он нищ. Я вот, правда, редкие книги уважаю, антикварные, но и без них проживу. Так-то. Ступай прочь, разговор окончен.

ГЛАВА 10

На улице поднялся ветер, холод быстро пробрался под куртку и заставил меня трястись в ознобе. Вмиг заледеневшие пальцы вытащили совсем не новый мобильный, полученный от Тима-плотника. Его, похоже, купили на рынке, у продавца, который беззастенчиво сбывает краденое. Я нажала на нужную клавишу, на дисплее появился номер, но запоминать его не имело смысла: тот, кто должен сейчас ответить, после нашей беседы моментально выкинет симку.

— Ты у трактира? — вместо приветствия спросил все тот же бесполый, скрипучий голос.

— Да, — выдохнула я. — Пожалуйста, больше в людей не стреляйте.

— А я не убивал, — возразил голос. В ту же секунду на меня напал кашель. Значит, незнакомец мужчина, он сказал «не убивал».

— Ничего себе! — возмутилась я. — Вспомните Валентину!

— У нее всего-то ухо отстрелено! — уточнил снайпер.

— Она в коме, неизвестно, очнется ли! — воскликнула я.

— Некоторые помирают, стукнувшись локтем о косяк, — прогундел собеседник, — тут никто не виноват.

— Зачем нападать на бывшего прокурора? Валя больше не работает, она оставила службу после процесса над Медведевым, — затараторила я, — если вы хотели освободить друга, следовало прийти к Рублевой и поговорить.

— Он мне не друг! — перебил незнакомец. — И я не убийца.

— Недавно вы утверждали обратное, — уперлась я, — и я сама видела, как вы подстрелили Валю, а затем сбили с патрульного фуражку. И кто разнес шоколадку в клочья? Эффектный трюк.

Из трубки послышался смешок:

— Я всегда попадаю в цель. Продырявить башку Рублевой не составило бы труда, но я отстрелил только ухо.

— Ужасная идея! — завопила я.

— Филипп Медведев должен быть на свободе, его осудили по ошибке. Рублева очень старалась засадить невиновного, не обратила внимания на кое-как сляпанные доказательства.

— Прокурор работает с готовым делом. Против Филиппа были улики, — попыталась я остудить горячую голову снайпера, — но, считай, я поверила тебе: Медведев мотает срок за другого, а ты всего лишь виртуозный стрелок, решивший вызволить родственника.

— Медведев мне никто, — возразил голос.

— За постороннего на рожон не лезут, — возразила я.

— Хорош балабонить, — потерял невозмутимость собеседник, — выпусти Филиппа! Ты это можешь! Позвони президенту России!

Я набрала полную грудь воздуха, с шумом выдохнула и сказала:

— Ты меня с кем-то перепутал. С президентом России я не знакома. Сняла комнату у Рублевых, Валентина предложила мне свой старый телефон, после того как мой погиб от потопа, устроенного ее мужем. Ты звонил жене Николая, а попал на меня. Я не дружу с Рублевыми, у нас товарно-денежные отношения, Валя и Коля хорошие люди, но мы не доверяем друг другу секретов. Чтобы Медведева выпустили, нужно распоряжение с самого верха, а я не вожу знакомства с сильными мира сего. Ты выбрал не ту кандидатуру.

— Если откажешься помогать, я убью прохожего, — без всякого аффекта пообещал механический голос. — Ты можешь освободить Филиппа.

— Не смей! — испугалась я. — Не трогай людей!

— Тогда действуй по моей указке, — приказал собеседник.

— Но почему...

— Без вопросов, — грянуло в ухе, — и без обращения к ментам. Увижу, что ты меня обманула, погибнет человек, это будет на твоей совести.

— Ладно, ладно, — запищала я, — говори, что делать?

— Освободить Медведева! Сейчас!

Мне стало страшно. Не стоило ехать одной в трактир. Снайпер явный псих.

— Уже вечер, — осторожно напомнила я.

— Пяти еще нет, — возразил стрелок.

— Ты хочешь спасти Филиппа, — протянула я, — попытайся понять, что его не отпустят без веских доказательств невиновности.

— Я буду убивать по человеку в день, — равнодушно сообщил о своих планах киллер, — и отстреленными ушами не обойдется.

Мои ноги приросли к тротуару, я оцепенела, кровь хлынула в голову.

— Послушай, как мне тебя называть?

— Альфа, — представился снайпер.

Я обрадовалась: если между вами и преступником возникает хотя бы намек на личные отношения, появляется возможность договориться.

— Альфа, убийства не помогут Медведеву, тебя поймают, Филиппу никогда не видать свободы. Почему ты решил, что он не виноват?

— Я это знаю. Его подставили!

— Отлично. Кто?

— Не знаю.

Я постаралась сдержаться. «Знаю — не знаю», нет, он точно умалишенный, а я совершаю редкостную глупость. Надо, продолжая беседу, попытаться соединиться по своему мобильному с Пашей или Максом.

— Хорошо! — бодро воскликнула я, вытаскивая из кармана новую трубку. — Объясни, на чем основана твоя уверенность...

— Лучше тебе никуда не звонить, — прошептал Альфа.

Я выронила телефон.

— Ты меня видишь?

— Наступи на мобилу и раздави, — приказал Альфа.

— Трубка дорогая! — заныла я.

— Ладно, это твой выбор, — ответил снайпер. — Мужика или бабу снимать?

Я изо всей силы топнула по своему сотовому, раздался треск, аппарат развалился на части.

— Можно хоть симку взять? — вырвалось у меня.

— Бери, пока не отсырела, — милостиво разрешил киллер.

Я живо наклонилась и с радостью поняла: кусочек с чипом лежит не в грязи, а на обломке пластика, и, похоже, он не поврежден.

— Больше никаких фокусов, — предупредил снайпер. — Если ты всем расскажешь, что Филипп не виновен, его освободят.

— И кто мне поверит? — вздохнула я. — Только не заводи снова речь об убийствах. Да, ты можешь напугать ментов, они договорятся с Управлением исполнения наказаний, Филипп очутится на свободе, но только до того момента, как тебя поймают. Если хочешь освободить Медведева, найди настоящего киллера. Но все улики против Филиппа.

Альфа неожиданно сказал:

— Была экспертиза по пулям. Установили, что их выпустили из двух разных стволов. Первый подбросили Медведеву, а со вторым киллер расстаться не смог. Он его спрятал. Если я тебе подскажу, где искать винтовку, отнесешь ее в «Желтуху»? Расскажешь журналистам правду, тогда истинного убийцу не отмажут.

— Если ты столько всего знаешь, почему сам не идешь в ту же «Желтуху»? — спросила я. — Если изъять улику не по правилам, без понятых, ее не примут в суде. И мои действия расценят как кражу.

Альфа молчал.

— Эй, ты где? — окликнула я его.

— Есть мужик, — продолжил Альфа, — богатый. Высокопоставленная сволочь. Менты не захотят с таким связываться, у него связи выше некуда, ему все сойдет с рук, но он зарвался, пять убийств не шутка. Наверное, адреналина ублюдку не хватало, вот он и начал по людям палить, щекочет ему нервы чужая смерть. Такую серию никому не простят, и киллер это просек, оттого и подставил Медведева. Фил дурак, польстился на винтовку, на то и был расчет. Еще, думаю, следователю Белову забашляли, вот он и прикрыл глаза на улики, не заметил кое-что. И Валентина свой кусок получила. Понимаешь?

— В общем, да, — выдохнула я. — Ты боишься, что снайпер, обладающий богатством и властью, выдернет хвост из капкана, если к делу подключится милиция. Но с какой стати ты тогда отстрелил ухо Вале? Привлек внимание тьмы служивых людей. Где логика?

Снайпер понизил голос до шепота:

— Медведев не признался, на него давили, но он не сдался. Белов прокололся, очень уж хотел из-под удара своего покровителя вывести, поэтому и предложил подследственному сделку: тот берет на себя всю серию, а следователь гарантирует, что не будет пожизненного заключения. У Василия Белова внучка инвалид, родилась с церебральным параличом, в России таким детям плохо помогают, а вот в Израиле их могут поставить на ноги. Цена вопроса — более ста тысяч евро. Откуда у простого следака бабло?

— Уж не с зарплаты сэкономил, — признала я.

— Вот-вот, — согласился стрелок. — Внучка Белова в Иерусалим смоталась, теперь ходит, как человек. Отстегнули Ваське бабло, и он Медведева обманул, тот на пожизненное пошел. Теперь скажи, менты признают, что следак взяточник? Да еще и подлец! Филипп упорно твердил: «Я не виноват», он мог строчить письма куда угодно, попытаться оправдаться. Ясно?

— Ага, — протянула я, — настоящему преступнику шум не нужен. Не исключена возможность, что в какой-нибудь инстанции отыщется честный человек, который усомнится в справедливости приговора.

— Доперло, — выдохнул Альфа. — Филиппа убьют на зоне, вот почему его надо срочно оттуда вытащить. В бараке зэка пришить легко, комар носа не подточит.

— На воле он тоже будет в опасности, — возразила я.

— Нет, я его спрячу! — возбужденно заявил снайпер.

— Значит, он твой друг, — сказала я.

— Какая разница? — разозлился Альфа. — Короче, жди, я тебе сообщу, где вторая винтовка.

— Эй, эй! — остановила я его. — Почему именно я? С какой стати ты мне поручаешь все эти хлопоты?

— Ты под руку попалась, — бесхитростно пояснил собеседник. — Сначала я Валентину искал. На тебя напал, потом справки навел. Частный детектив Романова, говорят, не обманывает клиентов. Если я отдам винтовку ментам, они ее «потеряют». Ты не из таких. И связи имеешь огромные, с большими людьми дружишь.

— Нанимаешь меня для расследования? Каков гонорар? — осведомилась я.

— Жизнь постороннего человека, — отрубил Альфа. — Начинай.

— Мне понадобится с тобой связываться, — решительно заявила я. — И как ты собрался мне звонить, если не знаешь мой номер? Телефон Валентины на прослушке.

— В случае экстренной необходимости придешь к Тиму-плотнику, он даст контакт. У тебя пять дней. Жди звонка с сообщением о стволе. Номер свой сама сейчас назовешь.

— Почему так мало времени? — решила я поторговаться.

— Медведев лежит в больнице, он желтуху подцепил. Там его не тронут, но в следующую среду его выпишут, и за его жизнь я тогда ломаного гроша не дам, — заявил Альфа.

— Согласна, — сказала я, — но, чур, уговор: ты не стреляешь в людей на улицах, тронешь кого — я сделаю так, что Филиппу невмоготу на зоне станет и его никогда не отпустят. Мы подписываем перемирие.

— Заметано, — ответил мой собеседник, и трубка запищала.

Очень хорошо понимая, что испытывает замороженная курица, я доплелась до машины, завела мотор и принялась стучать зубами. Когда руки перестали трястись, а пальцы обрели минимальную подвижность, мне удалось вскрыть полученный от «гнома» телефон, вытащить оттуда симку и вставить на ее место свою. В голове шумело, желудок сжимался от голода, я вцепилась в руль и поехала в сторону центра. Не стоит лишний раз заходить в трактир «У бабушки Гусыни» — я не большая любительница убитых водоплавающих.

На улице было темно, как ночью, над Москвой нависла толстая, словно ватное одеяло, туча. Сейчас из нее посыплется снег или польет дождь. В районе Бульварного кольца я встала в пробке и попыталась структурировать полученную информацию.

Начнем, так сказать, ab ovo[1].

Лампа Романова получает от Вали ее старый телефон и отвечает на звонок. С той стороны трубки находится странная личность, которая вызывает Рублеву на встречу, отстреливает ей ухо, демонстрирует уникальную меткость, привлекает внимание правоохранительных структур, буквально засовывает в болото вилы и взбаламучивает тухлую воду, заставляя выскочить наружу лягушек, пиявок и прочих обитателей застойного местечка, пугает их новыми убийствами. А потом

---

[1] Ab ovo — с яйца *(лат.)*, то есть с самого начала, от истока истории.

дает задний ход, требует от меня сохранения тайны, шифруется, рассказывает о серьезной опасности, которая нависла над Филиппом. Истеричное, нелогичное поведение. Но стреляет Альфа отлично. Однако он явно психически нестабильная личность, с такой лучше не спорить. Снайпер может убить невинного прохожего, а я потом всю оставшуюся жизнь не смогу простить себе смерть человека. Мне надо поставить Макса и Павла в известность о происходящем. Но ни Вульф, ни Гладков не берут трубку. Ничего необычного в их недоступности нет. Макс может пропасть на несколько дней по делам, а Паша, скорее всего, лечится алкоголем. К сожалению, для Гладкова единственный способ расслабиться — это хорошая порция водки.

«И о погоде, — монотонно бубнило радио, — сейчас в столице ноль градусов, ветер северный, возможен снегопад».

Я включила «дворники». Снег уже сыпался с небес, скоро Москва окончательно замрет в пробке. Взгляд упал на дом с яркой надписью из зеленых лампочек: «Футур». Я посмотрела на часы, они показывали начало восьмого. Голод когтями вцепился в желудок. Включив поворотник, я подрулила к парковке, аккуратно пристроила свою «букашку» около снегоочистительной машины, вышла наружу и не сдержала смеха. Спецтехника стояла, выставив вперед щетки, около них гарцевали две крупные бродячие собаки, они использовали щетки вместо чесалок. Двортерьеры терлись о пластиковые иглы спинами, на их мордах застыло выражение счастья. Зима разбушевалась по полной программе, но блохи отлично переносят мороз в мохнатой шкуре. Собачата повизгивали от удовольствия, жмурились, подскакивали и так кайфовали, что у меня под бронежилетом зазудели лопатки. Кстати, учитывая наш договор со снайпером, я могу спокойно снять жилет. Но не делать же это на парковке на глазах у прохожих!

Я еще раз полюбовалась на резвящихся собак, получивших в свое распоряжение изумительную чесалку, и поторопилась в магазин: есть хотелось до обморока.

Мой выбор пал на венгерскую ватрушку и пакетик сока, на десерт я решила прихватить орешки. Я походила между стеллажами. Пакет по цене девятьсот семьдесят два рубля, произведенный в Германии, не вызвал желания его купить. Впрочем, упаковку того же веса стоимостью в пятьдесят целковых я тоже отвергла. Не надо считать меня привередой, которой плох и дорогой, и дешевый товар. Без малого тысячу рэ за горстку орешков отдавать аморально, но приобретать кулек с надписью «Фисташки из Мурманска» тоже глупо. А еще меня смутил срок годности на таре с орехами, таинственным образом родившимися в холодном крае. Я внимательно изучила обертку и увидела на ней интригующую надпись: «Годен навсегда». Поэтому к кассе подошла только с плюшкой и яблочным напитком.

— Пятьдесят два рубля, — меланхолично заявила кассирша.

— Карточки берете? — спросила я, вытаскивая кошелек.

— Да, — кивнула девушка, — стол намагничен, положите кредитку на тарелочку.

— Придвиньте ее, пожалуйста, — попросила я, — до блюдечка мне не дотянуться.

— Оно прибито, — возвестила сотрудница супермаркета, — чтобы не тырили.

Я показала ей карточку:

— Возьмите.

— Не имею права, нас инструктировали, чтобы покупатель сам клал сюда свою карту! — объявила кассирша.

Я не стала спорить. На свете много странных людей, пишущих дикие инструкции. Почему кассир не может принять кредитку у покупательницы? Рано или поздно ей все равно придется вложить карточку в терминал. Зачем непременно пользоваться тарелкой? Но взывать к здравому смыслу — только время зря терять.

Я оперлась ладонью о железный стол, потом навалилась на него грудью, положила кредитку в пластиковую емкость, хотела выпрямиться — и не смогла.

Мне показалось, что в спину упирается человек, желающий побыстрее оплатить свои покупки. Встречаются малоприятные люди, которые, стоя сзади в очереди, буквально падают на вас, дышат в затылок, толкают между лопаток, наступают на пятки. Но сейчас у кассы, кроме меня, была еще милая бабушка в старорежимной бархатной шляпке с вуалью и в твидовом пальто, за ней возвышался дяденька с пятилитровой бутылью пива. Никто не выказывал нетерпения.

— Распишитесь, — вяло попросила кассирша.

Я хотела разогнуться, но неведомая сила крепко прижала меня к стойке.

— Не задерживайте очередь, — сухо распорядилась девица за кассой и с раздражением добавила: — Купят на две копейки, а внимания требуют на миллион.

Я предприняла новую попытку выпрямиться и потерпела неудачу: я словно прилипла к столу.

— Вам плохо? — заботливо осведомилась старушка.

— Хорош выжучиваться! — гаркнул мужик с пивом. — Люди после работы хотят дома досуг культурно провести.

— Не могу двинуться, — жалобно призналась я, — что-то меня держит.

— Господи спаси! — перекрестилась бабуля.

Кассирша быстрым движением поправила волосы и заявила:

— Добрый вечер! Меня зовут Алина, рада обслужить вас быстро, качественно и вежливо. Чем могу помочь? Желаете булочку сразу съесть или домой понесете? В первом случае советую приобрести за умеренную цену пакет влажных бумажных салфеток и протереть руки. Еще заболеете поросячьей ветрянкой!

— Может, свиным гриппом? — ошарашенно уточнила я, пораженная метаморфозой, случившейся с мрачной девицей.

— Покупатель всегда прав, — делано улыбнулась Алина. — Хотите свинский грипп, пожалуйста!

Пенсионерка опять осенила себя крестным знамением, мужчина выпучил глаза, кассирша изогнула спину, вздернула подбородок, потом, не опуская головы, заявила:

— Можете спокойно подниматься, скандала не будет!

У меня от неудобной позы заныла шея и заломило поясницу.

— Хоть до утра лежите, ни фига не получится, я знаю, кто вы, — продолжала Алина, — телепрограмма «Настоящий случай». Катаетесь по супермаркетам, разводите сотрудников, а потом показываете, как они бесятся. Иногда прикольно выходит. Мне понравилось, как охранник в «Алфавите гурмана» прямо из банки паштет пальцем выковыривал, потом упаковку назад в витрину ставил и уходил. То-то покупателю угарно! Принесет домой ванночку, а в ней пусто! А в «Девятом океане» вы администратора до истерики довели, требовали у него «филе молодой капусты». Там парень орать начал, синим от злости стал. Но со мной это не пройдет! Можете на кассе хоть сутки проваляться!

— А нам куда идти? — возмутился любитель пива. — В зале только один аппарат.

— Пока покупательница не подпишет чек, операция не завершена, — торжественно заявила Алина. — Вам, многоуважаемые граждане, придется подождать.

Старушка робко погладила меня по спине:

— Сделайте любезность, разрешите купить творог, я домой спешу, хочу новости посмотреть, очень волнуюсь за остров Тумбусю, там ураган прошел, не засну, пока не узнаю, как идут спасательные работы.

— Фиг с ним, с Тумбусю, — заорал мужик, — смыло его, и забыли! Меня пацаны ждут! Вон, уши горят, небось обматерили всего! Матч идет, перерыв закончился минуту назад! Если не отлипнешь от стола, я тебя сам и отдеру!

— Буду вам очень благодарна, — прошептала я, — а то уже весь позвоночник судорогой свело.

— Ща получишь! — обозлился любитель пива, очевидно решивший, что над ним издеваются.

Баллон с пивом очутился на резиновой ленте, мужчина, навесив на лицо не слишком любезное выражение, легко отодвинул в сторону субтильную бабульку и вцепился мне в плечи. Моя грудная клетка приподнялась, а потом снова впечаталась в стол.

— Сопротивляешься, зараза, — зашипел мужик, — придумала забаву, не знаешь, что Романа Вострикова еще никто в армрестлинг не победил!

— Не трогайте ее! — испугалась бабуся. — Девушке и так не повезло в жизни, она на телевидении работает! Оставьте несчастную, она выполняет приказы своего начальства.

— Плевать! — взревел Роман. — Матч идет, а я в магазине застрял!

— Ой, ой! — запричитала старушка.

Кассирша подперла подбородок кулаком и заявила:

— Целый спектакль устроили! Сначала правила торговли выучите. Я деньгами занимаюсь, порядок в зале — не моя головная боль. Хоть сожрите друг друга, я не пошевелюсь. С хулиганами охрана разбирается. Мне нужна подпись покупательницы! И ты плохо играешь!

— Кто? Я? — опешил Роман.

— Тоже мне, хулиган! — фыркнула Алина. — За дешевым пивом приперся! Пацаны его послали! Сколько твои часы стоят?

Востриков взглянул на свое запястье:

— Эти? Тридцатку евриков или около того!

— Дешево и красиво, — одобрила бабушка. — Если по сегодняшнему курсу, то вам хронометр меньше чем за полторы тысячи рублей достался. А ремешок-то у них, кажется, из настоящей кожи. Внучек, подскажи, где брегет взял? Я бы своему деду на двадцать третье февраля такой преподнесла, а то он таскает старенькие ходики, еще на свадьбу ему подаренные.

Роман снисходительно посмотрел на пенсионерку:

— Вам на такие котлы десять жизней надо копить, они тянут на тридцать тысяч баксов.

— Господи, — начала креститься бабуля, — из чего же их сделали? Даже золотые дешевле!

— Валите отсюда, — приказала кассирша. — Повыпендривались, и хорош, не получилось Алину до колотуна довести. Эй, шевелись! Чек тебе все равно подписать придется, ну!

— Я никогда не работала на телевидении, — умудрилась я вставить слово в монолог Алины, — и на самом деле не могу встать.

— Я че, на пидараса похож? — побагровел Роман. — Какой телик-шмелек? Я олигарх лайт!

— Боже, — затряслась старушка, — новости давно закончились. Очень плохо, что магазин не устраивает для посетителей трансляцию событий в стране и за рубежом. Что происходит на острове Тумбусю? Это невероятно важно!

Алина вытянула шею, повертела головой в разные стороны, потом закричала:

— Гоша, кто по магазину шляется?

Из-за рядов с молочными продуктами вынырнул крохотный мужчинка, ростом и размером похожий на вставшего на задние лапы шарпея. Сходства с собакой ему придавали и многочисленные складки кожи, свисавшие под подбородком. Поправив огромную кобуру, секьюрити важно заявил:

— Все на кассе, выручки сегодня никакой, погода мерзкая, покупатель не идет.

— Так ты не из телика! — осенило Алину. — Тогда чего валяешься? Офигела? Канай отсюда, пока я тебе нос не открутила!

— Поосторожней, — процедила я, отчаянно

пытаясь отлепиться от стола, — может, у меня в голову вмонтирована скрытая камера и вся страна завтра узнает, как меняется кассир, когда узнает, что не является объектом съемки.

Кассирша захлопнула рот, Роман, наоборот, его разинул, а бабулька неожиданно заинтересовалась:

— Камера под черепной коробкой? Как у Терминатора или у Луспека из фильма «Галактический десант»?

— Во дает бабка! — восхитился Роман. — Уважуха тебе и респект! Правильные фильмы глядишь!

— Люди, — прошептала я, — спасите! Ей-богу, мне плохо!

— Гоша! Разберись! — скомандовала Алина.

«Шарпей» приблизился к кассе:

— Гражданочка, не дурите, покиньте торговый зал.

— Рада бы, но не получается, — простонала я, — кто-то меня держит!

Пенсионерка приподняла вуаль и зацепила ее за верх шляпки.

— Вероятно, на стол пролили нечто липкое, снимите куртку, одежда останется, а вы выпрямитесь.

— Расчетный пункт чистый, — обиделась Алина, — я его тряпкой протираю.

— Слышь, бабень, скидавай полуперденчик, — неожиданно вежливо попросил Роман.

— Не получится, — бормотнула я, — пуховик застегнут на пуговицы.

— Востриков и не такие мышеловки без сыра оставлял, — оповестил мужик, вцепился в мою нежно-голубую курточку, дернул раз, другой, третий...

Руки и спина ощутили дуновение ветра.

— Вы оторвали пуговицы с мясом! — возмутилась бабуля.

— Она по-прежнему лежит! — взвизгнула Алина. — Дурдом! Гоша, отдери гражданку от ленты.

— Твоей охране даже клизмы не поднять! — заржал Роман. — Где нашли этого чудо-богатыря? На бирже карликов?

— Я ношу табельное оружие, — гордо выпрямился Гоша, — против пули мускулы бессильны. Сейчас дам очередь, и посмотрим, кто кого.

Старушка мгновенно присела на корточки, схватила со стеллажа железную коробку с печеньем и прикрыла ею голову. В принципе неглупый, но абсолютно бесполезный поступок: тонкая жесть не спасет от пули, выпущенной из ствола, от ранения более или менее может защитить только бронежилет

— Слышь, клоун! — засмеялся Рома. — Можешь бабам мозги в трубочку сворачивать, а серьезным людям не стоит. Пукалка у тебя игрушечная, такие в «Детском мире» продают!

У «шарпея» вытянулось лицо.

— Бронежилет! — осенило меня. — Ненавижу!

Востриков повернулся и посмотрел как биолог, увидевший новый, доселе неизвестный ему вид насекомого. Во взгляде Романа читалось недоумение, недоверие и любопытство.

— Стол магнитный, — частила я, — на мне бронежилет, его притянуло и не отпускает. Пожалуйста, поднимите мой свитер и отстегните защелки.

Алина икнула, Гоша мелкими шажочками отступал в сторону стеллажей с конфетами, бабушка подняла голову и спросила:

— А как в магазин умудрился въехать танк? И я не вижу бронированную машину.

— Гражданочка, сидите молча, — приказала кассирша, — и без вас тошнит.

Один Роман не потерял самообладания, он задрал мой кашемировый пуловер и присвистнул:

— Так ты из ментовки!

Я решила не вдаваться в подробности.

— Помоги, пожалуйста!

Востриков лихо расстегнул застежку, я выпрямилась, из груди вырвался стон.

— Круто! — оценил Роман ситуацию. — В следующий раз топай за жратвой в костюме химической защиты и прихвати «калаш» с парой гранат. В Москве, понимаешь, небезопасно! Из какого ты подразделения? Наркоты?

Я молча подписала чек и схватила покупки. Есть расхотелось совершенно.

Роман хрюкнул, оторвал от стола бронежилет и протянул его мне:

— Держи, Мата Харя. Поосторожней в автобусах, там в турникетах тоже магниты понаставлены, прилипнешь и провисишь до конца смены. Стебно!

Больше всего мне хотелось с гордо поднятой головой удалиться прочь, но жилет, нашпигованный железом, находится на балансе в милиции. Если я его потеряю, то, вполне вероятно, стоимость вычтут у Гладкова из зарплаты.

Я взяла жилет из рук Романа и пошатнулась.

— Куда катится Россия!.. — пригорюнился любитель пенного напитка. — Принимают на службу дохляков. Один с игрушечной пукалкой из себя Терминатора корчит, другая ничего тяжелее губной помады не удержит. Элитные профи.

Мне стало обидно.

— Да, мышцами я не могу похвастаться, но они

мне не нужны, потому что я использую на работе не грубую физическую силу, а мозги!

— Орехи ими колешь? — заржал Роман.

— В отличие от тебя, Кинг-Конга, я знаю, что самую знаменитую шпионку начала двадцатого века звали не Мата Харя, а Мата Хари, — язвительно ответила я. — Орехи, кстати, весьма полезны, в них много жирных кислот, будешь регулярно употреблять миндаль или кешью, сохранишь ясность ума до глубокой старости. Маленькая деталь: если этого ума нет, то орешки бессильны. А служу я в отделе по борьбе с серийными маньяками. Да, еще нюанс! Твои часы паленые, они стоят три ломаные копейки, правда, выглядят круто. Ты не олигарх, а врун и понтярщик.

Высказавшись, я, гордо подняв голову, вышла из супермаркета и села за руль.

Не успела я включить зажигание, как в стекло поскреблись. Я нажала на кнопку и сердито спросила:

— Чего еще?

— Не злись, — мирно ответил Роман, — на, пуговицы забыла, я собрал.

Он демонстрировал дружелюбие, да и мне не стоило больше злиться, и я улыбнулась:

— Спасибо, дома пришью.

— Бронежилет — неудобная штука, — решил закрепить хорошие отношения Востриков, — армейский, конечно, еще хуже, он ваще кучу кило весит, но и ментовский такую, как ты, к земле пригнет. Слушай, это правда?

— Что? — не поняла я.

Роман покосился на дверь:

— Можно я к тебе сяду?

— Ладно, — после небольшой паузы согласилась я.

Востриков влез в малолитражку.

— Дочка у меня растет, одна в школу ходит, провожать ее некому. Если про снайпера правда, я ее лучше дома оставлю. Наши говорят, что стрелка поймать очень трудно.

Я из последних сил попыталась сохранить на лице мину равнодушия:

— Прости, не понимаю.

Роман вытащил из кармана удостоверение и раскрыл его.

— Я служу в подразделении «Бета», приучен хранить тайны. Мы с тобой почти коллеги. Когда я новость услышал, не поверил, решил, врут, как обычно. А потом за пивом рванул, отпуск у меня на две недели, вот и решил побаловаться. А там ты в бронежилете. Значит, про снайпера не соврали, раз личный состав прикрыли. Так мне дочку на занятия не пускать? Я никому ничего не скажу, пожалей ребенка, вдруг ее пристрелят.

— Новость? Ее что, по радио объявили? — изумилась я.

— А ты не слышала? — протянул Востриков.

— Нет, — призналась я.

— В семнадцать часов убили женщину, — сообщил Роман, — сняли одним выстрелом, точно в лоб пулю загнали.

— Сегодня? — почти беззвучно спросила я.

— Конечно, — удивился Востриков.

— В пять вечера, — прошептала я, вспоминая, как до нашего разговора по телефону, полученному от Тима-плотника, Альфа в присутствии Льва Георгиевича предупредил: «Если ровно в семнадцать Филиппа Медведева не отпустят, я убью первого попавшегося прохожего».

— Мерзавец, — вырвалось у меня, — сукин сын!

— Ты что-то знаешь? — спросил Роман.

Я не успела прийти в себя от ужасной новости, поэтому кивнула.

— Есть соображения, кто он? — не успокаивался Востриков.

— Некоторое время назад в столице орудовал снайпер, — пытаясь сдержать дрожь, сказала я, — он убил несколько случайных людей.

— Не помню, — озабоченно сказал Роман, — газеты читаю регулярно, но в них ничего такого не было.

— Пресса могла поднять панику, — пояснила я, — следственной бригаде удалось скрыть от таблоидов правду. Убийцу поймали, осудили и посадили. А сейчас появился новый киллер, который требует, чтобы того, Медведева, отпустили. Если невиновного не освободят, снайпер начнет палить в прохожих.

Рот Вострикова растянулся.

— Жесть, — почему-то с очень довольным видом произнес он, — ну надо же, не соврали.

Я опомнилась:

— Я ничего тебе не говорила!

Он постучал кулаком по груди:

— Я могила.

Но мне стало не по себе.

— Разыграла тебя! Понимаешь, я актриса, снимаюсь в сериале про милицию, сейчас зачитала вслух кусок из роли.

— А бронежилет? — недоверчиво спросил Востриков.

— Это всего лишь часть костюма!

— Ты артистка? — переспросил Роман.

Я усердно закивала:

— Ага! Извини, я решила проверить, способна ли убедительно сыграть роль. Мне пора.

— Счастливого пути, — пожелал Роман и открыл дверь автомобиля.

— Ты из этого района? — притормозила я нового знакомого.

— А что? — спросила боец «Беты».

— Где-нибудь поблизости есть интернет-салон? — поинтересовалась я.

Роман указал на небольшое здание, украшенное разноцветными, непрерывно мигающими лампочками:

— В развлекательном центре, у них недорого, только компы старые.

ГЛАВА 12

Пользователи компьютеров делятся на чайников, продвинутых юзеров и хакеров. Изредка встречаются интернет-идиоты, и я принадлежу к категории последних. После длительных мучений мне удалось освоить электронную почту, я способна настучать и отправить письмо. Но учтите, если я собралась заняться отсылкой корреспонденции, в памяти железного ящика должен храниться адрес абонента. Самостоятельно набрать его у меня не получается. Почему? Нет ответа. В тупик меня приводит и просьба:

— Прикрепите файл с документом.

Чего они от меня хотят? Дураку ясно, в монитор скрепку не засунешь. Слово «файл» мне незнакомо, но, поскольку просьба с прикреплением документа невыполнима, я особенно не заморачиваюсь с загадочным термином. И признаюсь честно, новости предпочитаю узнавать не из средств массовой информации, а от приятелей. Да, они расскажут мне нечто малоприятное, радостных событий у нас отчего-то не происходит, но никто из друзей не будет демонстрировать картинки с места крушения самолета или взрыва жилого дома. Я услышу живую речь, но не увижу видеоряда и тем самым сберегу нервы. Однако сейчас мне срочно необходима любая справочная система.

Заняв место за столом, я огляделась, обнаружила неподалеку симпатичную длинноволосую девочку лет тринадцати и попросила:

— Киса, помоги найти новости.

Та молча встала, поколдовала над клавиатурой и без слов вернулась на свое место.

— Спасибо, душенька, — поблагодарила я ее, — ты очень милая девочка.

— Вообще-то я мальчик, — срывающимся баском возразил тинейджер.

— Какая разница, — отмахнулась я, начала читать сообщения и сразу наткнулась на искомое сообщение.

Радио «Болтун» сделало сенсационное заявление: «В семнадцать часов на улице Малая Овчарская выстрелом в голову была убита Маргарита Подольская, светская львица, вдова Юрия Подольского, хозяина одного из рынков столицы. Кончина сорокавосьмилетнего Юрия вызвала пересуды, но врачи подтвердили факт инсульта. И вот теперь, спустя чуть больше года, убивают его вдову. Маргарита Подольская — домохозяйка, после замужества не работала, свободное время проводила на светских мероприятиях. Сегодня она собиралась на день рождения к своей подруге. Пуля киллера настигла Подольскую в парке, неподалеку от салона красоты, где вдова делала процедуры. Личное состояние Маргариты Подольской оценивается высоко. Ей принадлежало несколько квартир в Москве, загородный дом и три иномарки, но родственники Юрия оспаривали права вдовы. Неизвестно, кто унаследует имущество Маргариты. Также непонятна судьба рынка. После смерти Юрия им владел его старший брат, но Маргарита имела в бизнесе свою долю. У Подольских не было детей, прямых наследников нет».

Я повертела колесико на мышке, вылезло другое сообщение:

«Наш корреспондент подтвердил факт убийства Маргариты Подольской. Следствием разрабатывается версия мести или конфликта с партнерами по бизнесу. Также не исключен вариант заказного убийства со стороны любовника. Источник, близкий к кругу знакомых Подольской, пожелав остаться неизвестным, сообщил: «После смерти Юрия Маргарита загуляла, воздавала себе за тихую молодость и верность мужу. В последнее время Подольскую связывала тесная дружба с неким N, чья жена славится ревнивым характером».

Я поелозила мышкой по коврику, но нарисованная сбоку синяя черта уперлась в нижний угол экрана и не собиралась «переворачивать» страницу. Пришлось снова обратиться к подростку:

— Котик!

— Что, дяденька? — спросил тот.

— Вообще-то я женщина, — уточнила я.

— Какая разница? — пожал плечами подросток. — Вам по фигу, кто я, мне по барабану, кто вы.

— Можешь показать, как попасть на другую страницу? — попросила я.

— Послюнявьте палец и перелистните, — продолжал вредничать паренек.

— Некоторые мужчины хуже баб, — рассердилась я, — и дело не во внешности, длинные волосы и серьги нынче характерны для всех. Представитель сильного пола великодушен, он способен понять, что в салоне царит полумрак, и не будет дуться на пожилую тетю.

Мальчик встал и навел курсор на одну из цифр в самом низу экрана:

— Щелкайте тут.

— Теперь понятно, что ты мужчина, — польстила я и погрузилась в чтение.

«Смерть Маргариты Подольской — результат выстрела в голову, повлекшего за собой несовместимую с жизнью травму. На коже трупа обнаружен темно-серый налет, который можно принять за копоть. Это пороховой нагар в форме лучистого венчика, который частично оставлен на одежде, но из-за турбулентности движения пули срывается и откладывается на коже, напоминая копоть. Этот феномен Виноградова может привести к ошибочному выводу о дистанции, с которой был сделан выстрел...»

Я оторвалась от сообщения. Похоже, его составил медик. Ну, дожили, скоро в Интернете начнут выкладывать видео судебных вскрытий. Не стоит читать дальше, я не понимаю смысла, лучше еще раз попытаться найти Павла, Макса и негодяя Альфу, который меня обманул.

Снег завалил Москву, и столица, несмотря на поздний вечер, замерла в пробке, до трактира «У бабушки Гусыни» я добиралась долго, от напряжения заболели руки, ноги, заныла спина. Гладков по-прежнему не включил мобильный, а Макс не реагировал ни на звонки, ни на смс. Еле живая от усталости, я добралась до харчевни, спустилась в подвал и обнаружила старика на прежнем месте с книгой в руке.

— Что там, на земном шаре? — спросил он, откладывая том Канта. — Слышу, метель воет!

— Для меня нет нового ключа? — перебила я «гнома».

Тим откашлялся:

— Пришло письмо.

— Давайте! — обрадовалась я.

Дед вытянул ноги и потер поясницу:

— Прачечная самообслуживания на проспекте Гордеева. Кошка отдаст.

Заявление о кошке, которая вручит мне послание от снайпера, не повергло меня в удивление. Удручало сообщение о месте нахождения прачечной — это же на другом конце города! Сколько мне туда добираться? И постирочная небось еще и закроется в десять.

— Работает круглосуточно, — словно подслушав мои мысли, заявил дедуля.

— Кто вам сообщил адрес? — налетела я на старика.

— Мышка-норушка нашептала, — засмеялся «гном».

Я с трудом сдержалась от желания пнуть его ногой, вышла на улицу и решила поехать на метро. В машине буду тащиться три часа, а если воспользуюсь подземкой — управлюсь за тридцать минут.

На площади все парковочные пятачки были заняты, снегопад заставил часть водителей бросить своих «лошадок» и пересесть на муниципальный транспорт. Я в растерянности притормозила у знака, запрещающего левый поворот.

— Дэушка, — закричали из намертво тонированных ржавых «Жигулей», — стоянка надо? Вип-мэсто имеется. Пятьсот рублей нэ жалко?

— Нет, — обрадовалась я.

Дряхлый продукт российского автогиганта, громыхая всеми частями умирающего от небрежного отношения хозяина организма, судорожно кашляя, откатился от тротуара. Я вручила небритому кавказцу розовую бумажку и въехала на освободившийся кусок мостовой. Спрос рождает предложение. Хитрые ребята быстро сообразили: метель погонит народ в метро, есть возможность заработать.

Если на шоссе мне грозила пробка, то под землей в быстро мчащемся составе оказалось жарко и многолюдно. Чуть не упав в обморок от духоты и нещадно ругая себя за надетые с утра замшевые сапожки, по которым сейчас прошло человек сто, я добралась до проспекта Гордеева и — о радость! — поняла, что прачечная находится буквально за углом.

— Ноги обмети, — сердито велела бабка за стойкой, — мой тут за всеми.

Я покосилась на старуху, напоминавшую Бабу-ягу в период заката. Кошкой такую личность назвать трудно, но на всякий случай я поинтересовалась:

— Бабулечка, вы любите кисок?

— Уходи, — насупилась дежурная, — животных не держу, пенсии на них не хватает.

— Нет ли здесь картины с кошечкой, — не успокаивалась я, — или шкафа, на котором нарисован Барсик?

— Тут круглосуточная прачечная, а не мебельный магазин! — рассвирепела старуха. — Тебе делать нечего?

— Я ищу кошку, — откровенно призналась я.

Бабка оперлась локтями о пластик стола:

— Которую?

Вопрос меня удивил, но я попыталась удовлетворить любопытство пожилой женщины:

— Один человек передал мне письмо, сказал, оно находится по этому адресу у кошки.

— Посмеялись над тобой, — зевнула старушка. — Здесь лишь стиралки, сушилки да я. А меня, как ни старайся, за мурлыку принять невозможно.

— Я думала, тут где-нибудь обнаружится коробка, на крышке которой изображен котенок или подушка с вышитой Муркой.

— Нет здесь ничего подобного, — отмела все мои предположения дежурная.

— Может, недавно сюда заглядывал мужчина с персом или британцем? — цеплялась я за последнюю надежду.

Баба-яга развеселилась:

— Постирать усатого-полосатого? Взял пару жетонов и прокрутил мышелова по программе с кипячением? Надеешься увидеть в барабане шкуру дохлого кота? Ищи на здоровье.

Я продолжала осматривать помещение. Снайпер обожает ребусы. Адрес Тима-плотника, деда-«гнома», который передал мне мобильный, он зашифровал, правда, загадка оказалась не такой уж и сложной. С кошкой у него вышло лучше. Кажется, придется уходить отсюда несолоно хлебавши. И зачем устраивать сеанс игры «Что? Где? Когда?», если хочешь срочно передать информацию? Ни малейшего смысла в действиях стрелка нет!

В кармане куртки запрыгал мобильный, я вынула трубку.

— Слава богу, — донеслось из нее, — я уже беспокоиться начал! Звоню, звоню, а ты не откликаешься!

— Кто это? — не поняла я.

— Сеня из управления, — представился мужчина, — помощник Льва Георгиевича. Помнишь меня? Я пытаюсь до тебя достучаться больше часа, уже занервничал. Вдруг чего случилось?

— Наверное, я не слышала вызова, — ответила я, — в метро шумно.

— Ты не на машине? — удивился Арсений.

Я решила не вдаваться в подробности:

— Пришлось воспользоваться подземкой.

— Тачка сломалась? — деловито осведомился Сеня. — Записывай номер, имя мастера Сергей, скажешь, что от Филатова, Сережа расстарается. И у него бесплатный эвакуатор.

— Спасибо за предложение, малолитражка здорова, просто я торопилась на встречу, — пояснила я.

— Свидание? — погрустнел Сеня.

Я поколебалась несколько секунд, но потом решила расставить все акценты:

— Нет, мой друг сегодня очень занят, а я ищу работу, отправилась, так сказать, на кастинг.

— Удачно? — не успокаивался Арсений.

— Не совсем, — буркнула я.

— Друг, — просмаковал короткое слово Сеня, — друг! Просто друг или?..

— Или, — решительно заявила я.

Не хочется хамить приветливому, готовому прийти на помощь мужчине, но если он решил приударить за мной, то лучше сразу развесить флажки.

— Не муж? — радостно уточнил Сеня.

— Нет, — коротко сказала я, — в загс мы не ходили.

— У меня есть шанс! — не стал скрывать своих намерений Арсений. — Ты поймешь, что тебе нужен именно я! Итак, могу сообщить пару новостей.

— Одно известие хорошее, другое плохое, — фыркнула я, — начинай с любого.

— Оба замечательные, — заверил Сеня. — Первое: никто Павла не увольняет, он спокойно вернется на службу. Я подумал, что ты нервничаешь по поводу судьбы приятеля, и расстарался, утоптал проблему. Лев Георгиевич вполне вменяем, в особенности после тира. Минуточку, я только сейчас сообразил: Гладков и есть тот самый друг, который пока не муж?

— Конечно, нет, — поспешила я успокоить Сеню, — мы с Пашей давние приятели, у него есть девушка, ее зовут Ирина Нильская, они давно вместе.

Арсений свистнул:

— Здорово. Знаешь, в борьбе за женщину все средства хороши. А Гладков-то дурак! Общается с тобой, настоящей красавицей, а живет с другой. Я бы сразу любую бросил и перед тобой на колени упал.

Я принадлежу к категории женщин, которые способны критично оценить собственную внешность. Отлично знаю, что господь не одарил меня ни шикарным бюстом, ни статью, ни копной кудрей. В толпе вы не остановите на мне взгляда. Даже если я встану на цыпочки, то не дотянусь макушкой до отметки «165 см», а взгромоздившись на весы в кроссовках, джинсах, свитере и с сумкой в руках, обнаружу в окошечке цифру «47». Хилая фактура у некоторых девушек искупается выразительностью лица, но у меня обычные голубые глаза, тонкие брови, не пухлый рот. Художнику, которому взбредет в голову писать мой портрет, лучше взять акварель, а не масло.

Я очень не люблю толкаться в очереди, поэтому, прибыв туда, где создатель раздавал младенцам красоту и ум, я пристроилась за парой девочек. Угадайте, за чем они стояли? За редкостной сообразительностью и способностью логично мыслить. Дальше продолжать не стану, я на редкость умна и не страдаю из-за отсутствия смазливости. Да, Лампе Романовой не дано стать «Мисс мира», вот только красота проходит, а ум останется навсегда. Меня до сих пор никто не называл красоткой, Сеня оказался первым. Отлично понимаю: он комплиментщик, но, с другой стороны, влюбленный человек смотрит на объект страсти сквозь розовые очки, вероятно, я для Сени и впрямь предмет обожания. И это очень приятно.

ГЛАВА 13

— Теперь вторая отличная новость, — бодро доложил Арсений, — у меня выпал свободный час. Пошли в ресторан!

— Сейчас? — поразилась я. — Уже почти ночь!

— Детское время! — возразил Сеня. — Посидим часок, поедим.

— Не получится, — решительно отвергла я его предложение.

— Плиз, — заныл Сеня, — Лев Георгиевич в тире, оттуда махнет домой, я свободен, как орел в небе.

Я не стала скрывать удивления:

— Твой начальник ездит в тир? Зачем?

Арсений засмеялся:

— Стрелять, больше там делать нечего. Лев Георгиевич так стресс снимает, палит по мишеням. У каждого свой отдых. Одни водку глушат, другие в качалке железо тягают, а мой шеф с оружием развлекается. Согласись, это лучше, чем назюзюкиваться спиртным. На стрельбище босс никого не берет, потому-то у меня окно и возникло. Неужели откажешь?

— Моя машина стоит у метро, на улице Попова, — попыталась я выкрутиться, — я сейчас на противоположном краю города, пока доеду, сяду за руль...

— Я пришлю парня, который отгонит тачку в любое место, — пообещал Сеня. — Ресторан «Вивальди», центр, рядом выход из подземки. Тебе недолго добираться.

— Спасибо, но у твоего подчиненного нет ни ключей, ни документов на малолитражку, — отбивалась я, — остановит его ГАИ, неприятностей не оберется.

Арсений рассмеялся:

— Солнышко, ты всерьез считаешь это проблемой? Водитель покажет свое удостоверение, и ДПС упадет на колени. И у меня есть третья отличная новость. Ты ищешь работу?

— Верно, — подтвердила я.

— А мне нужна сотрудница! — возликовал Сеня. — Оклад достойный, как шеф я замечателен.

Настойчивость собеседника меня пугала. Мне никогда не нравились люди с менталитетом асфальтоукладчика, но, учитывая возможности Арсения, следовало подумать о судьбе Паши, поэтому я изменила тактику:

— Ну как ты не понимаешь! У меня волосы не уложены, не сделан вечерний макияж, отсутствует маникюр.

— Во всех ты, душенька, нарядах хороша, — пропел Сеня.

— Не хочется ощущать себя Золушкой, — ныла я, — давай завтра, а?

— Ладно, — неожиданно легко согласился Сеня. — «Вивальди», семь вечера. Я позвоню тебе, далеко телефон не прячь.

— Конечно, отлично, — абсолютно искренне обрадовалась я, — не опоздаю ни на секунду.

— Спокойной ночи, солнышко, — нежно пожелал Арсений и отсоединился.

Я выдохнула, запихнула телефон в карман и обратилась к бабке, которая с нескрываемым интересом слушала мою беседу с мужчиной:

— На чем мы остановились? Ах да, сюда не приходили люди с кошками?

Дежурная горько вздохнула:

— Глянь по сторонам. Никого! Загибается прачечная! Хозяин ее десять лет назад открыл, тогда народ еще дома автоматами не обзавелся, рядом три общежития, к нам в очередь писались. Теперь же у каждого по личной центрифуге в квартире, а вместо общаг одни магазины. За сегодняшний день ты первая.

— Можно тут побродить? Вдруг я увижу кошку? — не успокаивалась я.

— А у ней на спине письмо приклеено, — развеселилась пенсионерка, — или тазик с фоткой Барсика найти надеешься? Да ходи хоть до утра, мне веселей, кукую здесь совой, выть от безделья хочется.

Почти час я рыскала по прачечной, засунула нос во все углы и признала свое поражение. Здесь не было даже настенного календаря со снимками домашних животных. Либо я не сумела найти отгадку, либо Тим-плотник что-то напутал.

Еле волоча от усталости ноги, я поплелась к метро, проехала назад полгорода, очутилась на парковке, села в малолитражку и расчихалась. Почему-то в машине едко пахло то ли мылом, то ли дешевыми духами. Я подергала носом. Не пользуюсь парфюмерией с подобным ароматом, так откуда амбре? В ту же секунду нашелся ответ на мой вопрос: благоухает брошенный на заднем сиденье бронежилет. Вчера вечером я принимала в нем ванну, в воду упала полная банка соли с ароматом ванили. Вот бы все загадки разрешались столь же быстро.

К ночи сильно подморозило, кашеобразная грязь на дороге превратилась в лед. Очень осторожно я выехала на проспект и со скоростью больного ленивца добралась до трактира «У бабушки Гусыни». Спустилась в подвал, толкнула дверь, очутилась в кромешной темноте и после легкого колебания спросила:

— Тим, вы уже спите?

В ответ не раздалось ни звука, я чуть повысила голос:

— Извините, что пришлось вас побеспокоить, но вы, похоже, передали мне неверное сообщение, повторите еще раз про прачечную и кошку.

Старик молчал. Из мрака не доносилось ни храпа, ни раздраженного бормотания. Я сбегала к малолитражке, вытащила из багажника мощный фонарь и вернулась в подвал.

Луч света побежал по стенам. Я чуть не выронила «прожектор». Ничто не напоминало о пребывании здесь Тима-плотника. Книги, одеяло, настольная лампа, чайник — все исчезло без следа, письменный стол был завален обломками досок, из которых торчали ржавые гвозди, на софе громоздилось несколько древних цинковых ведер, эмалированный бак и куча ветоши. На секунду мне показалось, что я перепутала двери, вошла в другой подвал. Но нет, никакой ошибки. За то время, что я безуспешно искала кошку в прачечной, Тим-плотник отсюда съехал. Что заставило старика покинуть насиженное место?

Я начала медленно обходить подвал и сделала первый вывод: человек, который пытался придать месту нежилой вид, совершил ошибку. Внезапно луч света выхватил скомканную бумажку, слишком белую, чтобы быть похожей на давным-давно оброненный листок.

Я снова сбегала к машине, взяла чемоданчик, пришла с ним назад, вынула резиновые перчатки, пинцет, пакет, подцепила смятую бумажку и поняла: это носовой платок с темно-красными пятнами. На полу, он где валялся, следов не осталось. Я осторожно опустила улику в пакет, заклеила его и уложила в чемоданчик.

Следов борьбы не было, оставалось лишь гадать, что случилось с Тимом. С одной стороны, бумажка с красными каплями жидкости не предвещала ничего хорошего, с другой — следов мало, может, дед поранил палец или некто, спешно переоборудовавший подвал, напоролся на гвоздь.

Я тщательно заперла бокс и пошла в трактир. Поздним вечером он превращался в караоке-бар, народу тут толкалось много, все азартно хлопали брюнетке, которая, отчаянно фальшивя, выводила в микрофон:

«Зайцы в полночь траву на поляне косилииии!»

Я постаралась отгородиться от звука. Актер Юрий Никулин, исполнивший напев в народной комедии, тоже не мог похвастаться исключительной музыкальностью и широким диапазоном голоса. Но его Семен Семенович Горбунков был пьян и обаятелен, поэтому понравился зрителям, песня вмиг превратилась в хит. Девушка же не обладает харизмой Никулина и очень серьезно относится к процессу пения. Результат ужасает. Лучше бы ей предварительно принять пару бокалов шампанского, от захмелевшей особы никто не станет ждать попадания в ноты.

Я облокотилась о стойку и сказала бармену:

— Привет, помнишь меня?

— Привет, — весело отозвался парень, — нет, а что, должен? Желаешь коктейль?

— Лучше сок, — попросила я.

— Есть апельсиновый и яблочный, — предложил бармен.

— Отлично, давай вишневый, — сказала я.

Парень вытащил два графина и поставил на пластиковую доску.

— Этот из апельсина, тот из антоновки, который из них вишневый? Мой тебе совет, откажись от дешевой травы!

— Наливай любой, — отмахнулась я, — это не принципиально. Лучше скажи, где Тим-плотник?

— В подвале, — не удивился вопросу коктейль-мастер.

— Его там нет.

— Плохо смотрела, — хмыкнул юноша, — Тим лишний раз не выходит.

— Давно дед здесь поселился? — продолжила я беседу.

— Я год назад работать пришел, он уже там сидел, — дружелюбно пояснил собеседник.

— Откуда Тим? Как его настоящее имя? — зафонтанировала я вопросами.

Бармен начал протирать бокалы:

— Понятия не имею. Живет, никому не мешает, кормится на кухне, нам однофигственно, кому остатки ссыпать. Руки у деда правильные, все починить может, я зову его, если че сломалось. Шума от него нет, он не пьет, иногда, правда, к нему народ подваливает, но всегда тихо. Странных людей много.

— Ты пользуешься полотняным полотенцем, — протянула я, — а почему не бумажным?

Бармен поднял бокал и посмотрел сквозь него на бра.

— На стекле волокна останутся. Никогда рюмки ничем не вытирай, кроме льняной тряпки. В ресторане есть бумажные салфетки? — задала я следующий вопрос.

— Ты из санэпидемстанции? — заржал бармен. — Пей вишневый сок из апельсина и не морочь мне голову.

Я вынула удостоверение, продемонстрировала его бармену и тихо спросила:

— Тебя как зовут?

— Костян, — чуть испуганно представился тот. — Костик Рудых, я студент, здесь подрабатываю.

— Тим-плотник — важный свидетель, — сухо сообщила я. — Он пропал, но осталась улика, бумажная салфетка. Мне нужны образцы для сравнения.

Лицо Константина покрылось розовыми пятнами.

— Я вообще с дедом дел не имею. Салфетки у нас фирменные, во, держите.

Резко повернувшись, бармен схватил пластиковую вазочку и водрузил ее передо мной:

— Во!

Я вытащила небольшой прямоугольник, украшенный изображением гусыни в фартуке.

— Специально их заказываете?

— Ага, — кивнул Константин, — в туалете бумага дешевая, отечественная, типа наждак в рулоне, а на столах красота. У хозяина такие понятия.

— Дай газировки, — велел мужчина подшофе, наваливаясь на стойку.

Костик молча поставил перед ним бутылку.

— Не, — икнул посетитель, — другую!

Бармен не стал спорить, не выражая возмущения, поменял емкость.

— Жесть, — снова остался недоволен клиент, — эта тоже не подходит.

Константин вновь произвел рокировку.

— Делай ченч, — капризно приказал мужик.

Мои нервы не выдержали.

— Чем вам не по вкусу вода? Она везде одинаковая!

Посетитель взял бутылочку и сунул ее мне под нос:

— Вишь крышку? На ней смайлик веселый нарисован! Ну не могу я его скрутить! Понимаешь? Он мне улыбается, а я ему шею сворачиваю!

Меня стал душить смех, Костя ловко снял пробку, налил воды в стакан и подал дядьке.

— О! Правильно, — кивнул тот, полез в карман за кошельком и выронил на пол пачку бумажных носовых платков.

Я слезла с высокой табуретки и пошла к выходу. Костя ничего не знает о Тиме, старик исчез в неизвестном направлении, и у каждого второго теперь есть при себе пачка одноразовых платков.

Домой я приехала за полночь, расцеловалась с собачьей стаей и пошла на кухню в надежде найти там хоть что съедобное. Но холодильник оказался пуст. Я пошарила руками по плите, потом по разделочному столику и не нашла ни одной кастрюльки. Ни Нина, ни баба Нила сегодня не заморачивались с готовкой. Малыши Силаевой ходят на шестидневку, она забирает их в субботу. Я не ошиблась, мальчики проводят в садике не пять, а именно шесть дней. Силаева пристроила деток в ближний Подгоровск, там есть завод с непрерывным циклом производства. Что он выпускает, мне неведомо, но Нинуша, сетуя на поборы воспитателей и нянек, один раз обронила:

— Все им мало, регулярно зарплату в карман кладут и пользуются тем, что на фабрике в основном одинокие мамашки трудятся. Работают по графику, когда в ночь, когда в день, детей девать некуда, вот воспитатели и тянут подарки. Даже администрация города навстречу людям пошла, сделала в садике шестидневку, иначе завод без рабочих рук останется. А эти стервятницы совесть потеряли.

Почему Нина пристроила своих мальчиков почти в тюрьму? Она ищет работу, целыми днями носится по Москве, а с Прасковьей Никитичной внуков не оставишь. Правда, порой мне в голову закрадывается мысль, что Силаева не очень-то любит Игоря и Леню, они ей попросту мешают. Безмужней женщине с одним-то сыном тяжело, а у Нины их двое, о супруге Силаева ничего не рассказывает и, похоже, алиментов на парнишек не получает.

На выходной день Нина сооружает полный обед: суп, котлеты, компот, еще и пирог испечет. В остальные дни, когда отпадает необходимость кормить ребятню, она ограничивается кефиром и геркулесовой кашей. Прасковье Никитичне без разницы чем питаться, а Нина тщательно контролирует расходы. Она пытается устроиться секретаршей, но пока ей не везет и приходится зарабатывать на жизнь, убирая чужие квартиры.

Не обнаружив ничего не то что вкусного, а даже мало-мальски съедобного, я пригорюнилась, но подумала, что это неплохо. Не удалось набить на ночь желудок? Превосходно, голод полезен для фигуры, выпью горячего чаю, и баиньки.

Электрочайник у нас живет на столе, придвинутом к стене. Я поелозила рукой по клеенке и наткнулась на прибор. Предвижу ваш вопрос: Лампа, почему ты не зажжешь свет, а орудуешь почти в кромешной темноте? Ответ прост. В доме у Рублевых между кухней и одной из прилегающих к ней комнат есть окно. Зачем его прорезали, мне непонятно, но если вы включаете в одном помещении трехрожковую люстру, то она освещает и другое. За стенкой находится комната Силаевой, она непременно проснется, а мне не хочется будить усталую женщину. Интерьер кухни мною изучен до мельчайших деталей, я могу спокойно перемещаться здесь с завязанными глазами.

Чайник зашумел, я села на табуретку, протянула руку направо, ожидая наткнуться на чистую чашку, и ощутила пальцами нечто круглое, размером с небольшой мяч, гладкое, словно полированное. Неведомый предмет лежал на тарелке, значит, он съедобен. Я принялась ощупывать «незнакомца» и сообразила: это арбуз! Ну и подумаешь, что на календаре февраль, время дефицита давно кануло в Лету, теперь исчезло понятие «сезонный продукт». Помидоры, огурцы, персики, клубника, дыни и всякие там манго спокойно лежат на прилавках в любое время года. У нас зима, а в Австралии лето, самолеты летают регулярно, поэтому ешьте черешню из Чили, землянику из Боливии или наслаждайтесь бананами, которые уже более распространены в Москве, чем картошка. Единственное, что может остановить гурмана, — это цена. За крохотный лоточек с десятью ежевичками придется отдать на кассе кучу денег. Нынче нет понятия «сезонность», зато есть слово «дороговизна».

Я еще раз погладила арбуз. Ясное дело, его не могли купить ни баба Нила, ни Нинуша, ни Рублев. Полосатую ягоду приволок Томас, это приобретение вполне в духе американца, только он способен на гастрономическое безумие.

Глотая слюни, я вонзила в бок «шара» длинный нож и не услышала хруста. Похоже, арбуз не очень спелый! От жадности я откромсала слишком большой ломоть, зажмурила от предвкушения глаза, зубы вонзились в мякоть.

ГЛАВА 14

Рот заполнился водянистой массой безо всякого вкуса. Больше всего уроженец бахчи походил на мокрый кусок ваты, правда, он достаточно легко жевался и корочка у него оказалась не твердой, а упругой. На наш астраханский сахарный арбуз иностранный гость походил, как карета на тыкву, но мой бедный, изголодавшийся желудок нагло требовал еды, поэтому я отрезала еще кусок.

Вторая порция показалась мне почти несъедобной, но я мужественно ее доела, прикрыла остатки чистым кухонным полотенцем, засунула в холодильник и пошла спать. Уже опустив голову на подушку, я ощутила небольшое головокружение, но тут сон целиком захватил меня, и все неприятные симптомы исчезли.

Утром меня разбудил телефонный звонок Макса.

— Нас утро встречает прохладой! — заорал он. — Куда ты подевалась?

— Лучшая защита — нападение, — зевнула я. — Отфутболиваю вопрос: почему ты отключил мобильный? Вчера я весь день пыталась тебя найти.

— Я попал в передрягу, — зачастил Макс, — нас было двое, их шестеро, с автоматами и установкой «Буран», стреляли нам в спину! Мы нападали! И победили!

Надеясь окончательно проснуться, я со смаком потянулась.

— Когда тебе надоест прикалываться? Как можно целиться в затылок нападающему?

— Тактический прием, — не смутился Макс, — делаешь вид, что струсил, а на самом деле...

— Вот-вот, — остановила я Максима, — лучше сразу сообщить про «самое дело». Прямо обидно, что ты считаешь меня дурой. То Гладков Максика за связь с бывшей женой спасителем величает, то ты верхом на ракете «земля — воздух» катаешься.

— Я колесо проколол, — вздохнул Макс. — Поменял, проехал метров двести и запаску тоже продырявил. Прыгал по шоссе, но, как назло, никто мимо не ехал, местность глухая, низина, мобильный не берет.

— Бедненький, — пожалела я приятеля.

— Какие у тебя планы? — спросил Макс.

— Лучше озвучу их при встрече, — проявила я бдительность, — приеду в твой офис к полудню.

— Иес, — обрадовался Макс, — у меня как раз образовалась вакансия ведущего детектива, отличный оклад, ежемесячная премия, страховка и бонус по окончании года.

— Не стоит возвращаться к теме нашей совместной работы, — уверенно ответила я.

— Я и не собирался! — фыркнул Макс. — Отлично знаю позицию госпожи Романовой: не спи с боссом!

— Я с тобой пока не сплю! — вырвалось у меня.

— Радует словечко «пока», — ухмыльнулся нахал. — Все течет, все изменяется. Если сидеть тихо на берегу реки, течение непременно прибьет к твоему берегу страстную любовницу. Китайская мудрость.

— Насколько я помню, вторая часть изречения звучит иначе: «Мимо проплывет труп твоего врага».

— Ты цитируешь монаха Лао Ши, а я вспомнил философа Шао Ли, — не растерялся Макс. — Используя свои исключительные умственные способности, я строю силлогизм, то есть логическое заключение. Лампа не спит с боссом, я не босс, значит, Лампа спит со мной!

Я не нашлась что ответить, а Макс вещал дальше:

— Или другой вариант. Лампа не спит с Максом, Макс может быть шефом, Лампа идет к нему на службу. Меня больше устраивает первый вариант, но и второй не плох, потому что из него вытекает третий: Лампа служит у Максима, он выгоняет ее за лень, Макс больше не шеф, Лампа со спокойной совестью падает в объятия не начальника Макса. Все счастливы, в толпу летит букет невесты!

— Последнее заявление мне следует считать предложением руки и сердца? — ехидно спросила я.

— Ты согласна? — не испугался Макс. — Бегу за кольцом!

Я опешила:

— Нет! Пока нет! Приеду в полдень, надо поговорить.

— Я куплю шампанское, — пообещал Макс, — и закажу марш Мендельсона.

Я швырнула трубку в кресло. Ну как прикажете общаться с таким типом? Макс не способен на серьезную беседу, ерничать он перестает только на работе!

— Вызови им врача! — раздался из коридора голос бабы Нилы.

— Бу-бу-бу, — неразборчиво ответил Колян.

— Позвони в ветеринарку, — настаивала старуха.

— Нормалек! — объявил Рублев.

Я высунулась из комнаты:

— Что случилось?

Колян махнул рукой и стал подниматься на второй этаж. Баба Нила укоризненно покачала головой:

— От мужики! Бесчувственные! Или Колька у меня таким уродился? Ваще не эмоциональный. Вчера весь день его в больницу к Вале пихала, шипела в ухо: «Сходи, проведай жену». А он по телефону звякнул и ответил: «Она в коме, чего там делать? Не увидит, не услышит! Очнется, тогда поеду». Теперь эти быдры, Степан и Петр!

— А с ними что? — забеспокоилась я. — Заболели? Надо позвать ветеринара, вдруг это инфекция, еще на собак перекинется!

Баба Нила поманила меня пальцем:

— Иди сюда.

Я вошла вслед за ней в кухню.

— Во, — ткнула старуха пальцем в тарелку на столе, — сожрали! Вдруг помрут? Колька в этих быдр последние деньги вложил, приплода ждет, а ему вместо быдрят — покойнички. Оно и понятно, что никто не родится, но ведь взрослых продать можно.

Я глянула на полусъеденный темно-зеленый шар и успокоила бабу Нину:

— Это арбуз Томаса, ничего страшного, быдры...

Признаться в ночном обжорстве я не успела, баба Нила схватила останки ягоды:

— Это кактус!

Я плюхнулась на табуретку:

— Прости? Ты о чем?

Старуха поднесла усеченный шар к моему носу:

— Арбуз внутри либо красный, либо розовый, а этот?

— Синий, — в шоке ответила я, — смахивает на... на... — Сравнения не нашлось, желудок стал ритмично сжиматься, в животе громко забулькало.

— Это кактус, — повторила бабка, — и не Томаса, а мой! Я купила его в торговом центре на площади.

— Где же колючки? — прошептала я и начала интенсивно чесать шею.

— Это особый сорт, название ему «Голая голова», — удрученно ответила старуха. — Продавщица дала мне жидкость, велела его дезинфекцией обработать, у него на коже паразиты живут, вошки растительные, если их не перетравить, они на другие горшки переползут.

На меня напала икота.

— Я облила молодца, — вещала баба Нила, — оставила его на ночь на кухне, на столе. С утреца встала, глядь, ушел красавец! Открываю холодильник, он тама стоит, под полотенцем, полусожратый. Оно, конечно, мне зелень жаль, недешево стоила, я на нее с пяти пенсий копила, уж очень кактусы люблю. Но быдр жальче! А ну как они лапки отбросят! У, заразы хитрые! Ножиком отрезали, тряпочкой прикрыли, в холод поставили, под человека косили. Ума у них вагон, а соображения, что это вредно, нет!

Моя икота перешла в кашель, в кухню вошел Колян.

— Во, — потряс он лохматым комком, — это Степан, весел и бодр. А Петя тут! Мама, ты и правда думаешь, что они умеют пользоваться ножом и открывать холодильник?

— Какой же идиот, кроме полоумных быдр, схарчит кактус? — возразила баба Нила.

После этой фразы мне окончательно расхотелось сознаваться в своей оплошности. То-то арбуз показался мне начисто лишенным вкуса!

— Мой мозг плавить остаток водка, — пожаловался Томас, заглядывая в кухню, — иметь нам аспирин?

— Знаю, кто кактусом полакомился, — усмехнулся Колян. — Томми, у тебя вчера гости гудели?

— Долго, — простонал американец, — пробили часы на Спасской башне, пришел Новый год, они уехали. Сам не помнить!

— Ты съел кактус? — прямо спросил Колян. — Не смущайся, пьяному простительно.

— Я? Да? — задумался американец. — Ночью гулял за свежей водой. О! Вкушал от плода! Холодный был!

— Идиот! — всплеснула руками баба Нила и кинулась к шкафчику.

— Я натворил кошмаров? — испугался Томас. — Не строил планов коварства, желаний лишить кактус жизни не имел. Простите доброго молодца!

Баба Нила сунула жильцу кружку.

— Что есть там наплескано? Цвет внушает

странное отношение, — засопротивлялся студент.

— Марганцовка, — пояснила старуха, — первое средство от всего.

Томас с подозрением глянул на бабу Нилу:

— Универсам?

— Нет, в аптеке продают, — неправильно поняла его старуха, — дешевая вещь, а работает лучше врача.

Американец покорно проглотил розовую жидкость, а у меня в животе развернулись масштабные военные действия. Вот только, в отличие от бабы Нилы, я понимала: растворенные в воде кристаллы не заменят антибиотиков, надо посоветовать студенту идти к доктору и самой поспешить в аптеку.

— Глотай, глотай, — приговаривала баба Нила, — не морщись, на вкус это лучше водки.

Я кашлянула, открыла рот, и тут в кухню вплыла Прасковья Никитична.

— Нина здесь? — вполне нормальным голосом спросила она.

— Не заходила, — прокряхтела баба Нила.

— Я ушла и не вернулась, — понизила голос мать Силаевой, — говорила я ей: не затевай. А она словно с привязи сорвалась, ополоумела, заорала: «Хочу его выручить, плевать на людей». Ой, плохо получилось! Поймали Нину фашисты, утащили в Краснодон, пытали и убили. За листовки!

Томас подавился марганцовкой и стал отчаянно кашлять. Я похлопала его по спине:

— Не нервничай, Прасковья Никитична бредит, она пересказывает роман писателя Фадеева «Молодая гвардия».

— Продукты она ему не носила, запрет вышел, — монотонно бубнила старшая Силаева, — и о детях не думала. Конечно, он мне сын, но ведь наделал беды! Хорошо, его Гитлер не расстрелял. А теперь за Ниной пришли!

Баба Нила приблизилась к Прасковье, обняла ее за плечи и внятно, словно беседуя с трехлетним малышом, произнесла:

— Давай я тебя кашкой угощу.

В глазах безумной зажегся интерес:

— Геркулесовой?

— Конечно, — еще нежнее запела баба Нила и за две минуты навела полный порядок на кухне.

Прасковья Никитична получила тарелку овсянки, а Томас был отправлен бриться в ванную. Мать Коли села на табуретку, посмотрела на меня и сказала:

— Не дай бог из ума выжить. Отчего это с Прасковьей напасть такая приключилась?

— Наука пока бессильна против старческого маразма, — ответила я, с жалостью глядя на Прасковью. — Врачи не придумали таблеток от идиотизма, это с каждым случиться может.

— Если пойму, что превращаюсь в ходячий ужас, выпрыгну из окна! — воскликнула баба Нила.

— Беда в том, что сам человек свою болезнь не осознает, — вздохнула я. — Прасковье Никитичне кажется, что она адекватна и нормальна.

Старуха оторвалась от тарелки:

— Дурой меня считаете?

— Сахарком тебе кашку посыпать? — заботливо предложила баба Нила.

— Точно, — кивнула Силаева, — а я ем и думаю: ну почему геркулес такой невкусный? Ох, фашист проклятый, из-за него, видно, Нинку убили!

— И вот странность, — пригорюнилась баба Нила, — ну как так получается? Вроде Прасковья ку-ку, а с другой стороны, ничем от других людей не отличается. Одно слово у нее безумное, другое — разумное.

Сверху раздался грохот, баба Нила вскочила и ринулась из кухни с криком:

— Что там случилось? Кто гопак пляшет?

— Если кто и лишился ума, так это Нила, — с обидой произнесла Прасковья. — Нинка сегодня ночевать не явилась, ее фашист убил.

— Все будет хорошо, — на всякий случай сказала я.

— Ох нет, — горько перебила старушка, — слишком Нина мужа любила, а он, хоть и сын мне, да гад. Все из-за мерзавца потеряли, с квартиры съехали, по чужим углам с детьми скитаемся. А теперь он, Гитлер проклятый, до Нинушки дотянулся! Она от меня правду скрывает, да мне уши господь не заложил, слух к старости оставил отменный, вот я и разобралась.

— Конечно, конечно, — кивала я, мелкими шажочками продвигаясь к двери, — еще сахару в овсянку положите.

Я вернулась в свою комнату, на всякий случай померила температуру, в окошке выскочило «36,2», и решила позвонить Асе Миткиной. Асенька — коллега Катюши, она тоже врач, но работает на «Скорой». Выслушав мой сбивчивый рассказ про кактус, Аська захихикала, потом сказала:

— Клизма! Вот лучший способ от всех отравлений. Только сначала съешь активированный уголь, одна таблетка на пять кило веса. А затем дуй в сортир с кружкой Эсмарха.

Мы поговорили еще минут десять о пустяках,

потом я взглянула в окно, увидела, как баба Нила, не забыв надеть на сапожки бахилы, спешит куда-то со спортивной сумкой, и подавилась углем.

Слопать необходимое количество черных пилюль мне удалось лишь через сорок минут. Еще чуть больше часа я просидела в сортире, мысленно проклиная тот день и час, когда решила полакомиться арбузом. После всех процедур мне понадобилось принять душ.

В спальне я очутилась не скоро. На столе разрывался телефон, номер абонента не определился, но меня это не смутило. Насторожило другое: из трубки донеслось хриплое дыхание, шорох и более ничего.

— Говорите, — приказала я.

— Ш-ш-ш, — ответила трубка, затем вдруг прорезался голос стрелка: — Найди... — и снова «ш-ш-ш».

— Мерзавец, — вскипела я, — негодяй! Непременно тебя отыщу! Можешь быть уверен! Ты убил женщину! Мразь! Глупо было с тобой договариваться!

— Медведев... — прохрипел голос, — освободите... не... он...

— Неплохо бы знать твое имя! — перебила я убийцу. — И не надейся, что, уничтожая невинных людей, ты заставишь сыщиков плясать под твою дудку! Чем тебе помешала вдова, Маргарита Подольская?

— Она, — еле слышно прошептал снайпер, — она... она... не она... не я... она... убита...

— Маргарита Подольская? — уточнила я.

— ...не... не... человек... не...

— Понятно, — процедила я, — ты, однако,

философ, считающий, что среди людей есть недочеловеки, которых можно уничтожить.

— Нет, — эхом отозвался киллер, — не... не... отпусти Фила...

Из трубки снова послышался шорох, хруст, потом бесстрастный голос произнес:

— Извините, связь прервалась.

То ли снайпер очутился там, где мобильный не берет, то ли он забыл заправить батарейку.

От негодования у меня перед глазами поплыли радужные круги. Не знаю, по какой причине киллер избрал меня в качестве своего доверенного лица, но он сильно просчитался. Теперь я наизнанку вывернусь, а найду подлеца!

Я вцепилась в телефон, соединилась с Максом и, не дав ему издать ни звука, спросила:

— Могу я рассчитывать на твою помощь?

— Да, — коротко ответил Вульф.

Я приободрилась:

— Узнай все о заключенном Филиппе Медведеве. Меня интересует самая исчерпывающая информация: родственники, друзья, коллеги...

Максим не прерывал меня, я говорила довольно долго и завершила список заданий фразой:

— Скоро я привезу салфетку, найденную в подвале. Надо, чтобы в твоей лаборатории из нее выжали все! И даже больше.

— Угу, — бормотнул Макс, — кстати, спасибо тебе за Германа.

— Кого? — не поняла я.

— Ты дала мой номер компьютерщику Герману, — напомнил приятель, — хороший парень, через две недели к нам переходит.

— Ах, Герман! — осенило меня. — Все, до встречи, милый, скоро приеду.

— «До встречи, милый»! — восхитился Макс. — Ты редко бываешь столь нежна. Признайся, основная эрогенная зона мадам Романовой — это работа?

ГЛАВА 15

Еле откопав машину от снега, сверху прихваченного ледяной коркой, я влезла в промерзший салон, завела мотор и включила электроподогрев сиденья. Хочется от души сказать спасибо человеку, который придумал эту услугу. Очевидно, ему же пришла в голову гениальная идея встроить электрическую спираль и в руль. Баранка медленно теплела, моя филейная часть перестала походить на кусок замороженного окорока, и через пять минут я поехала в сторону местного торгового центра — здоровенного ангара, куда население Брехалова и десятка соседних сел ездит за продуктами, лекарствами, книгами, газетами и хозяйственными мелочами.

За несколько лет вождения я набралась опыта и теперь могу на дороге думать не о том, как предстоит перестроиться в другой ряд для поворота, а о разных делах. Сейчас в голове крутились мысли о снайпере.

Медведев для снайпера явно не посторонний человек. Из-за чужого дяди не станут так переживать. Похоже, стрелок больше года после вынесения приговора составлял план, как вытащить Филиппа с зоны. И решил поступить просто, предъявив ультиматум: «Вы немедленно выпускаете бывшего охранника, иначе я буду отстреливать случайных прохожих». Естественно, убийца не хочет попасть в тюрьму, ему грозит пожизненное заключение, поэтому он решил тщательно запутать следы. Думаю, странную хриплость его голосу придает небольшой аппарат, который при желании можно приобрести в малоприметном магазинчике на Горбушке. Черная штучка, размером с пуговицу, способна самым волшебным образом превратить бас в дискант и наоборот. Но вот что ей не подвластно, так это коррекция внешнего фона. Сильно сомневаюсь, что убийца сидел в звуконепроницаемой комнате. Каждый преступник непременно совершает ошибки, пусть крохотные, но умному сыщику подчас достаточно одного волоска, чтобы распутать преступление.

Я набрала номер и спросила:

— Герман? Это Лампа. Макс сказал, что вы пришли к соглашению?

— Уж и не знаю, как тебя благодарить, — с жаром отозвался компьютерщик. — Уйду из гадюшника в приличное место. Вульф предупредил, что размер моего оклада — коммерческая тайна, но тебе я могу сказать: эта зарплата намного больше нынешней жалкой подачки от управления, а Макс не похож на Льва Георгиевича. Слушай, давай сходим в кафе? За мой счет!

— Лучше помоги мне в одном деле, и будем квиты, — ответила я.

— Готов спереть у Льва из кабинета его любимый набор для садистских утех, — хихикнул Герман, — кожаную плетку со стразами или чем там он пользуется.

— Тебе придется всего лишь поработать с компом. Помнишь, как я пыталась удержать на связи снайпера?

— Да, а что? — заинтересовался парень.

Я спросила:

— Очевидно, существует запись этой беседы?

— Конечно, — подтвердил Герман.

— Выдели все шумы, попробуй уточнить, какие там есть посторонние звуки, вероятно, они подскажут место, где находился убийца.

— Уже начал, — отрапортовал Герман, — запись грузится.

— Киллер звонил мне еще несколько раз на личный телефон, — сказала я, — сейчас я пользуюсь навороченным аппаратом, он не мой, не спрашивай, где взяла трубку, похоже, раньше она принадлежала подростку, любителю технических новинок. Важно другое: такой сотовый есть у Макса, и я знаю, что у него имеется функция диктофона — можно записать беседу с любым, с кем общаешься.

— То есть ты располагаешь другими образцами голосовых материалов? — правильно понял меня Герман.

— Вот-вот! — обрадовалась я. — Показываться в управлении мне не с руки. В обеденное время я встану неподалеку от твоего офиса и позвоню. Сможешь выйти и забрать мобильник?

— Без проблем, — пообещал Герман, — жду!

В аптеке не оказалось покупателей, за прилавком тосковала Антонина Георгиевна (если ты поселился в деревне, то, даже не поддерживая тесных отношений с окружающими, очень скоро узнаешь их имена и фамилии).

— Опять у Капы бронхит? — покачала головой провизор, увидев меня у прилавка. — Возьми собаке сироп подорожника, хорошо помогает. В прошлый раз я давала тебе бромгексин, но его трудно дозировать.

— Спасибо, Тонечка, — улыбнулась я. — Капитолина великолепно себя чувствует, у Фени нет аллергии, Муля временно забыла про артрит, Ада не чихает. У меня вопрос: если человек съел кактус, какую таблеточку надо ему принять в качестве противоядия?

Фармацевт осторожно поправила на голове белую шапочку:

— А зачем он съел кактус?

Надо же быть такой любопытной! Мотивация пожирателя растения никак не влияет на выбор медикаментов.

— Случайно, — пожала я плечами, — спутал его с арбузом.

— Дурак, да? — заморгала Антонина Георгиевна.

Мне стало обидно.

— Вовсе нет! Потрясающего ума человек, кстати, имеет высшее образование.

— Некоторым учеба идет не впрок, — принялась философствовать провизор, — они от знаний дуреют.

— Вернемся к лекарствам, — предложила я.

Антонина взяла с полки бутылочку и водрузила ее на прилавок:

— Вот. Стоматофен, произведен из растительного сырья.

Я расстегнула кошелек:

— Сколько раз микстуру пить надо?

Антонина Георгиевна укоризненно посмотрела на меня:

— Лампа, это полоскание. От язв во рту.

— Тот, кто слопал кактус, от них не страдает, — уточнила я.

— Как же он ухитрился иголки прожевать и не пораниться? — поразилась фармацевт.

— Растение лысое, — сообщила я новую подробность.

— Тогда это не кактус, — уперлась Антонина Георгиевна. — Где его купили?

— У вас, в цветочной лавке, — вздохнула я.

— Иди туда и спроси у Юльки, чего она продала, — посоветовала провизор. — Может, это полезная зелень!

Мне ее замечание показалось дельным.

В небольшом магазинчике, где хозяйничала бойкая Юлечка, тоже не было клиентов.

— За букетиком пришла? — с надеждой поинтересовалась цветочница.

Я подошла к прилавку:

— Баба Нила у тебя вчера приобрела кактус.

— Ага, — заулыбалась Юля.

— Без колючек?

— Называется ардобенгентумолисен гладкий, — без запинки оттарабанила Юля.

— Скажи, он дорогой? Мне нужен такой же.

— Могу заказать, — еще больше обрадовалась Юля, почуяв прибыль, — о цене не скажу. Сама знаешь, в понедельник сто рублей, в среду тыща. Баба Нила за свой почти целую пенсию отвалила, у нее страсть к кактусам.

Мне стало неудобно. Непременно раздобуду старушке новое растение.

— Оформляй заказ. Он ядовитый? В смысле кактус? Если его съесть, что будет?

— Кактусы не кабачки, — фыркнула Юлечка, — их даже дураки не жрут, но этот лысик пищевой, он из Аргентины, их там жарят.

Я потупила взор:

— Баба Нила вела речь о каких-то вредителях, вроде в цветочном магазине товары ядом обрабатывают!

— Не, — возразила Юля, — их на месте обливают, иначе их санитарный контроль в другие страны не впустит. На, почитай, это сопроводиловка.

Не вставая со стула, продавщица пошарила под прилавком и вытащила небольшой листок. Я взяла аннотацию, напечатанную на машинке: «Спиродибус яйцевый поставляется в Москву из Туниса».

Я вернула бумажку Юле:

— Ты дала мне не тот документ, только что называла кактус ардо... бенге... повторить не могу! И упомянула, что он из Аргентины!

Девушка опустила голову, искоса глянула на меня и после кратковременной паузы произнесла:

— Мы с тобой соседи, в Брехалове живем, а я своим всегда правду говорю, неприлично близких обдуривать. Прикати ты из Мамонтовки или Пироговки, я соврала бы. Но сейчас признаюсь, как маме: не могу я ихние названия запомнить, язык сломаешь, а покупатель любит, когда экзоты заковыристо обзываются, вот я и придумываю скороговорки. Кактусы беру у поставщика, тому на сто штук одну сопроводиловку дают, на английском. Ее переводят, отксеривают и по ларькам распихивают. Оптовик жлоб, экономит на всем, текст на русский переписывает его дочка, ей двенадцать лет, она в школе иностранный учит, латыни не знает, а кактусовое имя на ней дано.

— Ясно, растение, вероятно, не «спиродибус яйцевый», — усмехнулась я.

— Чего ты от ребенка хочешь? — пожала плечами Юлька. — На фотку посмотри, ведь похож, а как обзывается, неинтересно. И откуда прибыл, тоже неважно, дальше читай, остальное все правильно.

Я вернулась к тексту: «Спиродибус на родине называют санитаром пустыни. Кактус считается одним из самых ядовитых растений в мире. Если вы поместите его дома, то гарантированно избавитесь от мух, комаров, мышей, крыс. Высаженный в огороде экземпляр яйцевого прогонит с участка ежей, кротов, лис, волков, медведей».

— Медведей — в ужасе повторила я, ощущая, как немеют руки и ноги.

— Я тоже удивилась, — не зная причины моего волнения, заметила Юля. — Девчонка, похоже, ошиблась, там имеется в виду медведка.

Но мне легче не стало. Продолжение листовки тоже не обрадовало: «Спиродибус выделяет смертельные эфирные масла без запаха и цвета. Если в доме есть животные, яйцевый следует держать от них подальше. Даже крошечная капля сока, принятого внутрь, через семь минут лишает жизни лошадь. Устойчивость к яду спиродибуса имеет лишь эфиопский чешуйчато вонючий таракан».

Я ухватилась пальцами за прилавок, но сумела включить логическое мышление:

— Один человек съел несколько кусков спиродибуса вчера поздно вечером и остался до сих пор жив! Почему?

Юлия подергала длинную сережку, свисавшую из ее уха:

— Он дурак? Зачем хавать кактус?

Все-таки людям свойственно традиционное мышление. И Антонина, и Юля, услышав про слопанного «лысика», отреагировали одинаково! Ну какая разница, что мною руководило! Важен сам факт поглощения кактуса!

Я с укоризной глянула на цветочницу:

— Человек захотел есть и спутал растение с арбузом!

— Вот идиот, — захихикала Юля, — и не помер?

— Нет, — обиженно ответила я, — чувствует себя прекрасно, у него чудесный аппетит, он великолепно спал, полон сил.

— Значит, он эфиопский чешуйчато вонючий таракан, — радостно заявила девушка.

Я вздрогнула и, забыв попрощаться с Юлей, пошла вон из торгового центра. Дочь оптового торговца двоечница, она неправильно перевела аннотацию. Но на всякий случай я не буду покупать бабе Ниле «лысика», приобрету для нее другую разновидность кактуса, куплю растение в большом фирменном магазине, где за прилавками стоят настоящие профессионалы.

Несмотря на предобеденное время, на улице потемнело. С запада надвигалась черная туча, которая явно собиралась засыпать столицу снегом. Я втиснулась за руль, услышала звонок телефона и увидела на дисплее слово «Макс».

— Филипп Медведев служил в разных горячих точках, — без всякого вступления начал Вульф, — великолепный снайпер, обладает всеми необходимыми профессиональными качествами: терпелив, психологически устойчив, способен сидеть сутками в засаде, эмоционально стабилен, замкнут, ну и так далее. Медведев был на очень хорошем счету, вернулся к мирной жизни и оказался к ней не приспособлен. Реально он ничего не умел, кроме как стрелять. Филипп попытался получить образование, по льготе для бывших военнослужащих поступил в институт, но его отчислили за неуспеваемость.

— А потом удивляются, откуда берутся профессиональные киллеры, — вздохнула я. — Наверное, у снайпера вырабатывается к жертвам особое отношение, они для него не люди.

— Для хирурга больной — объект операции, —

перебил меня Макс, — для патологоанатома труп всего лишь предмет для изучения. Если будешь испытывать сильные эмоции, не сможешь работать. Полагаю, снайпер не исключение, он видит в прицел не личность, а объект, который подлежит уничтожению.

— Сравнение с врачом некорректно! — не согласилась я. — Доктор призван спасать жизнь людей.

— Не стоит углубляться в изучение морально-этических аспектов, — буркнул Макс. — Вернемся к Филиппу. У него была жена Нина Петровна и трое детей. Один мальчик родился с болезнью Дауна, двое других здоровы. Примерно за год до ареста супруги развелись. По отношению к бывшей жене Медведев повел себя благородно, он ушел, оставив ей квартиру. На алименты Нина Петровна не подавала, наверное, договорилась с мужем полюбовно. Да, маленькая деталь: мать Филиппа осталась жить с бывшей невесткой. В заявлении на развод супруги написали: «Не сошлись характерами». Во время заседания суда вели себя пристойно, никаких гадостей друг про друга не говорили, имущество не делили. Такое редко встречается. Истинная причина развала семьи так и осталась за кадром.

— Без повода люди не разбегаются, — заметила я.

— Тонкая мысль, мне это ни разу в голову не приходило, — Макс не упустил случая съязвить. — Со своей стороны отмечу: большинство мужиков, уличив жен в неверности, накостыляют изменщице по шее и, оскорбленные в лучших чувствах, соберут вещи и уйдут к любовнице.

Я рассмеялась, а потом спросила:

— Полагаешь, у Медведевых дело было в банальной измене?

— Слушай дальше, — распорядился Максим, — на момент разрыва с женой Медведев работал в охранном агентстве, зарплату имел небольшую. Приятелями он на службе не обзавелся, общался с коллегами исключительно по делу и никому о разводе не рассказал, но должностную инструкцию нарушить не мог: начальство в известность о крушении семьи поставил и сообщил свой новый адрес. Медведев снимал двухкомнатную квартиру в Прямом переулке.

— Самый центр Москвы, — подскочила я.

— Точно, — подтвердил Макс, — жилплощадь принадлежит Исайкиной Галине Львовне, незамужней, бездетной, бывшей медсестре, а теперь мастеру по маникюру-педикюру салона «Личность». Сама Галина живет в «однушке», в районе Звенигородского шоссе, в двух шагах от своей работы, а доставшуюся ей от отца «двушку» сдает. Нормально?

— Ничего особенного, — согласилась я, — «лишняя» жилплощадь в столице — источник неплохого дополнительного дохода для ее владельца.

— Вот и ныне покойный следователь Белов не усмотрел в ситуации ничего странного, — продолжил Макс. — Он допросил Исайкину, а та, не проявляя ни малейшего волнения, ответила: «Жильца мне подобрала риелторская контора. Я просила некурящего, непьющего мужчину, ведущего тихий образ жизни. Наличие детей и животных исключено. Филипп произвел на меня положительное впечатление, мы подписали договор. Деньги Медведев передавал аккуратно. Больше о нем ничего не скажу».

Белов более Галину Львовну не беспокоил.

Кстати, бывшую жену снайпера, Нину Петровну, тоже пригласил в отделение всего лишь один раз. Нина продемонстрировала свидетельство о разводе и заявила: «Медведев регулярно давал деньги на воспитание детей, оставил нам жилплощадь, но мы с ним не пересекаемся. Последний раз встречались в зале суда. Чем сейчас занимается Филипп, понятия не имею, наши пути разошлись двенадцать месяцев назад». И следователь отпустил Нину с миром. Ну, каково твое мнение?

— Пока ничего настораживающего не вижу, — ответила я.

Макс кашлянул:

— Ну-ну. А я произвел простое арифметическое действие сложения и прифигел. Квартира в Прямом переулке должна стоить никак не меньше шестидесяти тысяч в месяц. По словам экссупруги, Медведев давал ей деньги на детей. И Нина не обманывала, она нигде не работала, сидела с ребятами дома. Напомню, что один из ее мальчиков даун, его без присмотра не оставишь. Еще прибавь сюда мать-пенсионерку, она на иждивении сына. Сколько приходится отсыпать на двух взрослых и троих малышей? Самому Филиппу надо питаться хоть раз в день, а его официальной зарплаты не хватит даже на очень скромную жизнь. Вопрос: где наш безупречный отец брал рублики?

— Подрабатывал, — предположила я.

— Официально он числился на одной службе, — возразил Максим.

— Значит, оформился куда-то нелегально, — не сдалась я. — Эка невидаль!

— Отсутствие высшего образования автоматически опускало Медведева в разряд низкооплачиваемых лиц, — продолжал Макс. — Даже двух окладов секьюрити не хватит на съем квартиры в Прямом переулке. И я подумал: может, он за нее не платил?

ГЛАВА 16

— Исайкина пустила жильца без денег? — засмеялась я. — Впрочем, если предположить, что она его любовница, тогда такой вариант возможен. Только ты упомянул, что Галина жила на Звенигородском шоссе.

— Начав задавать вопросы, я не смог остановиться, — зачастил Макс. — Ну зачем одинокому мужчине две комнаты? Одной хватит за глаза. По какой причине Филипп остановил свой выбор на Прямом переулке? Охранное агентство находится в Марьино, там легко подобрать дешевое жилье. Ну и решил я пройтись по личности Исайкиной. Галина Львовна дважды в разводе. Исайкиной она стала во втором браке, до этого была Тумановой, первые годы жизни провела под фамилией Воротникова. Ее отец, Лев Михайлович, утонул, когда девочке исполнилось восемь лет. Мать через год вышла замуж за Петра Силаева, от которого родила дочь Нину. Петр Сергеевич был хорошим человеком, Галю не обижал, воспитывал обеих девочек, как родных. Отчим умер, когда Галина первый раз вышла замуж. Ее сводная сестра, Нина Петровна Силаева... бывшая жена Филиппа Медведева. Соображаешь?

Я замерла с трубкой у уха, а Макс вещал дальше:

— Крышка точно подошла к горшку. Галочка сделала одолжение родственнику. Готов поспорить на передний зуб, она ни копейки не брала с Медведева, а еще нагло обманула следователя, не сообщив ему историю своей семьи, понадеялась, что мент не станет в этом копаться, и не ошиблась. Накосячил наш Шерлок Холмс. Он считал, что у подследственного есть только мать, Прасковья Никитична, да бывшая супруга, но, оказывается, в наличии имеется свояченица, которая, вероятно, испытывала к зятю сильные чувства, раз после разрыва с Ниной пустила его пожить в Прямом переулке. Кстати, после ареста Медведева Нина и Прасковья Никитична, прихватив детей, уехали в неизвестном направлении, их квартира закрыта, там никто не живет.

Ко мне вернулся дар речи.

— Нина Петровна Силаева и Прасковья Никитична?

— Верно, — подтвердил Макс, — еще трое детей.

— Их почему-то двое, — прошептала я, — дауненка нет. Это же мои соседи по дому Рублевых! Я помогаю Нинке резюме писать, а Прасковья недавно на моих глазах ела геркулес.

— Вероятно, это совпадение, — не особенно уверенно протянул Макс. — «Нина Петровна» совсем не редкое сочетание имени и отчества.

— Силаева! И Прасковья Никитична, — напомнила я.

— Случается, — не признавал мою правоту Макс. — Ну подумай, они живут сейчас в одном доме с Валентиной, бывшим прокурором на процессе Медведева. Это уж слишком! И мальчика-инвалида с женщинами нет.

У меня возникло желание помчаться в Брехалово, чтобы тщательно расспросить Прасковью Никитичну, но потом я очнулась. Старуха в маразме, от нее толка не добиться, а Нина отсутствует. Не следует горячиться, нужно действовать осторожно. Я взяла себя в руки.

— Сейчас привезу носовой платок, который необходимо сдать в лабораторию.

Поблагодарив Макса, я в два счета узнала в справочной номер телефона салона «Личность», немедленно позвонила туда и прикинулась клиенткой:

— Запишите меня на педикюр к Исайкиной.

— У Гали есть свободное время в семнадцать, — предложила администратор.

— Отлично, — возликовала я: как раз успею отдать салфетку Максиму и пообщаться с Германом.

Часа на педикюр хватит, я не опоздаю на встречу к Сене, которая назначена на семь. Хотя на свидание можно явиться и с задержкой. Интересно, что от меня нужно Арсению? Не верю я в его стихийно возникшую влюбленность. Сене не пятнадцать лет, в его возрасте мужчины далеко не Ромео.

Без всяких приключений я доставила пакет с уликой по адресу, звякнула Герману и помчалась в кафе. Компьютерщик взял протянутый мной телефон:

— А как же ты без аппарата?

Я повертела перед его носом только что купленной трубкой:

— Приобрела в киоске у метро. Всего-то полторы тысячи рублей стоил.

Герман скривился:

— Такой даже первокласснику примитивным покажется, нет ни одной дополнительной функции.

— Звонит, и ладно, — отмахнулась я. — Зачем мне симбиоз фото, видео и прочей чепухи?

— А Интернет? — возмутился Герман.

— Я практически им не пользуюсь, — опрометчиво сообщила я правду.

— Электричество у тебя в пещере есть, — съехидничал компьютерщик, — или ты до сих пор не в курсе, что человечество отказалось от свечей? И где хранишь на зиму запас сена для лошади?

Я не стала отвечать на глупые замечания.

— Что удалось выжать из имеющейся у тебя записи?

— Объект разговаривал в закрытом помещении, ни шума улицы, ни других звуков не обнаружено, — отрапортовал Герман.

— Здорово, — сказала я, — радиус поиска ограничивается миллионами квартир, магазинов, залов ожидания на вокзалах и аэропортах, ну, еще метро до кучи.

— Подземка исключена, места большого скопления народа тоже, у них свой четко выделяемый фон, — объявил Герман. — Работу я еще не закончил.

— Надеюсь, новый материал тебе поможет, — вздохнула я. — Звони в любое время дня и ночи. Там на одной записи есть странный звук, шипение. Мне почему-то кажется, что я слышала его раньше, но никак не могу припомнить, где.

— Еще кофе? — радушно предложил Герман, пряча мой мобильный в карман.

— Поеду дальше, — отказалась я.

— Читала сегодняшнюю «Сплетницу»? — неожиданно поинтересовался Герман.

— Нет, а что там? — полюбопытствовала я.

Он бросил на стол сложенную до размера сигаретной пачки газету:

— Наслаждайся.

Я расправила издание и увидела жирную шапку: «Снайпер стреляет по невинным людям».

— Давай закажу капучино? — второй раз проявил заботу Герман.

Я машинально кивнула, продолжая читать статью:

«Если хотите остаться в живых, не высовывайтесь на улицу, по московским крышам бродит безумный стрелок. Вроде пока его единственной жертвой является Маргарита Подольская, жена крутого бизнесмена, ее убили одним профессиональным выстрелом в голову. Сейчас многие из вас вздохнули с облегчением, подумав: убитая была богатой женщиной, ее заказали либо родственники, либо кредиторы покойного супруга, нам, простым людям, опасаться нечего. Нет, господа, пуля угрожает любому из нас. Нашему корреспонденту попал в руки сенсационный материал, сейчас он обрабатывается, факты тщательно проверяются. Мы, в отличие от других средств печати, никогда не допускаем на свои страницы неверные сведения. Поэтому ждите пятничный выпуск, в нем рванет бомба. Оказывается, год назад в столице уже орудовал киллер с винтовкой. Прежде чем мерзавца взяли, он убил нескольких человек, просто так, без всякой причины. В тот раз властям удалось скрыть правду, они не предупредили горожан о нависшей над ними опасности. Но теперь подобный фокус не пройдет. Снайпер снова вышел на охоту. Кто из нас следующая жертва? Наплевав на обычных граждан, сотрудники милиции тщательно заботятся о себе. Полюбуйтесь на фото. Просим прощения за плохое качество — наш репортер делал его при помощи камеры в мобильном телефоне. Несмотря на размытость снимка, отлично видно женскую фигуру в бронежилете. Перед вами одна из дознавательниц, которая после тяжелых героических будней зашла в супермаркет за едой. Мы понимаем, что борцам с миром криминала необходимо хорошо питаться, но вглядитесь! Она упакована в бронежилет! Наш корреспондент взял у Маты Харя небольшое интервью и понял: снайпер представляет реальную угрозу. Вот каковы наши милиционеры! Себя-то они защищают при помощи свинца, а что будет с остальными, их не колышет. Непременно купите «Сплетницу» в последний рабочий день недели. Роман Востриков».

Я с шумом выдохнула:

— Мата Харя!!! Вот мерзавец!

— Парень зарабатывает на хлеб с икрой, — поморщился Герман. — Объяснить такому, чем опасна паника в мегаполисе, невозможно.

— Гад, — шипела я, вспоминая дурацкую историю с бронежилетом, прилипшим к магнитному столу у кассы супермаркета, — подонок! Сотрудник объединения «Бета»! Небось таскает в карманах с десяток липовых удостоверений!

— Ты его знаешь? — удивился Герман.

— Встречались, — буркнула я. — Гера, пожалуйста, почисти запись.

— Не переживай, — кивнул он.

После его слов ко мне неожиданно вернулось распрекрасное настроение, и я проделала путь до начала Звенигородского шоссе, подпевая в такт радио.

Галина Исайкина оказалась очень услужливой. Незнакомую клиентку она встретила с приветливой улыбкой, довела до кабинета, набросила на кресло одноразовую бумажную простыню и предложила:

— Хотите раздеться? Вот теплый халатик. На улице мерзостно, лучше расслабиться по полной программе. Чайку заказать? С мятой и медом? Или с вареньем?

В небольшом помещении приятно пахло чем-то сладким, безупречно чистые инструменты лежали в специальном шкафу в голубом свете дезинфицирующей лампы, на полочке шеренгами стояли лаки для ногтей, на небольшом столике теснились разнообразные кремы. Махровый халат оказался заботливо подогретым, в ванночке для ног лежали гладкие морские камушки, один из них, явно искусственный, мерцал розовым светом. Вдобавок ко всему в кабинете играла тихая музыка.

— Похоже, вы делаете педикюр регулярно, — завела разговор Исайкина, — неужели не имеете своего мастера?

— Я хожу к Танечке, — поддержала я беседу, — замечательная девушка, но она поехала к маме в Челябинск, попросила подруг порекомендовать мне кого-нибудь на этот период. Танюша вернется через три месяца, мои ноги за это время превратятся в копытца неаккуратного поросенка.

— Ноги и руки — лицо женщины, — подхватила Исайкина. — Водичка не горячая?

— Замечательная, — абсолютно искренне ответила я и через пару минут получила чашку отменного цейлонского чая.

На подносике были розеточка с клубничным вареньем, тарелочка с двумя печеньями и одна шоколадная конфетка. Я отхлебнула терпкий напиток, слопала бисквит, пошевелила в воде пальцами и на секунду прикрыла глаза. Те, кто не ходит на педикюр, не понимают, какого удовольствия себя лишают. Кроме ухоженных ног, в качестве бонуса, вы можете отдохнуть, насладиться чайком, выпечкой, посплетничать с мастером. Полный релакс.

— Кто же вас ко мне отправил? — полюбопытствовала Галина.

Я неохотно вернулась к действительности. Увы, я пришла в салон не для того, чтобы получить кайф. Мне необходимо побеседовать с мастером с глазу на глаз, и лучше всего это осуществить в кабинете для педикюра, здесь нам гарантированно не помешают. Я еще раз вздохнула и ответила:

— Ниночка Силаева.

Галина уронила в воду пилку, а я сделала вид, что не заметила ее оплошности, и добавила:

— Ваша сестра.

— У меня нет близких родственников, — глупо соврала мастер.

— Конечно, — кивнула я, — Нинуша вам лишь наполовину родня, по матери. Кстати, как поживает Филипп Медведев? Вы не в курсе, где он сейчас?

Галина оторвала от рулона кусок бумажного полотенца и начала вытирать руки.

— Вы кто? — после затянувшейся паузы спросила она.

— Можете звать меня Лампой, это сокращенное от Евлампии, — сказала я, — мы с вашей сестрой живем в одном доме в Брехалове.

— Где? — совсем тихо задала вопрос Исайкина.

— В небольшом местечке под Москвой, — пояснила я. — Там же проживает и ее свекровь, Прасковья Никитична, она обожает Нину, все думают, что старуха ей родная мать. Я снимаю две комнаты у Рублевых, и Ниночка тоже у них в жиличках.

Галина что есть силы стиснула промокшую бумагу.

— У Рублевых? — потрясенно прошептала она.

Я демонстративно посмотрела на дверь:

— Представляете? Валентина-то, хозяйка коттеджа, была прокурором! Странная она женщина! Пустила жильцов и не проверила, кто у Нины бывший муж.

Мастер вскочила, заперла дверь, села на табуреточку, оперлась руками о колени и дрожащим голосом произнесла:

— Передайте Нине, что я не хочу о ней вспоминать! Эта страница жизни перевернута. Зачем она вас сюда прислала? Что ей на этот раз надо? Вы ей кто?

— Мы живем бок о бок, — повторила я. — Нина хорошая женщина, только несчастная, одинокая, позаботиться о ней некому: Прасковья Никитична впала в маразм, двое маленьких детей, работы хорошей нет. Нина пытается устроиться секретаршей, но человека без опыта нигде не берут, приходится зарабатывать поломойкой.

Исайкина прикрыла глаза рукой.

— Ясно, — с трудом выдавила она. — Хочешь совет? Не связывайся с Ниной, она несчастье приносит.

— Нехорошо так про единственную сестру говорить, — укорила я Галю. — Вы вот две квартиры имеете, сидите в теплом месте, в прямом и переносном смысле этого слова, клиентов полно, хороший заработок, чаевые. А Нина по чужим углам мыкается.

— У нее отличная хата, — огрызнулась Исайкина, — не хибара, из двух квартирок соединенная, с раздельными санузлами и просторной кухней.

Я прикинулась удивленной:

— Почему же Силаева оттуда съехала?

Галина отвернулась, а я решила посильнее надавить на больную мозоль:

— Ниночка мне рассказывала, что в детстве вы крепко дружили.

Исайкина, остро посмотрев на меня, отвела взгляд в сторону, а я пустилась во все тяжкие:

— Петр Силаев любил падчерицу, не делая различия между ней и своей дочкой. Вы выросли и напакостили Нинуше, бросили ее в самый тяжелый момент жизни! Отбили у сестры мужа!

Рот Исайкиной принял форму буквы «О».

— Она так сказала? — выдохнула мастер. — Вот дрянь! Да я... да они... да мне...

Я протянула возмущенной Галине свою чашку с чаем:

— Глотните, это успокаивает. После развода Филипп Медведев жил в ваших хоромах в Прямом переулке. Ясное дело, Нина стала подозревать нехорошее.

Галина резко оттолкнула мою руку с чашкой:

— Что она тебя просила сделать? Куда впутывает? У Нинки безумная идея освободить мужа, она ради Фила на все пойдет. Говоришь, детей с ней двое?

— Да, — кивнула я.

— Игорь и Леня? — не успокаивалась Исайкина.

— Они, — согласилась я.

— Спроси у Нины, где Илюша! — стукнула ладонью по колену Галина. — Интересно, что она ответит? Я подозревала, что ей инвалид не нужен! Мальчишек она родила из страха потерять мужа. Да, Филипп у меня жил... только вместе с Ниной.

— Они же развелись! — на этот раз вполне искренне удивилась я.

Исайкина засмеялась:

— Только на бумаге. Она, как известно, все стерпит. Думаешь, я мечтала людям пятки чистить? Работала медсестрой, да не простой, а операционной, стояла рядом с самим Волховым, великим хирургом-невропатологом. Он меня лучшей считал. То-то.

— Как же в салоне очутилась? — не сдержалась я.

Галина закатала широкую брючину из голубого полотна. Я ойкнула: вместо правой ноги у нее был протез.

— Под машину попала, — пояснила мастер, — на искусственной конечности у хирургического стола делать нечего, поэтому тут работаю. Жаловаться грех, деньги хорошие, клиенты милые, коллектив отличный, но я-то привыкла пациентов из могилы вытаскивать... Ладно, скажи, если человек тебя предал, можно его простить?

— Сложный вопрос, — промямлила я, — смотря кто, смотря как.

Исайкина, забыв о трепетном отношении к клиентке, стукнула кулаком по креслу, где я уютно расположилась:

— Нет! Нельзя поддерживать отношения с подлецами. И категорически нельзя общаться с родственниками, если они тебе черным злом за добро заплатили.

— Мне всегда казалось, что члены семьи, — возразила я, — мать, отец, сестра, брат — это узкий круг людей, с которыми разорвать связь невозможно, кровные узы крепче титановых цепей. Нина сейчас наделала дел! Ее необходимо найти. — Завершив тираду, я достала удостоверение и показала мастеру. — Вы поможете сестре, если поспособствуете ее поимке. Не пугайтесь, я не из милиции, служу частным детективом.

Галина накинула на плечи махровый халат, несмотря на тепло в кабинете, Исайкину стало потряхивать в ознобе.

— Сейчас я тебе расскажу, что Нинка учудила, тогда сообразишь, на какой скорости от нее надо улепетывать. И может, ты сумеешь меня защитить, я в опасности.

ГЛАВА 17

Когда Нина появилась на свет, Галочка уже была школьницей. Третьеклассница попала в сложную ситуацию. Сначала ей пришлось пережить появление отчима Петра, а потом узнать о беременности мамы. Многие дети в девяти-десятилетнем возрасте устроили бы родительнице аутодафе по поводу второго замужества, а уж к младенцам в семье ревнуют даже стопроцентно родные сестры и братья, чего уж говорить о сводных. Но Галочка не имела ничего против нового папы. Ее родной отец был суров, предпочитал использовать в воспитании кнут, пряником практически не пользовался. Подарки Лев дочери просто так не дарил, они доставались Гале два раза в год: тридцать первого декабря и в день рождения. Вручение презента всегда сопровождалось лекцией на тему: «Следует быть послушной, аккуратной и не мешать родителям». Под оберточной бумагой всегда было нечто «полезное»: ботинки, шапка, варежки или канцелярские принадлежности для школы. Игрушек Лев не покупал из принципа. «Тратить деньги на ерунду? — шипел он на жену, если та хотела приобрести дочке куклу. — Какой из этого прок?»

Галочка с раннего возраста ощущала себя обузой в семье, и когда Лев скончался, девочка не очень переживала. После похорон отца жизнь стала лучше. Мама начала красиво одевать дочь, баловать. Петр, впервые придя в дом к будущей супруге, принес Гале огромную коробку, внутри которой обнаружился кукольный дом с мебелью, посудой, занавесками и целой семьей пупсов. Галочка и не подозревала, что на свете существует такая красота. Одноклассницы тоже были поражены и стали напрашиваться в гости, чтобы поиграть с удивительной вещью, рейтинг Гали среди сверстниц вырос до небес. Надеюсь, понятно, почему Галя сразу полюбила Петра.

Отчим оказался совершенно не похожим на ее родного отца. Петя искренне заботился о падчерице, всегда помогал с уроками, читал на ночь сказки и почти каждый день, приходя с работы, говорил девочке: «А ну, посмотри, что там у меня в кармане?»

Галочка, повизгивая от восторга, кидалась к нему и всегда получала копеечную ерунду: шоколадку, набор карандашей, упаковку переводных картинок. Но, как известно, «дорог не подарок, дорога любовь». Именно Петя сообщил Гале, что у той скоро появится сестричка. Наверное, в отчиме пропал психолог: мужчина умно себя повел, он смог внушить Галочке, что та останется любимой дочкой, второй ребенок никогда не вытеснит первого из сердца матери.

Галя была в восторге от роли старшей сестры

и с момента, как Нину принесли домой, начала опекать малышку. С одной стороны, сказалась разница в возрасте, с другой — девочка проявила благородство.

До тринадцати лет Ниночка ничем не выделялась на фоне сверстниц, средне училась, иногда капризничала, порой не слушалась родителей и не отличалась большой красотой. Девочка как девочка, без особых талантов.

В восьмом классе Нина влюбилась в соседа по лестничной клетке Филиппа Медведева.

Что именно младшая сестра нашла в молчаливом парне, Гале осталось непонятно. Медведев был на десять лет старше Нины и не испытывал ни малейшего желания стать ее Ромео. Филипп жил вместе с матерью и до сей поры не был замечен с девушками, он их просто в упор не видел, хотя кое-кто из обитательниц многоквартирного дома пытался строить холостяку глазки. О семье Медведевых сплетен не ходило, Прасковья Никитична всегда приветливо здоровалась с соседями, но ни разу не вышла во двор почесать языки с бабками. Местные кумушки не знали даже, где работает Фил, выяснили лишь, что он часто ездит в командировки и подчас отсутствует в Москве по нескольку месяцев. Он хорошо зарабатывал, Прасковья Никитична носила зимой купленную сыном шубу и, если кто-то из соседок прибегал к ней перехватить денег до получки, всегда одалживала необходимую сумму.

Как Нина ухитрилась подружиться с матерью Филиппа, Галя не знала. Она просто обратила внимание на ежевечерние отлучки сестры и удивилась: та бегала не в кино, а сидела у Прасковьи. Старшая сестра встревожилась, устроила младшей допрос. После короткого сопротивления Нина призналась:

— Я хочу выйти замуж за Филиппа.

Ясное дело, Галя рассказала о разговоре маме, а та легкомысленно отмахнулась:

— Ерунда. Первая любовь у всех неудачная, Медведев порядочный человек, он не тронет глупую девочку. Нинуша повздыхает и думать о нем забудет.

Но время шло, а чувство Ниночки крепло. Оставалось лишь удивляться уму и хитрости школьницы, которая сумела очаровать Прасковью Никитичну. Как-то раз соседка пришла к Ларисе, матери сестер, и сказала:

— Ниночка, похоже, мечтает стать моей невесткой.

— Уж извините ее за назойливость, — вздохнула Лара. — Она влюбилась в Филиппа. Попробую внушить ей, чтобы не мешала чужим людям.

— Нина замечательная! — воскликнула Прасковья Никитична. — Я смотрю на нее и жалею, что не имею дочери, мне в радость с ней общаться. Просто боюсь, что Фил нанесет ей травму.

Лицо Ларисы вытянулось, Прасковья замахала руками:

— Что вы! Сын не прикоснется к девочке, у него очень строгие принципы, он хочет жениться один раз и на всю жизнь, иметь не меньше пятерых детей. Его супруга не должна работать, она будет вести дом и ухаживать за малышами. Филипп категорически не согласен иметь дело с гулящей особой, в невесты себе он выберет лишь девственницу. Сын немного суров, но это только внешне, в душе он очень раним. Понимаю, что с такими претензиями он может остаться холостяком. Ниночка же идеально вписывается в модель придуманной им семьи, но захочет ли девочка отказаться от карьеры и зависеть от супруга?

— Нине надо школу закончить, в институт поступить, — начала загибать пальцы ошарашенная Лариса.

— Филипп против высшего образования для женщины, — после некоторой паузы добавила Прасковья Никитична. — Повторяю, мне очень нравится Ниночка, но мой сын обладает тяжелым, авторитарным характером, жизнь с ним будет не похожа на халву в шоколаде, он из той категории людей, которые никогда ничего никому не прощают. Фил благороден, он не нарушит данного слова, не предаст друга и будет верен жене. Мой мальчик предъявляет к окружающим невероятно высокие требования, видит мир исключительно в черно-белом цвете. С ним, с одной стороны, надежно и спокойно, с другой — тяжело. Боюсь, Ниночка будет с ним несчастлива.

— Не пускайте ее к себе, — ляпнула Лариса.

Прасковья Никитична усмехнулась:

— Это невозможно. Нинуша мне доверяет, считает своей старшей подругой, я не хочу обидеть девочку. Постараюсь потихоньку отвернуть ее от Филиппа. Хотя, признаюсь, лучшей невестки мне не найти. Вы воспитали удивительную дочь. В создавшейся ситуации меня радует лишь одно: Фил не обращает на нее внимания, для него она малолетка, он не понимает, какие чувства испытывает к нему Нина.

— Очень надеюсь, что парень в скором времени найдет себе подходящую супругу, а Нина влюбится в одноклассника, — промямлила Лариса.

— Дай-то бог, — кивнула Прасковья.

Но время текло, а Нина по-прежнему просиживала вечера у соседки. Лариса не могла запретить дочери бегать к Медведевым: любовь волшебным образом изменила Нину в лучшую сторону.

Она теперь училась на одни пятерки, ведь Фил сказал: «В школе надо получать только отличные оценки». Девочка записалась в секцию спортивной стрельбы и даже ездила на соревнования, ведь Фил сказал: «Каждый человек должен уметь пользоваться винтовкой». Нина стала носить простые, элегантные платья, прекратила пользоваться косметикой и духами, потому что Фил сказал: «Девушке надо выглядеть естественно и не походить на жертву телевидения». Она научилась готовить, стирать, гладить и убирать квартиру, потому что Фил сказал: «В первую очередь женщина — хозяйка». Ниночка накупила умных книг, ведь Фил сказал: «Необходимо читать». Приобрела абонемент в консерваторию, потому что Фил сказал: «Без классической музыки жить нельзя».

Список можно продолжать до бесконечности. Ларисе оставалось лишь радоваться, что Медведев не пьет, не курит, не колется, не носится на мотоцикле и не пытается уложить в постель влюбленную глупышку. Галю же обуяла зависть — ей самой не удалось испытать столь всепоглощающего чувства.

Когда Нине исполнилось семнадцать лет, Лариса умерла. В последние месяцы жизни мамы дочери старательно заботились о ней, им помогали Прасковья Никитична и Филипп, обе семьи давно подружились. Незадолго до кончины Лара сказала парню:

— Женись на Нине, тогда я спокойно сойду в могилу. Если посмотришь вокруг, то поймешь:

лучшей пары тебе не найти. Не волнуйся, что не испытываешь жарких чувств к моей дочери, ее обожания хватит на двоих.

Фил, как всегда, спокойно ответил:

— Я люблю Нину, просто жду, когда она станет совершеннолетней. Не беспокойтесь, я защищу ее от всех бед.

Ларису похоронили, Прасковья Никитична взяла Нину к себе. Галя тогда уже состояла во втором браке. До свадьбы невеста жила в отдельной комнате. Первая брачная ночь стала для влюбленных во всех смыслах первой.

За три года Нина родила двоих мальчиков и снова забеременела. Галя опять разошлась с мужем и стала думать, что модель семьи сестры самая правильная: жена занимается домом, муж добывает деньги. Галочке нравился Филипп, он был надежен, как Китайская стена, обожал детей, мать, ни разу не обидел жену, не имел вредных привычек. Но не все у молодых шло замечательно. Первый сын Илюша родился умственно отсталым.

Врачи в роддоме сразу предложили им оставить ребенка, но Филипп и Нина пришли в глубочайшее негодование и забрали его домой. С той поры вся жизнь семьи выстраивалась вокруг Илюши. Обучающие игры, книги, логопед, массажист, педагог по танцам, занятия спортом. Филипп не жалел денег, а женщины — сил и времени на реабилитацию малыша. Галя восхищалась Ниной: не всякая мать будет столь терпима к не вполне адекватному ребенку, и не каждая родит после дауненка еще двоих.

Как-то Галя приехала к сестре без приглашения. Нина, не ожидавшая гостей, затеяла стирку. Старшая сестра, желая помочь младшей, начала вынимать из машины бесконечное количество детских колготок и складывать их в таз. Нина тем временем наклонилась над ванной, чтобы вытащить из мыльной воды замоченное белье и засунуть его в освободившийся барабан.

Не успела она потянуть за край пододеяльник, как в санузел вбежал Илюша.

— Ничего не трогай, — по привычке напомнила Нина, но мальчик не обратил внимания на слова матери. Он ураганом пронесся по ванной и сшиб таз с чистыми колготками в воду с постельным бельем.

Галя всплеснула руками:

— Вот безобразник! Разве можно так поступать!

Илюша, улюлюкая, унесся прочь.

— Ты его разбаловала! — возмутилась старшая сестра.

Нина села на табуретку и неожиданно горько сказала:

— Фил не разрешает Илье замечания делать. Муж беседовал с психологом, тот велел не одергивать сына.

— Это неправильно! — воскликнула Галя и осеклась: ее поразило выражение лица младшей сестры.

Нина выглядела бесконечно усталой, измотанной, подавленной, в ее глазах мелькал страх.

— Что-то случилось? — испугалась Галя.

Ниночка внезапно заплакала и сквозь слезы произнесла:

— У Филиппа на первом месте дети, на втором — работа, потом, по убывающей, идем мы с Прасковьей Никитичной. Я замыкаю список. Пойми меня правильно, мой муж идеален, любая за таким супругом на край света помчится.

Но если перед Филом встанет выбор — я или дети, то он, не колеблясь, выберет их.

Галя обняла сестру:

— Ты переутомилась, в голову лезет всякая чушь. Иди полежи, я достираю.

— Спокойно поваляться мне дети не дадут, — зло ответила Нина. — Ни секунды отдыха после их появления на свет нет. Ладно, извини, сейчас вернусь.

Шмыгая носом, Нина убежала, Галя начала отделять колготки от пододеяльников. Только сейчас ей в голову пришла мысль: сердце сестры занято исключительно Филиппом, другим там места нет. Ниночка родила сыновей, выполняя желание обожаемого супруга, она бы с большим удовольствием жила с Медведевым вдвоем.

ГЛАВА 18

Через пару месяцев после той истории Нина приехала к Гале. Странное дело, сестра прибыла одна, без малышей.

— А где дети? — удивилась Галочка, открыв дверь.

— С бабушкой остались, — пояснила мать, — при них не поговорить. Мы разводимся.

— Замечательно, — не вдумываясь в слова сестры, сказала Исайкина. — Чаю хочешь?

— Мы разрываем наш брак, — повторила Нина.

— Кто? — подскочила Галя.

— Я и Фил, — уточнила гостья.

— Невероятно! — заорала старшая сестра. — Что случилось?

— Не сошлись характерами, — дрожащим голосом сообщила Ниночка. — Я пришла попросить тебя об одолжении. Фил оставляет нам квартиру, он не претендует ни на квадратные метры, ни на мебель, обещает платить хорошие алименты. Но ему негде жить, а у тебя есть пустая «двушка» в Прямом переулке. Ты знаешь Фила, он не способен на глупости, пусти его к себе.

Галя без всяких колебаний согласилась:

— Пусть въезжает, им там с Прасковьей Никитичной места хватит.

— Его мать останется со мной, — уточнила Нина. — Фил уходит один.

— Немедленно рассказывай, что у вас стряслось, — приказала Галя.

— Не сейчас, — прошептала Нина, — мне очень тяжело.

Но даже после официального развода младшая сестра не спешила откровенничать со старшей. Судя по тому, что Нина не работала, Галина поняла: Фил по-прежнему содержит семью, и решила поговорить с бывшим зятем. Вот только Медведев не шел на контакт, ссылался на нехватку времени. В конце концов Исайкина рассердилась: она предоставила Медведеву квартиру, не брала с него ни копейки, взамен нужно только проявить к свояченице хоть толику уважения и рассказать ей, что случилось в образцово-показательном семействе.

Любопытство кусало Галочку хуже красных муравьев, и она решила нагрянуть к Филу в выходной день, утром, и заставить сказать правду.

У нее был дубликат ключей, ровно в семь она вошла в «двушку», бесцеремонно распахнула дверь в спальню и подпрыгнула. На кровати вместо Медведева лежала женщина, лица ее было не разглядеть. Галина не сдержалась, сдернула с незнакомки одеяло и заорала:

— Гадина! Шляешься по мужикам, отбиваешь

их у законных жен, сиротишь детей! Ну этого я Филиппу не спущу, сегодня же его ноги тут не будет!

Незнакомка медленно села. Галя второй раз за пять минут испытала сильное потрясение: перед ней оказалась растерянная... Нина.

— Где Фил? — только и сумела спросить старшая сестра, обретя дар речи.

— У него смена с полуночи, — прошептала Нина, — а я тут заснула. Мужа попросили больного коллегу заменить.

— Вы же в разводе! — глупо напомнила Исайкина.

— Ну... да, — согласилась Нина, — так бывает... снова... того... э... э...

— Разрыв фиктивный, — осенило хозяйку квартиры, — вы фактически живете вместе.

— Ну... да, — промямлила Нина.

Галя вцепилась сестре в плечи и вытрясла из нее правду.

Филипп был отличный отец. Он ни на секунду не оставлял надежды вылечить Илюшу. О том, что даунизм — генетическая напасть, которую нельзя задавить антибиотиками, как ангину, он и слышать не хотел.

Медведев упорно твердил: «Лекарство есть, просто мы пока его не нашли».

В конце концов настойчивость Медведева была вознаграждена. Он вышел на профессора Натана Рыбкина, который пообещал: «Илюша ничем не будет отличаться от здоровых людей. Сначала проведем мой уникальный комплекс уколов, затем работаем с психологами и пластическим хирургом». Последнему предстояло сделать раскосые глаза мальчика нормальными, увеличить лоб ребенка, изменить форму носа и рта.

«Илья не станет красавцем, — растолковывал Рыбкин отцу, — но он лишится характерной внешности дауна. К двенадцати годам он сможет социализироваться, вы забудете о диагнозе».

В качестве рекламы Натан продемонстрировал Медведеву альбом с фотографиями. Слева были снимки деток до лечения, справа — после. Филипп встретился с некоторыми родителями, побывал в клинике Рыбкина, пообщался с врачами, педагогами и понял — доктор не шарлатан, он реально способен помочь. Натан не обещал превратить Илью в гения, нет, он просто мог приспособить мальчика для относительно нормальной жизни в обществе и выпустить его из своего медицинского и обучающего центра с хорошей профессией. Илье представится возможность стать художником, который расписывает подносы, сборщиком часов, даже зубным техником. Более того, Натан брался впоследствии устроить подопечного на работу. После серии пластических операций бестактные люди перестанут тыкать пальцем в Илюшу и шарахаться от него.

Одна беда: программа превращения куколки в бабочку занимала более десяти лет, а каждый год в центре стоил заоблачных денег.

Филипп не собирался лишать сына его шанса, он нашел высокооплачиваемый приработок и объявил жене: «Если все пойдет по плану, я буду получать деньги, о каких и мечтать не смел. Хватит на подъем Ильи, но нам необходимо развестись». — «С ума сошел?» — закричала всегда покорная Нина. «Успокойся, на самом деле разбегаться мы не станем, — утешил Фил супругу, — но придется пожить врозь». — «Зачем? Я не хочу», — уперлась Ниночка. Медведев заколебался, но потом сказал: «Работа опасная, меня могут поймать и посадить. Лучше, если ты с детьми не будешь иметь отношения к преступнику». Ниночка ужаснулась: «Тюрьма? Никогда! Нет на это моего согласия!» Филипп резко вздернул подбородок: «А я его и не спрашиваю. Уже получил аванс, обратной дороги нет, если дам задний ход — меня убьют!» — «Мама», — прошептала Нина. Муж неправильно ее понял: «Прасковье Никитичне ничего знать не следует, в курсе только ты».

«Если откажешься, тебя лишат жизни, а начнешь работать, попадаешь в тюрьму, — простонала Нина. — Что же выбрать?» — «Деньги, — пожал плечами Медведев. — И, может быть, я не попадусь. Впрочем, даже если сяду, тебе хватит на детей, двоих прокормишь, а Илюшу вылечишь». — «Обо мне ты подумал? — заплакала Нина. — Как без тебя жить?» — «Главное — сыновья, — четко определил свои приоритеты Филипп, — и давай рассчитывать на лучшее».

Нина, как всегда, покорилась мужу, они поставили в паспортах штампы о разводе, Медведев перебрался в Прямой переулок, супруга тайком его навещала. Может, Прасковья Никитична и догадывалась, что дело не так просто, как ей рассказали, но внешне свекровь удивления не демонстрировала. А Филипп, продолжая работать обычным охранником, стал передавать жене очень большие суммы, которые велел тщательно прятать вне дома.

«Наберу капитал, достаточный для излечения Илюши, и мы снова соединимся, — успокаивал он жену, — потерпи».

— Чем он зарабатывает? — задала напрашивающийся вопрос старшая сестра, когда младшая примолкла.

— Не знаю, — призналась Нина. — Фил не рассказывает.

— Вообще? — разозлилась Галя. — Ты дура! Смотришь ему в рот, боишься слово поперек сказать, ведешь себя, как прислуга, а не жена. Вот почему Медведев тебя в грош не ставит.

— Фил меня бережет, — возразила Нина, — не хочет волновать, а еще он говорит: «Если дело повернется темной стороной, ты с легкой совестью скажешь следователю: «Я не в курсе». Менты всегда понимают, когда человек врет, а когда говорит правду». Единственное, что я сообразила: его бизнес связан с казино, речь идет о картах.

У Гали слегка отлегло на душе. Понятно, Филипп пристроился в нелегальное заведение, небось его взяли начальником охраны.

Галя снова позавидовала младшей сестре: Филипп удивительный отец, мало найдется мужчин, готовых ради больного ребенка рискнуть своей свободой.

— Умоляю, никому не рассказывай, — запоздало испугалась Нина.

Исайкина заверила, что язык не распустит, и Нина уехала домой.

В начале мая Галочка прибежала на работу — она тогда еще служила в больнице, несчастье с ногой поджидало впереди. Не успела Исайкина помыть руки после очередной операции, как ее позвали к телефону.

Мужской голос сухо попросил прибыть к следователю. Галя испугалась, но поехала. Ей понадобилось все ее мужество, чтобы сохранить равнодушный вид, когда человек, назвавшийся Василием Сергеевичем Беловым, спросил:

— В вашей квартире в Прямом переулке проживает Филипп Медведев?

— Да, я сдала жилплощадь, это не запрещено законом, — ответила Галя. — А в чем дело?

— Ваш квартирант арестован, — заявил Белов. — Что можете о нем сообщить?

— Ничего, — отважно соврала Исайкина, — мы с ним не общаемся.

— Видели его жену? — не успокаивался Василий Сергеевич.

— Никогда, — вдохновенно солгала Галя, — знаю лишь, что они в разводе. Проверила паспорт жильца.

— Жаль, что ничем не можете помочь, — огорчился Белов и подписал пропуск на выход.

Уже в дверях Галочка отважилась на любопытство:

— А что он сделал?

— Убил несколько человек, — не отрывая взгляда от листа бумаги, ответил Василий Сергеевич. — Будьте в следующий раз осторожны, сдавая квартиру.

Как Исайкина добралась до дома Нины, она не помнила. Младшая сестра не захотела ответить на вопросы старшей, она увиливала, прикидывалась больной, но в процессе беседы Галя сообразила: Нина знает больше, чем говорит, она в курсе того, что супруг подрабатывал киллером.

В районе трех утра у Гали отказали тормоза, и она пригрозила Нине: «Если не скажешь правду, завтра прямиком порулю к следователю и скажу: «Извините, солгала, я свояченица преступника. Его жена в курсе похождений мужа». Тебя посадят, а детей отправят в приют! Впутала меня в дело об убийствах, использовала втемную, получи достойный ответ». Галина думала, что робкая, неумеющая возражать Ниночка испугается, заплачет и выложит правду, но та вдруг метнулась в другую комнату и вернулась... с винтовкой в руках. «Я занималась стрельбой не один год, — на удивление спокойно заявила она. — Да и Фил меня многому научил, он снайпер от бога. Только посмей растрепать Белову про фиктивный развод. Прихлопну тебя, как таракана. Муж приказал детей растить, поднимать на ноги, я на все ради исполнения его воли готова. Вон отсюда! Ты мне больше не сестра».

В этом месте рассказа Галины мне, много чего повидавшей, стало не по себе.

— Однако! Сильное заявление.

Исайкина пощупала рукой воду в ванночке:

— Очень я тогда испугалась, умчалась к себе, затаилась. Все боялась: дадут в газетах рассказ о Медведеве, опубликуют его фото, мои сослуживцы узнают Филиппа, и пойдут сплетни. Я очень гордилась зятем, на столе в сестринской держала снимок семьи сестры в полном составе.

Наверное, от нервного возбуждения Исайкина стала рассеянной и попала под машину. Ногу ей ампутировали в родной клинике, ухаживали коллеги за медсестрой безупречно, но Галя решила все же сообщить Нине о несчастье и попытаться наладить с ней отношения. Дозвониться до сестры не удалось, дома у нее никто трубку не снимал, мобильный же отвечал: «Данный номер не обслуживается».

В августе Галя самостоятельно добралась до отчего дома и была встречена некогда приветливыми соседями очень агрессивно.

— Съехала Нинка, забрала детей и бабку, — объявили тетки во дворе. — Зять твой убийца, нас милиция опрашивала. Хоть Филька и в разводе с женой, да мальчишки у них общие, а мы не хотим, чтобы сыновья преступника с нашими ребятами играли. Заперла Нинка квартиру и смылась, адреса не оставила. Надеемся, продаст она жилплощадь, хата хорошая, из двух составлена, да ты знаешь, что после свадьбы Нина вашу «двушку» с медведевской «однушкой» соединила, лакомый по нынешним временам кусок.

Галя уехала домой ни с чем. Со временем она выучилась на мастера по педикюру, ушла из клиники и устроилась в салон. Представляете ее негодование, когда некоторое время назад в кабинет вошла Нина.

— Шум ни тебе, ни мне не нужен, — быстро заговорила она, — выслушай меня тихо.

— Убирайся, — сквозь зубы процедила Галя.

Младшая сестра замотала головой:

— Нет. Я по записи. Если сейчас удалюсь, администратор на рецепшен удивится: почему клиентка ушла. Могла бы прийти к тебе домой, но специально выбрала работу, отсюда ты меня не выпрешь.

— Ты стала весьма предусмотрительной, — зло заметила Исайкина. — Наверное, тебе что-то понадобилось?

— Я нахожусь в трудных обстоятельствах, — кивнула Нина. — У Прасковьи Никитичны после суда над Филом случился инсульт, она теперь слегка не в себе. Я ей ничего объяснить не могу. Один день она вроде ничего, потом неделя безумия. Сына обзывает Гитлером, говорит, что он много людей уничтожил, меня считает своей дочерью. Дурдом на выезде.

— Думаю, Прасковья Никитична нормальна, — перебила Галя, — а Филипп серийный убийца.

— Не пори чушь, — зашипела Нина, — лучше помоги! Возьми моих ребят на время.

Исайкина рассмеялась:

— За дуру меня держишь? Нет уж, сама плыви против течения. Один раз я пошла у вас на поводу и чуть в сообщницах у киллера не оказалась. И зачем тебе от сыновей избавляться?

— Надо, — загадочно ответила сестра.

— Нет уж, — категорично отказалась Галина, — дважды на одни грабли не наступаю. Снова втемную использовать меня хочешь.

— Мне надо, — отчеканила Нина.

Галя задрала брючину:

— Где ты была, когда я в больнице валялась, а потом, обливаясь слезами, к протезу приспосабливалась?

— Ты на свободе живешь, а Фил срок мотает, — возразила Нина.

И Галина поняла: младшая сестра сейчас еще сильнее любит мужа. Ничьи несчастья, даже ампутированная нога сестры, для Силаевой не важны.

— Убирайся, — приказала Галя.

Но Нина лишь поудобнее устроилась в кресле.

— Ладно, расскажу тебе правду.

— Не хочу ее знать, — возмутилась педикюрша.

— А придется, — нагло заявила Силаева.

— Пошла вон! — закричала Галя.

— Не ори, — шикнула Нина.

В дверь поскреблись, и вежливый голос дежурной с рецепшен спросил:

— Галюня, все в порядке?

— Сейчас выйду в общий зал, — еле слышно проговорила Нина, — и заплачу, расскажу всем, по какой статье твой зять сидит. И как поступит ваше начальство? Буду сюда часто приходить, и всякий раз со скандалом.

— Галочка, — не успокаивалась администратор, — все о'кей?

— Да, нормально, — постаралась ответить та обычным голосом, — пролила на пол воду, вот убираю.

— Молодец, — похвалила старшую сестру Нина. — Родственников преступников никто не любит — от тебя и клиенты, и коллеги отвернутся. Слушай, Филипп не виноват.

— Ага, — скривилась Галина, — его подставили.

— Именно, — с жаром подхватила Нина, — я должна освободить мужа.

— Лихо придумано, — фыркнула Галя.

— Прасковью одну дома можно оставить, — задумчиво завела Нина, — соседи хорошие, приглядят. А мальчишек куда деть?

— Сдай их в круглосуточный детсад, — посоветовала Галя, — на меня не рассчитывай. С шебутными детками я не справлюсь, да и не хочу о племянниках заботиться.

— Парней двое, — уточнила мать. — Илья в клинике у Натана Рыбкина, ему на днях пластику делают.

— Фил заработал бабки? — заморгала Галя.

— Ага, — подтвердила Нина.

— Значит, твой муженек виновен, — с торжеством констатировала Исайкина. — За просто так бабло не отсыпают.

Нина закусила губу.

— Фил ничего плохого не сделал, — после паузы заявила она.

— Точно, — съязвила педикюрша, — на зоне одни честные граждане парятся. Забудь сюда дорогу. Во-первых, я без ноги, во-вторых, не хочу иметь дело с убийцей.

— Фил не киллер! — взвилась Нина.

— Он лишь подстрелил кучу людей! Пусть

скажет «спасибо», что на смертную казнь введен мораторий, — огрызнулась Исайкина.

Ниночка всхлипнула:

— Тебе меня не жаль!

— Слишком много в этой истории вранья, — вздохнула Галя. — Если разбираться до конца, я из-за твоей лжи осталась без ноги. Белов ошарашил меня сообщением об аресте Фила, вот я и потеряла бдительность из-за стресса.

— Нечего на меня ответственность за собственную невнимательность сваливать, — зашептала Нина, — не я за рулем того автомобиля сидела! И не я на красный свет через дорогу тебе идти советовала.

— Эй, погоди, — насторожилась Галина, — я же тебе не сказала про машину. Может, я упала на рельсы метро или получила осложнение от укуса собаки?!

Нина прикусила губу.

— Ты знала о происшествии, — осенило Галю, — и ни разу не пришла меня проведать?..

— Оцени свой эгоизм, — устало сказала Нина, — Филипп мучается на самой строгой зоне России, я не имею права каждый день с ним общаться. А ты талдычишь про ногу! Получила протез и ходишь нормально, а мне кто мужа заменит?

У Гали отпала челюсть, Нина же продолжила:

— Он просто играл в карты, в «дурака».

ГЛАВА 19

— В «дурака»? — повторила Галя.

— Подкидного, — пояснила Нина. — Знаешь правила? Ходят с меньшей карты, допустим, кладут на стол шестерку. Ее бьет семерка той же масти. Бубны кладут на бубны, и так далее, на каждый кон свои козыри.

— Вроде в детстве, в пионерском лагере, в палате играли, — вспомнила Галя, — хотя я картами не увлекалась.

— Если партнер отбился, то следующий ход его, — продолжала объяснения Ниночка, — коли у него нету нужных карт, он забирает карту себе, и ты снова ходишь. Но противник может перевести ход тебе, если у него есть такая же карта другой масти. Тебе следует покрыть и свою карту, и ту, что подбросил противник.

— Я не одобряю азартные игры, но ничего криминального в этом не вижу, — пожала плечами Галя.

— Вот-вот, — обрадовалась Нина, — ты уже начинаешь разбираться! Слушай дальше! Выигрывает тот, кто в конце кона, когда колода иссякла, сидит с пустыми руками. Остался с картами — проиграл. Ну и как?

Галя пожала плечами:

— Темный лес. Лучше сразиться в «скрэбл»[1] или в «Монополию». Но, думаю, ничего ужасного в «дураке» нет, хотя название говорит само за себя. Впрочем, наверное, можно играть на деньги?

— Верно, — подтвердила Нина, — Филипп таким образом зарабатывал Илюше на лечение. Ему удалось за довольно короткий срок получить почти всю необходимую сумму, ну а потом моего несчастного мужа запихнули за решетку.

— Причина ареста — игра в карты? — недоверчиво переспросила Галя.

---

[1] Скрэбл, в русском варианте «Эрудит», — настольная игра, в которой поле сделано в виде кроссворда, участники вслепую вынимают фишки-буквы и составляют слова.

— Ты попала в яблочко! — кивнула Нина.

Галя, забыв о манерах, стала ковырять мизинцем в ухе.

— Поосторожней, — предостерегла младшая сестра, — у Фила есть знакомый, тот двумя пальцами орудовал, вроде как ты сейчас, чихнул — и разом оба мизинца сломал. Фил его в больницу привез, там врачи ухохотались. Поможешь мне? Возьмешь мальчиков?

Галя не обратила внимания на историю про идиота, получившего бытовую травму.

— Медведев посещал нелегальное заведение? Он попал в облаву?

— Нет, они с партнером играли на улице, — промямлила Нина.

— Где? — еще сильнее удивилась Исайкина. — Их арестовали за неподобающее поведение в общественном месте? Но при чем здесь убийства?

Ниночка заерзала в кресле, вздохнула, наморщила лоб. Галина кожей ощутила: сестра чего-то недоговаривает либо вообще врет, и двинулась в атаку:

— Тебе нужна моя помощь?

— Очень! — страстно воскликнула Нина.

— Тогда вываливай всю правду до конца! — рявкнула Галя. — От этого зависит мое решение.

Нина сцепила пальцы рук в замок:

— Придется долго объяснять!

Галя не сдалась:

— Следующий клиент записан на восемь вечера, времени полно. Либо абсолютная честность, либо прощай!

Нина откинулась на спинку кресла. Гале почему-то стало жарко, она сняла халат. Но уже через пять минут ее трясло в ознобе, ей пришлось не только вновь накинуть форменную одежду, но и закутаться в махровую простыню, предназначенную для клиентов.

Филипп увлекался стрельбой с детства, занимался в спортивной секции, участвовал во всяких соревнованиях и даже получал медали. Во время службы в армии Медведев довел стрельбу из винтовки до филигранности, мог с большого расстояния попасть в подброшенную рублевую монету. Ниночка знала о страсти любимого к оружию и, чтобы привлечь к себе его внимание, тоже пошла в тир. Девушка рассчитала правильно: Филипп заметил симпатичную школьницу, старательно палившую по мишеням, и стал ее учить. Ниночка оказалась талантливой, она от рождения обладала крепкой рукой и точным глазомером. Но самое главное, девочка уловила психологию стрельбы. Объясняя будущей жене, как следует вести себя на огневом рубеже, Медведев говорил: «Многие хорошие стрелки так и остались просто хорошими, великими они не станут. Почему? Да потому, что видели мишень, прикладывали к плечу винтовку, целились и не всегда попадали. Надо иначе. Сначала расслабься, потом представь, что оружие — это твоя рука. Ты же не ошибаешься, беря со стола тарелку? Забудь обо всем на свете: ветер, дождь, снег, цунами, ничего не существует, только ты и винтовка, она твое тело и не ощущает ничего, кроме патрона. Вложи мысленно в кусочек свинца все свое желание выиграть, превратись сама в эту пулю и лети. Точно знай, ради чего или ради кого стреляешь. Мотивация — вот главное. Что получишь в результате? Смерть врага? Медаль? Восстановишь справедливость? Отомстишь? Откусишь денег? Работает все, главное, чтобы желание было мощным, а неудача ужасной. Тебе станет плохо, если не попадешь в цель, ты умрешь, погибнет любимый человек, ребенок. Если палить просто так, по воронам, толка не будет. Вот почему я не люблю охоту: утку легко купить в магазине, нет драйва. Научишься концентрировать желание и направлять сгусток энергии вперед, превратишься с оружием в единое целое, не будешь пользоваться им от скуки или безделья — вот тогда станешь Снайпером. С большой буквы».

Филипп никогда не рассказывал жене, чем он занимался в армии, почему после срочной службы остался на некоторое время военным на контрактной основе, по какой причине демобилизовался. А Нина не проявляла любопытства, тем более что муж особо не откровенничал, неуместные вопросы его злили. Но когда Фил предложил ей фиктивный развод, Нина потеряла голову и впервые за их совместную жизнь заставила супруга раскрыться.

В поисках способа заработать деньги на лечение Илюши Медведев позвонил Валерию, старому знакомому по службе в армии, и заявил:

— Очень нужны бабки.

Товарищ обещал ему помочь и не обманул. Спустя пару дней Валерий соединился с Филиппом и сказал: «Приезжай на встречу». Стрелку забили в Центральном парке, возле фонтана, в котором в день ВДВ традиционно купаются пьяные десантники. «Есть мегабогатый человек, — сразу взял быка за рога Валера, — денег у него лом. Зовут его Саша». — «Просто Саша, — ухмыльнулся Филипп, — а фамилия ему Иванов?» — «Петров, — улыбнулся Валера, — Саша Петров. Имеет он все — почет, уважение, должность начальника, любых баб, но... ему скучно! Мне его не понять, но думаю, коли любую вещь или человека можешь купить, то тоска сожрет. Как в сказке! Знаешь анекдот про золотую рыбку? Попалась она в сети к олигарху и говорит: «Три желания! Три желания! И отпусти меня». Новый русский почесал в затылке и ответил: «Черт с тобой, отпущу, люблю животных. Загадывай свои желания, выполню!»

Вот Саша Петров такой».

«Ну и чего ему надо?» — не понял Медведев. «Адреналину, — хмыкнул Валера. — Предлагает поиграть в карты. Платит за каждый твой удачный ход». — «Да я ни во что, кроме в «дурака», не умею, — опешил Филипп, — и то не помню, когда в последний раз карты в руки брал. Думал, ты мне работенку со стрельбой припас». — «Саше «дурак» подходит, — абсолютно серьезно ответил Валерий. — Но в колоде будут не картонки с мастями, а люди». Уж на что Филиппа было трудно огорошить, но на этой фразе он впал в ступор: «Это как?»

«Просто, — пожал плечами Валера, — игрок находит «карту». Выбирать надо тщательно, не ставить первого попавшегося, искать такого, который соответствует игре. Бабы — дамы, брюнетки пиковая масть, шатенки трефы, рыжие черви, блондинки бубны». «По цвету волос?» — оторопело уточнил Медведев. «Верно сечешь, — похвалил Валерий. — Мужики — валеты и короли. Еще важен возраст: если парню тридцать лет, он, понятно, валет. Во, я стихами заговорил. А в пятьдесят — уже король. Усек?» — «Вроде», — кивнул Филипп. «Но если дедку за шестой десяток перевалило и он дворник, то какой из него король, — продолжал приятель, — даже на восьмерку не потянет». — «Король — пожилой мужик при хорошей должности и деньгах?» — подвел итог Филипп. «На ходу сечешь, — похвалил Медведева Валера. — Один бросает карту, другой ее кроет и делает свой ход, ну и так далее. Если сидите за столом, то игра заканчивается, когда исчерпается колода. А у вас будет по-другому, например, Петров выкладывает шестерку. Ты отвечаешь семеркой и бросаешь восьмерку или девятку. Саша отвечает девяткой или десяткой. Ну и так далее, пока не дойдете до тузов. Хорошо получится, повторите партию, будете играть до тех пор, пока Петрову не надоест. Имей в виду, он опытный снайпер и платить тебе станет только за точный выстрел. Промахнешься, попрощайся с бабками. Если Саша скосячит, твой гонорар возрастает в десять раз. О'кей?» — «По рукам», — согласился Филипп. Валера протянул приятелю пакет. «Это аванс», — сказал он.

Медведев молча взял деньги. Дома он открыл упаковку и понял: приятель не подвел, нашел отличный приработок, теперь можно не волноваться за судьбу Илюши.

Нина сделала судорожный вдох. Галина решила, что сестра как-то неправильно растолковала ситуацию.

— Фил согласился за деньги играть в карты?

Нинуша кивнула.

— Но они не бумажки, а живые люди, которых надо убивать? — в ужасе спросила Галина.

Нина поморщилась:

— Фила подставили. Речь шла лишь о ранении. Допустим, Саша ранит «шестерку» в ногу, легко, чистая ерунда. Человек сходит к врачу и скоро здоров. Но Петров первым ходом совершил убийство, и мужу пришлось адекватно ответить, иначе бы он не получил денег.

Галя настолько растерялась, что у нее онемели мышцы лица, потом спазм переполз на шею, грудь, стало трудно дышать и шевелиться. Нина не заметила состояния сестры, она продолжала искренне возмущаться:

— Фил рассчитывал лишь нанести «карте» легкое ранение. Супруга вынудили стрелять на поражение. Пойми, Филипп чудо-снайпер, он не способен промахнуться. Петров сразу задрал планку, а нам нужны деньги. Муж работал ради ребенка.

— Что? — еле выдавила из онемевшей гортани Галя. — Ты называешь убийство работой?

Нина пожала плечами:

— Странные у тебя понятия. Если снайпер убирает врага, это что? Служба. Короче, Фил не виновен, он всего-то хотел вылечить сына.

— Аха, — выдохнула Исайкина, у которой закончились слова.

— Белов, чтоб ему в аду гореть, — зло продолжила Нина, — сделал из Филиппа маньяка. Дескать, мой муж ради потехи из винтовки палил, вот такая сволочь. Но ведь это неправда! Фил не виновен!

— Аха, — повторила Галя, пытаясь встать: она поняла, что младшая сестра безумна, раз смогла убедить себя в непричастности мужа к преступлениям. И она завралась: то говорит, что устроивший дело Валерий предложил убивать несчастных, то сообщает, что их следовало только ранить.

— Я хочу освободить Фила, — продолжила Нина, — мне очень трудно без него. Муж благородный человек, он ни словом не обмолвился на следствии про Сашу Петрова, не заикнулся о Валерии. Мне он велел забыть о том, что я знаю, иначе могут и меня арестовать, а детей отправят в приют. Ну я и молчала, отвечала, как договорились: «Какой с меня спрос? Мы давно в разводе, ничего ни о каких выстрелах не знаю». Но сейчас я поняла, что взвалила на себя слишком тяжкую ношу. Необходимо вызволить Фила.

— Аха, — стандартно отреагировала Галя и вновь попыталась встать.

Но опять не вышло, ноги гнулись, словно пластилиновые, а колени стали ватными.

— Надо убедить ментов, что они взяли не того, — азартно выкладывала свой план Нина, — я долго готовилась, тщательно изучила ситуацию и сейчас готова действовать. Если снайпер снова оживет, то даже дурак сообразит, что на зоне парится ни в чем не повинный человек. Необходимо привлечь к этому внимание следствия. Белов, правда, помер, но есть ведь и другие! Например, прокурор! Валентина Рублева! Она ушла со службы, но связи-то у нее остались.

Гале удалось справиться со стрессом.

— Иди в милицию, — приказала она, — расскажи про Сашу Петрова и Валерия!

— Зачем? — удивилась Нина.

— Филиппа не освободят, — выдохнула Исайкина, — но те подонки не имеют права разгуливать на свободе. Они могут придумать новую «забаву».

— Муж не виновен! — взвилась Нина. — Я его вытащу любой ценой. Возьми детей! На месяц!

— Нет, — отрубила Галя.

— Отказываешь? — надулась Нина.

— Да, — категорично заявила Исайкина, — и советую тебе рассказать правду, поехать на Петровку или где там у них следователи сидят!

— О Саше Петрове ничего не известно, кроме того, что он богат и начальник, а Валера исчез, — неожиданно спокойно пояснила Нина. — Хочешь на фотку Илюши посмотреть? Он теперь отлично выглядит.

Галя закрыла глаза и затрясла головой:

— Нет!

— Валера поступил честно, — забубнила Нина, — мог зажать бабки, но не сделал этого. Я его не сдам, да и Фил запретил. А вот если снайпер снова появится! Тогда мужа освободят.

— Ты сумасшедшая, — не выдержала Исайкина.

— Я люблю Фила, — с фанатичным блеском в глазах отчеканила Нина, — жить без него не могу, отдам за мужа все!

— Где снайпера возьмешь? — Галя попыталась вернуть безумную сестрицу к реальности.

— Ерунда! — весело ответила Нина.

Если вы столкнулись с сумасшедшим, то разговор может стать продуктивным лишь в том случае, если будете беседовать на его языке. Галя сделала над собой огромное усилие и сказала:

— Понимаю твой замысел, но, если ты договоришься с киллером, тебе ему придется платить!

— Чего искать? — фыркнула Нина. — Я сама отлично стреляю! И, как догадываешься, у себя ни копейки не возьму.

Галя ощутила тошноту и опрометью выбежала из кабинета.

— Тебе плохо? — испугалась администратор на рецепшен.

— Голова, — прошептала Исайкина, — и мутит.

Коллеги засуетились, уложили педикюршу на диван, вызвали «Скорую», в суматохе никто не заметил, как ушла Нина.

Медики определили гипертонический криз, сделали Исайкиной укол. Галю отвели домой.

Несколько дней она сидела взаперти, тщательно занавесив окна. Она не отвечала на телефонные звонки и не подходила к двери. Но в конце концов Галине пришлось отправиться на службу. Время шло, Нина больше не появлялась, Галя слегка успокоилась, но четыре дня назад, когда после окончания смены она пошла в магазин, какая-то непонятная сила выбила из ее рук сумочку. Сначала Исайкина подумала, что стала жертвой уличного грабителя, но вокруг никого не было. Ридикюль упал неподалеку, в его лаковом боку зияла дыра.

Галя подняла сумку, и тут у нее в кармане ожил мобильный, из трубки раздался голос Нины:

«Сука. Ты всегда была эгоисткой. Бережешь свою задницу? Следовало ее тебе отстрелить. Но я, в отличие от тебя, помню о нашем родстве. Живи дальше! И учти: если побежишь в ментовку и обронишь обо мне хоть словечко, следующая пуля очутится в твоем черепе, а не в сумке».

Галина замолчала. Я тоже не могла произнести ни слова — услышанное произвело на меня сильное впечатление. Потом моя собеседница произнесла шепотом:

— Я читала в газете про убитую женщину, Маргариту Подольскую, и про Медведева тоже. Неужели Нинка решилась ради мужа на убийство? Я так испугалась! Наврала девчонкам на ресепшен, что у меня ремонт, соседи сверху затопили. На улицу не высовываюсь, ночую в кабинете, но ведь так не может вечно продолжаться! В милицию идти боюсь, тогда Нинка меня точно пристрелит. Она бешеная. Посоветоваться не с кем, все прочь шарахнутся, подобными историями даже с ближайшими подругами не делятся. Но ты другое дело, общаешься с Нинкой, живешь с ней в одном доме. Беги оттуда без оглядки, иначе Силаева тебя запугает и убить захочет.

— Вам надо идти в милицию, — вздохнула я. — Запишите телефон, следователя зовут Павел Гладков, он поможет.

— Ни-ко-гда, — по слогам произнесла мастер. — Ни-ко-гда!

— Если Силаеву поймают, дадите показания? — наседала я на Исайкину.

— Только после того, как ее в наручниках в клетке увижу, — затряслась Галина, — лучше здесь сидеть буду. Знаешь, я рассказала тебе правду, потому что очень боюсь. Мне нужна помощь, я могу на нее рассчитывать?

— Где может быть Нина? — задала я основной вопрос.

Педикюрша вздрогнула и перекрестилась:

— Понятия не имею, но надеюсь, что очень далеко отсюда.

ГЛАВА 20

После беседы с Галиной я, почти в шоке, выбралась из салона и юркнула в машину. Февраль окончательно разбушевался, ветер выл и гнал по мостовой поземку, редкие прохожие испуганными белками бежали по тротуарам. Неподалеку на автобусной остановке прыгали двое кавказцев, явные жертвы своей моды: парни нацепили короткие кожаные курточки, туго обтягивающие ноги джинсы, остроносые ботинки на тонкой подошве и забыли о шапках.

Я включила мотор, чтобы немного прогреть машину, и начала медленно складывать в уме картинку.

Медведев сел за убийство нескольких человек.

Баллистик установил, что киллер пользовался двумя винтовками, стрелял по очереди то из первой, то из второй. Немного странно для снайпера, но Белов, похоже, очень торопился закрыть дело, поэтому нашел этому объяснение: преступник запутывал следы.

Но почему Василий Сергеевич не стал разрабатывать версию: по одной винтовке — двум разным киллерам? Нет у меня ответа на этот вопрос и никогда не будет. Может, Белова торопило начальство? Висяк портил процент раскрываемости? Не оформит следователь в нужный срок дело — и весь отдел лишат премии. Да и не важно это, интересно другое: о другом снайпере не подумали, он остался на свободе. Следователь очень спешил, не допросил как следует Исайкину, не нажал на Нину, бывшую жену, сляпал дело и доложил о благополучном завершении работы. А судья еще до процесса была убеждена: Медведев опасный преступник, никакие заявления о невиновности на даму в мантии не подействовали, она каждый день видит перед собой уголовников, восклицающих: «Оболгали меня, ваша честь, подставили. Реально я чист, как слеза младенца!»

Если же обратиться к личности жертв карточной игры, то становится ясно: сколь бы ни была фантастична подобная версия, она смахивает на правду.

Первым погиб Никита Фомин, ничего не добившийся в жизни мужик, тихий, вполне довольный своим положением на нижней ступени социальной лестницы. Курьера из интернет-фирмы постоянно посылают по разным адресам, он выполняет чужие приказы. И кто он? «Шестерка».

Обратимся к тому, кого лишили жизни, «покрывая» шестерку-Фомина, его звали Иван Агатов. Двадцатилетний, не очень усердный, любящий погулять студент, ни умом, ни усидчивостью, ни талантом не отличался, типичный середняк. Но в связи с тем, что он учился в институте, его можно считать «семеркой». Маленькая деталь: Фомин брюнет, значит, пиковая масть. А Иван рыжий, киллеру следовало стрелять в черноволосую «семерку», но он выбрал другой цвет, и игра продолжилась. Результат засчитали. Почему? В колоде всегда есть козыри, в той игре это были черви. Так вот о чем говорила мне Валентина

Следующая жертва — Наталья Иванова, блондинка, бывшая стриптизерша, продавщица в бутике, соблазнила хозяина сети магазинов и стала управляющей одного из них. Девица годится на роль бубновой «десятки».

«Побил» ее тридцатилетний Юрий Бляхин. Он имел в анамнезе несколько ходок на зону, потом взялся за ум, работал на авторынке. Маленькая деталь: во времена криминальной юности Бляхин носил кличку Валет, и он блондин, то есть бубновая масть, как и Наталья Иванова. Думаю, далее продолжать не надо.

Белов тщетно пытался найти связь между жертвами, изучил их окружение, привычки, но, так и не сумев найти точек соприкосновения, решил, что Медведев просто серийный маньяк. Хотя у маньяка-то как раз есть определенный стандарт, и он подбирает жертв, опираясь на него. Известен случай, когда насильник отпустил девушку. Та целиком соответствовала его критериям, но когда преступник повалил студентку на землю, та взвизгнула, убийца ударил ее кулаком в лицо и вышиб из глаз цветные линзы. Радужка несчастной из карей превратилась в голубую.

Маньяк остолбенел: его волновали лишь женщины с темными очами. Внезапная смена внешности выбранного объекта деморализовала насильника, и несчастная сумела сбежать. Похоже, Василий Сергеевич Белов был не очень хорошим профессионалом, слишком много погрешностей допустил.

Не буду осуждать покойника, повторяю: он не смог объединить жертв и на первый, и даже на второй взгляд связи между ними действительно не прослеживалось. Мысль о карточной игре настолько невероятна, что она не пришла бы в голову никому. Фомина, Агатова, Иванову и Station Бляхина не рассматривали в качестве карт из колоды, не оценивали как «шестерку», «семерку», «десятку» и «валета». И Белов не смог бы присоединить к первым четырем случаям пятый — убийство Игоря Савиных, кстати, яркого брюнета, весьма удачливого карьериста.

В машине стало душно, я чуть-чуть приоткрыла окно. Нина обожает мужа, она захотела его вызволить и придумала план. Силаева раздобыла адрес Рублевой, узнала, что Николай сдает комнаты, и сняла у них жилплощадь. Все устроилось как нельзя лучше. С одной стороны, Нине негде жить, из собственной квартиры ее буквально выдавили соседи, которые не хотели иметь под боком семью убийцы. Факт развода не впечатлил людей, Силаева понимала: ни ей, ни Прасковье Никитичне, ни мальчикам во дворе прохода не дадут. С другой стороны, Нина подружилась с Валей, узнала ее получше, поняла, на какие кнопки следует давить, и инкогнито позвонила бывшему прокурору.

Вот только Валя поменяла номер, о чем Силаева не знала. Трубка случайно очутилась в моих руках. Нина талантливый снайпер, она не хотела лишать Рублеву жизни, поэтому отстрелила той ухо. Силаева полагала, что Валентина сразу поднимет крик: «Снайпер на свободе, в тюрьме сидит невиновный», помчится к прежним коллегам, расскажет им о своих сомнениях, и Филиппа освободят. Медведев гарантированно воссоединится с женой, если милицейские начальники поймут: снайпер снова сидит на крыше, под прицелом любой прохожий, а стрельба прекратится, если Фила отпустят.

Вам этот план кажется наивным? Но обратимся к истории. Начало шестидесятых. В небольшом американском городке убивают местных жителей. Претупник выдвигает требования: из тюрьмы нужно выпустить парня, осужденного за насилие, иначе жизнь людей будет в опасности. В населенном пункте поднялась паника, граждане массово кинулись кто куда. В конце концов губернатор штата выпустил насильника, за которым установили тщательную слежку. Киллер сдержал слово, более он за оружие не брался. ФБР наблюдало за тем, кто столь странным путем обрел свободу, до самой смерти фигуранта. Преступник вел жизнь мещанина, более он закон не нарушал, и убийца никогда не выходил с ним на контакт. Снайпера так и не поймали.

В сумке закричал мобильный, я вынула трубку. Номер был засекречен. Очень не люблю отвечать на подобные вызовы.

— Лампа, ты где? — проворковал бархатный голос. — Это Сеня, жду тебя в ресторане.

Только сейчас я вспомнила про свидание с Арсением и разозлилась на себя за то, что согласилась поужинать с назойливым кавалером. Но отступать было поздно — на часах без пятнадцати семь.

— Мчусь во весь опор, — соврала я, — попала в пробку.

— Где ты находишься? — деловито спросил Сеня.

Пришлось ответить честно:

— На Звенигородском шоссе.

— Как думаешь ехать? — заволновался Арсений. — По прямой, мимо зоопарка, потом на Садовое кольцо?

— Верно, — согласилась я.

— Не меняй маршрут, я распоряжусь, чтобы тебе помогли.

— Как? — не поняла я.

— «Нам нет преград на море и на суше» — процитировал известную советскую песню Арсений. — Рули к зверинцу.

Наверное, я не сумела до конца изжить в себе подростка: очень не люблю, когда кто-нибудь принимает за меня решения, даже по такому незначительному поводу, как проезд по Москве. Если вы спросите: «Лампа, хочешь ехать по Тверской или по Петровке?» — то я спокойно отвечу: «Мне без разницы». А если категорично заявите: «Направляйся по центральной магистрали», я из вредности покачу по другой улице.

Но я почему-то не стала спорить с Сеней, а мирно добралась до зоопарка, где была остановлена гаишником. Он повел себя странно. Бойким ястребом подлетел ко мне и вежливо попросил:

— Подождите секундочку, я сейчас, только вон того идиота отпущу.

Я кивнула и оставила окно открытым — захотелось подышать свежим воздухом.

— Командир, — заныл сбоку мужской голос.

Я повернула голову и увидела огромную фигуру, упакованную в «дутую» безрукавку. Чуть поодаль передними колесами на тротуаре стоял серебристый «Форд».

— Не виноват я, — нудил великан, — встал на светофоре, гляжу — в соседней машине баба глаза красит, в зеркальце заднего вида пялится. Ну кто таким дурам права выдает? Вот придумала! Разве можно от дороги отвлекаться? Мартышка, блин, с педалями. Дали зеленый свет, эта чучела пудру не бросила, сыплет ее на щеки и на мою полосу вылетает, прямо перед капотом вынырнула. Я сто лет шоферю, но тут чуток припух, выронил телефон, смс жене набивал. Сотовый упал прямо в стакан с супом, я его в кафе купил и ел потихоньку, бульон выплеснулся, попал на телик, он у меня на пассажирском сиденье лежал, я одним глазком футбол зырил. Ну я и выскочил на тротуар! Никого не задел, только снес ограждение. Какого хрена на меня протокол составляете? Баба виновата! За рулем надо не рожу мазать, а за дорогой следить. Отберите у обезьян права! В движении могут участвовать лишь такие внимательные и аккуратные водители, как я!

Обличительную речь женоненавистника, любителя супа, футбольных матчей и автора эсэмэсок прервал короткий звук сирены. На небольшую площадь въехали четыре мотоциклиста. Один остановился, снял шлем, подошел к моей машине и хрипло спросил:

— Евлампия Андреевна Романова? Велено доставить вас по назначению.

— Мне придется пересесть к вам? — слегка струхнула я.

Гаишник кашлянул:

— Нет. Идем в сопровождении: один впереди, двое по бокам, четвертый замыкает.

Думаю, москвичи, стоявшие сегодня в пробке, надолго запомнили крошечную иномарку, которую с воем и кваканьем сопровождал по левому ряду эскорт мотоциклистов. Уж не знаю, что подумали прохожие: домработница депутата Госдумы повезла в ветеринарную лечебницу любимого кота хозяина? Некий олигарх заказал пиццу, и теперь ее торопятся доставить горячей? Сотрудники ГАИ совсем обнищали и согласились поучаствовать в рекламной акции автосалона по продаже малолитражек? Но, полагаю, в мой адрес летело много «комплиментов».

На встречу я припозднилась всего на пару минут.

— Хорошо доехала? — спросил Арсений, заботливо усаживая меня в кресло. — Подушку под спину подложить?

— Спасибо, все нормально, — кивнула я, решив дать понять, что прогулки по Москве в сопровождении парней на мотоциклах для меня — будничная забава.

— Не дует? — не успокаивался Сеня.

— Свежо, — кивнула я.

Арсений поманил официанта пальцем:

— Отключи кондишен.

— Простите, — залебезил халдей, — но дама за соседним столом задыхается от жары.

Сеня окинул взглядом особу, обвешанную золотом:

— У нее климакс. Никакой обдув не поможет. Вырубай.

— Но... — попытался спорить лакей.

Арсений поднял правую бровь.

— Иес! — подпрыгнул официант. — Уже бегу! Вот меню!

Арсений с улыбкой подал мне кожаную папку:

— Выбирай, дорогая.

Я кинула взор на лист шикарной бумаги с водяными знаками. Цены не указаны, значит, они беспредельные. Ну, посмотрим, чем тут угощают. «Биф бер бэкон». Это, похоже, свинина. «Муль каск фран», «Бутер кот». Масло из Барсика? Ни за какие деньги на это даже не посмотрю. «Лош фром гуль из рамкотана с енотом». Час от часу не легче! Енот тоже, на мой взгляд, не годится в пищу. Хотя я непоследовательна: если ем курицу, то отчего отвергаю енота? Небось наседке тоже не нравится плавать в супе.

— Люблю «Лакре из физиле», — потер руки Сеня, — а ты?

Я скорчила гримасу гурмана, которому в ресторане высокой кухни предложили селедку с картошкой.

— Мне это приелось. Лучше... э... «Винт с минтом».

— А на второе? — еще шире заулыбался Арсений.

Ага, значит, «Винт» — это суп.

— Не уверена, что в мой желудок войдут два блюда, предпочту легкий десерт. Какой вы посоветуете? — обратилась я к официанту.

— Для дамы вашего деликатного сложения идеален «Бам тараньон», — склонился он в поклоне. — Вот папироли не берите.

— Отлично, тогда хочу папироли, — заявила я, — еще, пожалуйста, минеральной негазированной воды.

Халдей испарился, мы с Сеней вели ничего не

значащий разговор, в конце концов беседа коснулась работы.

— Тяжело служить у идиота, — откровенно признался Арсений, — а уж если он богат, то совсем кранты.

— Лев Георгиевич — миллионер? — усмехнулась я.

Сеня щелкнул языком:

— В смутные девяностые годы мой начальничек занимался стремным бизнесом. По документам он профессор, ректор вуза, а его учебное заведение неведомыми путями получило налоговые льготы на торговлю.

— Такое возможно? — удивилась я.

Арсений засмеялся:

— Ты проспала перестройку-перестрелку? В те времена творились дивные дела. Состояния люди сколачивали за месяц, правда, так же быстро их и теряли, но Левчик был осторожным и хитрым. Чем он коробейничал, одному дьяволу ведомо, но капиталец накопил.

— Ваш заказ, — вкрадчиво произнес тихий голос. — Желаете уже папироли?

Я посмотрела на миску: всего-то прозрачная, желтоватая жидкость с небольшими кружочками жира на поверхности, на дне лежат два белых кругляшка. Похоже, «Винт» — простой бульон с яйцом.

— Папироли подавать позднее? — повторил официант. — Рекомендую умеренной остроты.

— Давайте, — согласилась я, зачерпнула «Винт» ложкой, поднесла ко рту и поняла: он рыбный, и плещутся в нем не яйца, а небольшие кусочки филе кальмаров, которые в процессе готовки приняли сферическую форму.

Арсений получил странного вида кашу, отдаленно напоминающую гречку, зачерпнул ее ложкой и мирно продолжил беседу:

— Лев Георгиевич человек не только с бабками, но и со связями. Каким образом он пробил организацию нашего управления? Все в непонятках. Конечно, женитьба, как я тебе говорил. Но по коридорам разные слухи ходят. Одни уверяют, что Левушка состоит в доле с такими людьми, о которых даже шепотом не говорят. Другие полагают, что его специально поставили во главе новой структуры, чтобы он своих прикрывал. Третьи убеждены: босс заскучал по адреналину и завел себе новую игрушку. Думаю, все версии имеют право на жизнь. И связей не пересчитать, и денег горы, и драйв.

— Наверное, идея образования новой структуры пришлась не по вкусу руководству МВД, — предположила я.

Сеня хмыкнул:

— Наше управление само по себе.

Я удивилась:

— То есть?

— Оно существует как альтернативное, — продолжал Сеня, — это эксперимент. В плане борьбы с коррупцией в органах и оборотнями в погонах. Левушка всем начальник, над собой никого не имеет, отвечает лишь перед законом. Берет некоторые дела и их расследует[1].

— Бред, — пожала я плечами.

Арсений фыркнул:

— После развала СССР и падения коммунистического режима как только не выворачивали систему. Главное управление исполнения наказа-

---

[1] Подобного управления не существует, это выдумка автора.

ний вывели из МВД и отдали Министерству юстиции. Та еще катавасия затеялась. Отделы по борьбе с организованной преступностью то создавали, то распускали. Без пол-литры во всех пертурбациях не разобраться. Профессиональных ребят убрали, взяли на службу недоучек, расплодили взяточников. Лучше в этом не копаться. Постоянно хотят «улучшить и углу́бить», а получается каждый блин комом. Наша управление — очередная блажь, думаю, оно долго не просуществует. Знаешь, откуда ноги у него растут?

ГЛАВА 21

Я попыталась отломить ложкой кусочек от «яйца». Люблю кальмаров, но, на мой взгляд, их лучше резать перед подачей на стол. В пафосном ресторане в первую очередь думают о красоте блюда, а уж потом об удобстве для посетителя. Мне не подали ни ножа, ни вилки, неужели предполагают, что я запихну морепродукт в рот целиком? И как поступить? Находись сейчас напротив меня не малознакомый Сеня, а Макс, я бы преспокойно подцепила морского гада ложкой и попыталась откусить от него, но действовать подобным образом в присутствии мужчины, которого я вижу второй раз в жизни, значит проявить невоспитанность.

— Российскому мужику необходим либо барин, либо кумир, — разглагольствовал тем временем сотрапезник, не подозревая, какие мысли бродят в голове у госпожи Романовой, — а для нас нынче Америка путеводная звезда. Пару лет назад в одном из штатов америкосы создали независимую структуру, экспериментальный отдел, который берет по своему выбору дела особой важности. На сотрудников никто не давит — ни прокурор, ни собственное вышестоящее начальство, им предоставили абсолютно свободный поиск преступников без ограничения времени. Американцы ищут новые пути развития полиции, а наши решили собезьянничать. И Лев Георгиевич у нас мегакрутой полисмен!

Я придавила одного кальмара ложкой и попыталась отковырнуть кусочек.

— Почему именно ректору вуза разрешили поиграть в управление? Он профессор, охотно верю, что умный, образованный человек, но какое отношение ученый может иметь к поимке особо опасных преступников? В каждом деле свои тонкости!

Арсений коротко засмеялся:

— Правило БОРа.

— Что? — не поняла я и посильнее нажала на упорно сопротивляющегося кальмара.

— БОР. Это аббревиатура, — пустился в объяснения Сеня, — означает: баня, охота, рыбалка. В сауне, после сидения с удочкой на берегу или прогулки по лесу с ружьишком, решаются самые важные вопросы. Не имей сто рублей, а имей сто друзей. Пословица, справедливая во все времена. Вот только у Левчика все еще круче. В его случае поговорка слегка видоизменяется: он имеет миллиард рублей и армию подхалимов-приятелей. А еще стреляет, как бог, каждый день рулит в тир и там дырявит мишени. Я пару раз его сопровождал и был поражен. Райкин владеет оружием в совершенстве. Поговаривают, дома у него уникальная коллекция винтовок, но я, как ты понимаешь, к интимному обиталищу не допущен.

— Странное хобби для доктора наук, — отметила я. — Принято считать, что научный сотрудник проводит досуг с книгами.

— Лев говорит — я уже упоминал об этом, — что избавляется на стрельбище от стресса, — пояснил Сеня. — Раньше он на машинах гонял, но это приелось.

— А по виду он тюха в очках, — протянула я и, испытывая острое желание слопать кальмара, со всей силой ткнула в него столовым прибором.

Край ложки соскользнул с гладкого комочка, тот взлетел в воздух, как камень из пращи, стремительно преодолел расстояние до соседнего столика, где торжественно поедала свой ужин тетка, обвешанная ювелирными изделиями. Я не успела вздрогнуть, как кусок кальмара провалился даме в декольте.

Арсений сосредоточенно ел свою кашу, он не заметил казуса. Я же от растерянности совершила совсем нелепый поступок. Вместо того чтобы быстро отодвинуть от себя тарелку и сделать вид, что и не пыталась полакомиться обитателем океана, я стукнула по второму «яйцу». Ситуация повторилась с поразительной точностью, словно некий режиссер приказал мне ее продублировать. Но на сей раз филе попало за воротник блондинке с кукольным личиком. Юная особа наслаждалась пирожным за столиком в метре от моей первой жертвы.

Сеня снова ничего не заметил, да я и сама засомневалась: а был ли кальмар в моем супе? Все случилось так стремительно!

Сладкоежка вскочила, оттянула трикотажную кофточку, посмотрела внутрь и заорала:

— Ах ты, сволочь! Едва я заметила, кто сел напротив, сразу догадалась: неспроста старуха рядом пристроилась! Антон! Разберись!

Ее кавалер, мужчина лет шестидесяти, лысый толстый мачо, прогудел:

— Оля, сядь.

— Еще чего! — взвизгнула блондиночка, выуживая из-за пазухи мой ужин. — Твоя бывшая жена меня преследует! Приперлась за нами в ресторан и швыряется дерьмом! Ты только взгляни! Пусть ее выведут!

Антон прищурился и апатично ответил:

— Похоже на крутое яйцо.

— Зато ты всмятку! — пошла вразнос красотка. — Три года между двумя стульями сидел, еле развелся! Принял верное решение, выбрал меня! Так забудь о старых тапках! Но нет же! Вечно о старухе заботишься. «Ах, ах, она без меня осталась, вот несчастная!»

«Ювелирная выставка» сунула пухлую ладошку в декольте, тоже вынула филе кальмара и запричитала:

— Тошка! Говорила тебе, не связывайся с девкой из бедной семьи, предупреждала, добром это не кончится, позора не оберешься: ни воспитания, ни ума, ни благородства. Ну кому в голову придет в ресторане кальмарами швыряться, а? И ни за кем я не слежу, просто поесть пришла. Я сюда ходила, когда Оля еще детсад посещала.

— Это ты в меня дрянью запустила! — посинела девица. — Антон, вели своей охране Райку вывести. Выбирай: или я, или бывшая! Вот!

— Милый, — засуетилась Раиса, — не переживай, помни о своем давлении. Успокой Олечку, купи ей колечко.

— Рая, тихо, — протянул пузан. — Кто в кого чем пульнул?

Жены одновременно воскликнули:

— Она!

Я набрала полную грудь воздуха, встала и сказала:

— Простите, кальмар выскочил из моей тарелки. Я не хотела, конечно, это случайно получилось.

Сеня замер, не донеся ложку до рта. Антон крякнул, Оля плюхнулась на стул, Раиса начала нервно крутить огромный, смахивающий на апельсин медальон, который оттягивал ее шею.

— Ну, бабоньки, — ожил Антон, — все выяснилось? Оля, ешь спокойно! Рая, я оплачу твой счет, кстати, ты прекрасно выглядишь.

Я вновь села за стол.

— Ну ты даешь! — хохотнул Арсений. — Случись такое со мной, ни за какие фишки бы не признался.

Я поболтала ложкой в бульоне:

— Не очень приятно прослыть особой, не умеющей пользоваться столовыми приборами, но мне не хотелось, чтобы началась драка.

— Настоящая мать Тереза, — умилился Арсений.

— Нет, похвастаться любовью ко всему человечеству я не могу, — улыбнулась я, — проявила разумный эгоизм. Затеят женушки этого мужика стульями швырять, еще попадут мне по голове.

Арсений неожиданно погасил любезную улыбку.

— Ты даже не представляешь, на какие поступки способны бабы! — с жаром воскликнул он. — Встречаются редкостные сволочи. У моего приятеля была подруга. Жили они вместе пару лет, всем довольные. Мадам имела мужа, поэтому о браке с любовником не заговаривала. Потом друг надумал жениться, ему сосватали хорошую девочку из богатой семьи, все катило к свадьбе. И тут у любовницы, а ей, скажем, было за сорок, умер супруг. И началось. Баба стала преследовать мужика со словами: «Ты обязан повести меня в загс». Ну с какой стати? Она уже бабушка! Приятель попытался отделаться от зануды, но матрона приперлась его шантажировать. «Поеду к твоей невесте, расскажу ей правду».

Арсений схватил салфетку и громко чихнул.

— Будь здоров, — пожелала я, — расти большой.

Помощник Льва Георгиевича почесал нос:

— Шеф в последнее время то кашляет, то хрипит, говорит, что у него аллергия на табачный дым. Приказал всем бросить курить, а тем, кто не согласился, пригрозил увольнением. Но что-то мне подсказывает: у босса вульгарная простуда. Я вот расчихался! Левчик теперь дикую дрянь в нос брызгает, она воняет анисом, а меня от этого запаха тошнит.

Я не успела дослушать до конца его жалобы, на столе завибрировал сотовый.

— «Макс», — не замедлил прочитать на дисплее Арсений. — Это кто?

— Знакомый, — я уклонилась от прямого ответа и взяла телефон.

— Давай встретимся? — весело заверещал Максим. — Есть кое-что интересное! Ты где?

— Ну... делами занимаюсь, — не слишком уверенно ответила я.

Не стоит рассказывать мужчине, с которым у тебя поздняя стадия конфетно-букетных отношений, плавно перетекающая в романтично-сексуальную, об ужине с другим представителем сильного пола.

— Желаете «Шато Эскем»? — бесцеремонно спросил официант.

— Не советую, — моментально отреагировал Макс, — во всей Москве не найти этого вина.

«Шато Эскем» не выносит транспортировки, его продают исключительно в долине Луары. Возьми бутылку без понтов.

— Эй, это не то, что ты подумал, — зашептала я, — а исключительно рабочая встреча.

— А я чего? — прикинулся изумленным Максим. — Я не сомневаюсь. На дворе холодный февральский вечер, уже за восемь, как правило, именно в это время и проходят совещания.

Официант поставил передо мной тарелку и проорал:

— Папироли!

— Ты в «Вивальди»! — слишком весело воскликнул Макс. — Лучшее место в городе для деловых встреч. Средний счет на одно скромно пожравшее лицо — около десяти тысяч рубликов. Ты когда-нибудь пробовала папироли?

Я глянула в тарелку: там лежали небольшие блинчики, посыпанные чем-то темно-бордовым, — и призналась:

— Нет.

— Шикарная вещь, — зачастил Макс, — но, к сожалению, наши люди не умеют ее правильно употреблять и теряют половину удовольствия. Поверь, папироли не похожи ни на манго, ни на взбитые сливки, ни уж тем более на мусс из вишни.

Я сглотнула слюну:

— Вкуснее?

— Сколько их у тебя в порции? — осведомился Макс.

— Две штучки.

— Отлично! — невесть чему обрадовался он. — Осторожно складываешь их горкой, один на другой, и разом запихиваешь в рот.

— Может, лучше порезать на кусочки? —

усомнилась я, поглядывая на принесенные официантом нож и вилку.

— Вот это основная ошибка европейцев! — возмутился Максим. — Хотят полакомиться диковинной кухней, а подходят к ней со своими мерками. Папироль, именно так правильно произносится название, а не на итальянский манер «папироли», привезен с Востока, там он считается праздничным кушаньем. Арабы предпочитают есть его руками, и они правы, потому что столовые приборы изменяют вкус. Накромсаешь папироль, из него вытечет большая часть начинки, а она здесь основной компонент. Ну, начинай.

Я аккуратно выполнила указание Макса.

— Разевай пошире рот и заталкивай в него пирамиду, — крикнул он из трубки.

Я подчинилась.

— Ну как? — заботливо осведомился Максим. — Почему не слышу вопля?

Мои зубы сомкнулись и прорвали тонкое тесто. Сначала язык ощутил, как из папироля выдавливается нечто, смахивающее на кисель. Потом нёбо защипало, в глотку вонзились сотни мелких иголочек: наверное, такое ощущение испытывает лиса, решившая проглотить ежа. Но только в моем случае ежик был нафарширован атомными боеголовками.

Рот превратился в полигон для испытания ракет. По языку каталась раскаленная петарда. По щекам потекли слезы, и я поняла, что выражение «искры из глаз» не фигуральное. У меня из-под век вырвались струи огня, а из носа, кажется, повалил дым.

— Господи, — прошептал Сеня, — атас!

Я бросила телефон на стол и опрометью кинулась искать туалет. Следующие пятнадцать минут ушли на полоскание рта холодной водой и на питье ледяной минералки, которую притащила испуганная официантка. Кое-как мне удалось погасить пожар, я напудрила нос и медленно выползла в зал.

— Жива? — озабоченно поинтересовался Сеня.

Я кивнула.

— Ну ты даешь! — восхитился помощник Льва Георгиевича. — Слопать разом порцию папироли! Это как гранату проглотить! Я их рублю на малюпусенькие кусочки и очень осторожно, по крошечке, забрасываю в рот. Знаешь, из чего их готовят?

— Нет, — еле слышно призналась я.

— Это национальное мексиканское блюдо, — ввел меня в курс дела Сеня, — блинчики из пресной кукурузной муки, внутри начинка из пяти сортов перца — жгучий красный, кайенский, дьявольский оранжевый, зеленый сатана и белая акула.

Я покосилась на телефон. Ну, Макс, погоди! Решил отомстить мне за то, что я отправилась в ресторан с другим мужчиной? Нанесу тебе ответный удар!

Я поманила пальцем официанта, тот, чуть не упав, ринулся к столику.

— К вашим услугам.

— Папироли не совсем удались, — стараясь казаться бодрой, зачастила я, — повар не доложил в них начинки. Есть что-нибудь позабористее?

— Уточню, — поклонился лакей и убежал.

Мы с Сеней продолжили беседу. В основном говорил он, откровенно сплетничая о шефе.

— Специально для вас на кухне готовят соус «Кольт», — зашептал официант, материализуясь у столика.

— Острый? — мстительно спросила я.

— Его убрали из меню, потому что до сих пор не встретился посетитель, способный слизнуть хоть каплю соуса, — заверил парень. — Подлива готовится из потрохов амазонской жабы, а она...

— Прекрасно, — обрадовалась я, — амазонская жаба полностью соответствует моим желаниям. Две порции. Возьму их домой.

Юноша испугался:

— Хотите употребить «Кольт» в пищу?

Более дурацкого вопроса и не придумать. Нет, я заказываю в ресторане блюдо, потому что решила с его помощью почистить сапожки! Но моя мама всегда повторяла: «Солнышко, не всем людям удалось в детстве получить хорошее воспитание и достойные манеры, всегда помни о снисходительности».

Я подавилась замечанием и нежно проворковала:

— Да. Люблю поужинать в кровати, глядя в телевизор.

— Есть более приятные способы самоубийства, — высказал свое мнение официант.

— Душенька, лучше закажи кусок хорошего мяса, — предложил Сеня.

Я подмигнула лакею:

— Что, так плохо?

Парень оглянулся, склонился к моему уху и зашептал:

— Знаете, почему хозяин вычеркнул «Кольт» из карты? Ну закажет его раз в год какой-нибудь идиот, так ему и надо. Но из-за соуса пришлось в кухне ремонт делать. Антонио капнул им на столешницу — получилась дыра. Потом Марко наливал соус в чашку и промахнулся, малая толика попала на пол. Не поверите, паркет прожгло вместе с цементной стяжкой. Вы все еще хотите попробовать «Кольт»? Тогда придется оплатить специальный контейнер: соус можно перевозить лишь в особой таре, предназначенной для соляной кислоты.

ГЛАВА 22

Домой я опять приехала поздно, погладила собак и, не заходя в спальню, пошла в кухню, чтобы осторожно поставить на подоконник соус «Кольт». Возле одного из шкафчиков стояла баба Нила.

— Не спишь? — удивилась я.

Старуха поморщилась:

— Плечо ушибла, налетела в сарае на деревяшку, теперь синяк наливается. Вроде у тебя была мазь, ты ее Нинке давала, когда Игорь из садика с бланшем на лбу вернулся. Называется по-хитрому... трок... брок... казин.

— Троксевазин, — улыбнулась я, — лежит в ящике, пользуйся на здоровье.

— Именно что на здоровье, — вздохнула хозяйка и вынула тюбик. — Пойду обмажусь от души на дармовщинку.

Я зевнула, отправилась к себе, начала переодеваться и услышала из второй комнаты голос Макса:

— Как день прошел?

Я подпрыгнула и стукнулась лбом о дверь шкафа.

— Что ты здесь делаешь?

— Жду Евлампию Романову, — ответил Максим, выходя из укрытия. — Понравился тебе папироль? Великолепно прочищает мозги.

Я округлила глаза:

— Прости, я не стала пробовать вкуснотищу, Арсений Леонидович отсоветовал.

— Арсений Леонидович? — с непередаваемым выражением лица повторил нахал.

— Помощник Льва Георгиевича, начальника нового управления по борьбе с особо опасными преступниками, — уточнила я. — Ты зря ревновал, это правда была чисто деловая встреча.

— Насчет Отелло это не ко мне, — быстро парировал Макс.

— Зачем тогда ты приехал сюда на ночь глядя? — засмеялась я. — Или еще не понял — я не из тех женщин, которые благодарят кавалеров в койке за первый совместный ужин?

Макс сел в кресло:

— Я привез результат анализа бумажной салфетки. Подумал, тебе это будет интересно!

Я моментально забыла про мексиканское блюдо и свое желание отомстить нахалу.

— Говори.

— Кровь принадлежит мужчине, группа первая, резус положительный, — монотонно перечислял Макс, — она из носа. Вероятно, у человека слабые сосуды или он слишком сильно чихнул, такое случается. С большой долей вероятности верно второе предположение, потому что эксперт обнаружил следы неомицина сульфата, дексаметазона метасульфобензоата, фенилэфрина гидрохлорида. Все вещества входят в состав капель от насморка. Складывается следующая картина: некто пшикает в ноздри спреем, со вкусом чихает, вытирает капли крови и бросает салфетку на пол.

— Это все? — с разочарованием спросила я.

Максим положил ногу на ногу:

— Могу назвать имя, фамилию и отчество человека, державшего платок.

— Врешь, — не поверила я, — вы не успели бы сделать анализ ДНК.

— Его не потребовалось! — заговорщицки подмигнул Максим.

— Лаборант выжал из капли крови паспортные данные? Держишь меня за идиотку? Сейчас все брошу и поверю тебе, — отрезала я.

Макс щелкнул пальцами:

— Возможности волшебников не ограничены. Тимофей Пантелеймонович Ковригин, год рождения тысяча девятьсот сороковой. Прописан по улице Кушнира, дом восемнадцать, квартира девять.

Я потрясла головой:

— Откуда эти сведения?

— Из базы, — загадочно ответил Макс и засмеялся: — Ты сейчас похожа на обезьянку, которой в лапки с неба упал банан. Бедная мартышка хочет слопать вкуснятину, но не понимает, откуда та взялась. Ешь на здоровье, не отравлено.

— Польщена сравнением с орангутаном, — воскликнула я, — но...

— Ты слишком высокого мнения о собственной персоне, — перебил Макс. — Орангутаны огромны, объединившись в стаю, они легко справляются со слоном. Лампа Романова скорее мартышка, причем из разряда самых мелких, слышала про мини-макак?

— Да, — на всякий случай ответила я, — но в отличие от приматов я хочу знать, где вырос банан? Хотя, может, ты нанял гениального криминалиста? Тот бросает мимолетный взгляд на салфетку и кричит: «Вижу, вижу, это кровушка Ковригина!»

Приятель вытянул ноги почти до середины комнаты:

— С бумажки, которую ты принесла для анализа, сняли отпечатки пальцев. Один оказался вполне пригодным для идентификации. В век компьютеров кое-какие действия ускоряются. Тимофей Пантелеймонович — профессиональный преступник, до восемьдесят пятого года прошлого века регулярно оказывался под присмотром государства, ясное дело, его дактилоскопическая карта есть в архиве.

— Как только вы ухитрились снять пальчики с носового платка? — усомнилась я. — Его структура пористая, сам платок ворсистый, очень мягкий.

Макс встал и подошел к столу:

— За последние годы криминалистика шагнула так далеко вперед, что становится страшно от ее возможностей. Восстановление полностью сожженного листа бумаги, реконструкция лица человека по черепу, определение личности по одному волосу — все это теперь рутина. В распоряжении экспертов есть прибор, способный на большой глубине обнаружить человеческие останки, или гель, помогающий снять отпечатки пальцев с тела в сильной стадии разложения. Но в случае с платком особых ухищрений не понадобилось. И это вовсе не платок, а салфетка, которой пользуются реставраторы книг.

Я заморгала, а Максим, очень довольный произведенным эффектом, продолжил:

— Старинные издания болеют, они старятся, могут заполучить грибок, покрыться плесенью. Есть много способов, при помощи которых книги берегут от напасти. В хранилищах стараются поддерживать определенную температуру и влажность, очень ценные экземпляры не выдают читателям, люди получают их электронную версию, не мусолят оригинал. А ученые, которым необходимо обратиться к древнему источнику, надевают особые перчатки. Иногда для излечения зараженной странице делают компресс: берут салфетку, пропитывают ее специальным раствором и вкладывают между листами. Салфетка имеет мягкую середину и более плотную глянцевую окантовку. Сделано это для того, чтобы плотные края не давали «горчичнику» сбиться, удерживали его в распрямленном состоянии, да и удалить «компресс» легче, если он не пропитал всю поверхность страницы.

— Отпечаток был оставлен на кайме! — догадалась я.

Максим прижал руки к груди:

— Сражен! Восхищен! Сбит с ног! Красавица, умница, блондинка! Зачем одной женщине столько талантов?

Но я пропустила мимо ушей ерничанье Макса:

— Кто этот Тимофей по профессии?

— Вор в законе, — ответил приятель.

— Я имею в виду работу, — уточнила я.

— Урка, — уточнил Вульф, — профессионал, последний из могикан. Был коронован в семидесятых годах, соблюдал понятия, не женился, не завел детей, богатства не копил, имел почет и уважение от коллег и авторитет в разных кругах. В середине восьмидесятых он вроде заболел рассеянным склерозом, перестал грабить квартиры и более в поле зрения МВД не попадал. Имеет хобби — реставрирует антикварные книги.

Я пригорюнилась:

— Наверное, он умер.

Макс деликатно кашлянул:

— Извини за неуместное напоминание, но кровь-то свежая. Ковригин, похоже, подцепил насморк, но это не смертельно. Милый Тимоша бодр и активен.

— Ему удалось почти четверть века прожить с диагнозом рассеянный склероз и не сесть в инвалидное кресло? — недоумевала я. — Интересный случай.

Максим плюхнулся на диван и подсунул подушку под голову.

— Не верю я в этот диагноз. Он его купил, чтобы от дел отойти: вор в законе может бросить ремесло, только если он умирает. Небось надоело деду по зонам скитаться, вот и придумал отмазку для своих. И авторитет сохранил, и воровать не надо. Ковригин уникальный тип, имел кличку Плотник, погоняло получил за умение так вскрыть захоронку, а потом аккуратно ее закрыть и, не оставив ни следа взлома, испариться, что кое-кто из потерпевших обнаруживал пропажу заветной заначки спустя много дней, а то и месяцев после кражи.

— Скорей уж его следовало прозвать «Призрак», — не согласилась я. — А то Плотник! Плотник .Плотник!!!

Макс сел, потом встал:

— Ты в порядке?

— Ковригин Тимофей Пантелеймонович! — заорала я. — Тим-плотник! Завтра же помчусь к деду и вытрясу из него информацию про Нину Силаеву! Вероятно, старик ее знает, раз согласился ей помогать! Хитрый, умный вор, но и такой может совершить ошибку! Бросил платок и попался! И у него на столе, в подвале, лежала старинная книга!

— При чем здесь Силаева? — серьезно спросил приятель.

Я сообразила, что он ничего не знает о моей

встрече с Галиной Исайкиной, открыла было рот, но тут увидела, как Макс начал кружить вокруг стула, на котором висела моя одежда. Пришлось Вульфа остановить:

— Сядь! Невозможно беседовать с человеком, который носится, как ошпаренный суслик.

— Это что? — ткнул Макс пальцем в кофту.

— Некий предмет из трикотажа, женщины натягивают его в холодное время года, — обозлилась я. — Предвосхищая следующие вопросы, сообщу: рядом с пуловером — джинсы, извините за интимную деталь, колготки, ремень для поддержания падающих штанов и сумочка.

Максим схватил свитерок, потряс его, пошарил по карманам, вывернул наизнанку, затем оторвал от планки пуговицы, бросил на пол, раздавил, покачал головой и вцепился в брюки.

Я медленно попятилась к двери. Ну согласитесь, находиться в одной комнате с буйно помешанным опасно. Сначала Максик изуродует шмотки, а затем бросится на их владелицу.

— Что в сумке? — зашипел приятель, отшвырнув мои джинсы.

— Нужные вещи, — пролепетала я.

Максим, недолго думая, перевернул ридикюль и уставился на кучу выпавших из него предметов.

— До сих пор я ни разу не встретил девушку, у которой в сумке был бы порядок, — оценил он увиденное. — Зачем таскать при себе уйму барахла?

— Здесь исключительно необходимое, — насупилась я. — Пудреница, губная помада, ежедневник.

— Шесть конфет, — дополнил Макс. — Они к чему?

— Я их ем! Когда проголодаюсь.

— А расческа?

— Вот уж не ожидала столь кретинского вопроса! Отгадай с трех раз, для чего, — засмеялась я.

— Чтобы использовать ее вместо вилки, втыкая в шоколадки, — пробормотал Макс. — Ладно, пусть пачка платков, три скрепки, скотч и жвачка тебе крайне необходимы, но два кошелька! У тебя столько денег, что не влезают в один?

— В красном — деньги, в бежевом — дисконтные карты, их много, — пояснила я.

— Надо брать лишь те, которые понадобятся, — пожал плечами Макс. — Запланировала купить туфли — оставь дома ту карточку, где скидка на мебель.

— Вдруг поеду мимо магазина, где увижу замечательную скамеечку под ноги с изображением собачек? Это невозможно предвидеть заранее. И вообще, лучше покупать все спонтанно! — возразила я. — Хлоп, в витрине пальто, о котором я мечтала, да еще с большой скидкой. Жаба задушит приобретать его за полную цену, нужно воспользоваться предложением.

— А пробка от пивной бутылки? — развеселился Макс. — Ее роль какова? Ты их собираешь?

— Если от духоты чуть не падаешь в обморок, надо крепко сжать крышку в кулаке, и не потеряешь сознание, — поделилась я опытом.

— Оригинально! — похвалил меня Макс. — Боюсь спросить про антибактериальный спрей. Я представляю, зачем он может понадобиться особе, пасущейся по обочине трассы Владивосток — Киев, но тебе?

— Есть прямое шоссе с Дальнего Востока на Украину? — удивилась я.

— Как-то же люди с одного конца страны на

другой едут, — разумно ответил Макс. — Так зачем пшик-пшик?

— Пшик-пшик, — повторила я звук, о котором говорил Герман, — пшик-пшик... Извини, я очень брезглива, а иногда требуется посетить общественный туалет. Выйду из кабинки, помою руки и продезинфицирую их.

— Телефон! — торжествующе воскликнул Макс. — Вот он!

— Ну да, сотовый, — согласилась я. — Ты себя хорошо чувствуешь? Давай померяем температуру!

Но приятель не обратил внимания на мое предложение. Он взял мобильный, в одну секунду разобрал его, выхватил из кучи деталей какую-то кнопку и возликовал:

— Нашел! Видишь? Что это?

— Потроха телефончика, — растерялась я.

— «Жучок»! — гаркнул Максик. — Некто снабдил тебя прослушкой.

Я вздрогнула:

— Прикалываешься?

— Я серьезен, как политик, обещающий народу светлое будущее, — сказал он. — Где ты оставляла аппарат?

Я погрозила ему пальцем:

— Пукающие подушки, пластиковые мухи, спрятанные в куске рафинада, исчезающие чернила, отрубленные пальцы из силикона. Ты большой мастер на развод, повеселился, и хватит. Собери телефон и послушай, что я расскажу.

Максим вынул из кармана авторучку и поднес к пупочке, она стала мелко подрагивать.

— Сейчас ты видишь «Эру» — портативный аппарат для обнаружения электронных шпионов. Это новейшая разработка, стоит офигенных денег, но они окупаются. Не имею ни малейшего желания шутить. Когда я прошел мимо стула с твоими шмотками, «Эра» среагировала. Постарайся вспомнить, где оставляла телефон без присмотра.

— Он всегда при мне, — растерялась я. — А как долго устанавливать «жучок»?

Макс приколист, но он знает меру и сейчас выглядел очень озабоченным.

— Спецу достаточно нескольких секунд, любитель провозится дольше, но и ему пяти минут за глаза хватит, — вздохнул Вульф.

— Ресторан! — осенило меня. — Я слопала, следуя твоему гнусному совету, папироли и бросилась в туалет. Сотовый остался на столе, мне было не до него. Под подозрением двое: Арсений Леонидович и официант.

— Забудь про лакея, — процедил Макс, внимательно изучая «кнопку», — однако, дорогая вещь. Умеют, собаки, электронику клепать. Даже в нашем офисе такого нет.

— Вот почему Сеня настойчиво приглашал меня поужинать. Он хотел пристроить прослушку, — грустно констатировала я. — Представляю его радость, когда я унеслась в сортир.

Макс обнял меня и начал гладить по голове:

— Ничего, не плачь, вырастешь — поймешь: мужики — сволочи. Думаешь, он тобой заинтересовался, трясется от страсти, роняет слюни, а подлец — шпиён германский, хочет партизан в лесу найти.

Я вывернулась из его рук:

— Дурак.

— Детский сад, — покачал головой Макс. — Садись и излагай события. Сейчас папа покумекает и сообразит, во что Лампа вляпалась. Наверное, ненароком потоптала чужой огород, вот на Сивку-Бурку капкан и наточили. Говори медленно, вспомни все детали, даже те, что тебе самой показались незначительными.

Я говорила без умолку больше двух часов.

— Знаешь, какой вопрос приходит на ум первым? — произнес Максим, когда фонтан информации иссяк. — Раненая Валентина Рублева сказала: «Черви... черви».

Я кивнула:

— Верно. Я еще подумала: «Вот бедняжка, у нее от боли и страха спуталось сознание». Ну при чем здесь червяки?

— Бывший прокурор, наверное, имела в виду карты, — медленно произнес Максим. — Масть. Вероятно, она пыталась рассказать что-то, но не смогла. Может, она знала об игре?

— Нет, — не согласилась я.

— Рублева представляла на процессе Медведева сторону обвинения, — не успокаивался Максим. — Вскоре после суда она уходит с работы и занимается делом, которое не имеет ни малейшей связи с Фемидой. Смешивает коктейли в баре. Почему?

Я начала загибать пальцы:

— Разочаровалась в системе, не хотела быть обвинителем на процессах, выбрала профессию под давлением мамы, а когда та умерла, бросила надоевшее занятие.

— Откуда у бюджетницы загородный дом? — задал следующий вопрос Макс. — Колян идиот, не способный заработать ни копейки, баба Нила пенсионерка, а на зарплату прокурора не пошикуешь.

Я попыталась найти достойный ответ:

— Рублевы ведут скромный образ жизни, живут на деньги с постояльцев, едят овощи со своего огорода, у них ветхая мебель, домишко просит ремонта. Если ты думаешь, что Валя брала взятки, то ошибаешься. «Коттедж», кстати, не ее, а мужа.

— Почему Нина решила напасть именно на Рублеву? — недоумевал Максим.

— Расчет прост: раненый прокурор, пусть даже и бывший, привлечет внимание СМИ скорей, чем простой гражданин, — выпалила я.

— Есть у нас руки, ноги, голова, живот, а человечек не складывается. Где Нина? — спросил Максим. — Ей глупо прятаться.

— Еще глупее сидеть дома и ждать, когда тебя арестуют, — отбила я подачу.

Максим лег на диван:

— Силаева прописана в другом месте. Никто из ее соседей или прежних знакомых не знает, где она теперь живет. Ни Рублевы, ни Томас, ни ты не подозревали, что ваша соседка — жена снайпера Филиппа Медведева. Она обзавелась аппаратурой, изменяющей голос, тщательно соблюдала конспирацию, была уверена, что ее не заподозрят в связи с делом стрелка, и... не вернулась к тяжело больной Прасковье Никитичне?

— Свекровь — не мать, — после небольшого колебания заявила я.

— В этом случае твой аргумент не работает, — не согласился Макс. — Прасковья заболела после того, как узнала, каким образом Филипп добывал деньги. Медведев в то время уже сидел в СИЗО. Нина легко могла бросить бабку, хватит с нее троих малышей, из коих один даун. Но нет, она посадила себе на шею и Прасковью, потому что искренне ее любит. Нина никогда не работала, ей пришлось наниматься на тяжелую, грязную службу. Детям требуется еда, одежда, игрушки. Прасковью надо кормить, приобретать ей лекарства. А средства от маразма ой-ой какие дорогие. Но Нина тянет бабулю, хотя от той нет ни малейшей пользы, одна обуза. Нет, она любит бабку и... уходит прочь? А дети? Их же надо будет забрать в субботу. Силаева не могла сбежать.

— Думаешь, она умерла? — поежилась я.

Макс натянул до плеч шерстяной плед:

— Нина живет ради Филиппа, а для того сыновья — главное в жизни. Прасковья для нее не свекровь, а мать. И Нина полна желания вызволить мужа, начинает опасную игру и... сбегает? У меня в отношении судьбы Силаевой самые пессимистические прогнозы.

— Тим-плотник встречался с Ниной, — решительно сказала я. — Она передала ему для меня телефон. Вероятно, бывший урка состоял в хороших с ней отношениях. Постороннему человеку он такой услуги оказывать не станет. Завтра с утра рвану к Ковригину и не уйду, пока не заставлю его признаться.

— Удачи нашему теляти волка съесть, — прошелестело с дивана.

Я возмутилась:

— Найду беспроигрышные аргументы во время беседы. В конце концов, он старик, потерял физическую силу и остроту ума. А еще осторожно поболтаю с бабой Нилой, Коляном, Прасковьей Никитичной и Томасом. Вдруг да и нащупаю кончик веревочки. Макс, ау!

В ответ из-под пледа донесся богатырский храп.

ГЛАВА 23

Будильник скинул меня с кровати в семь, Муля, дремавшая на соседней подушке, с укоризной посмотрела на хозяйку. Мопсиха определенно хотела сказать: «С ума сошла? Посмотри в окно! Темно, холодно, февраль! Неужели сейчас потащишь нас во двор? Извини, лучше я пописаю на коврик в ванной. Ну, как назвать человека, который, накинув на плечи теплую шубейку и натянув на ноги сапожки на меху, выволакивает из уютного помещения беззащитную собачку, заставляя ее шлепать голыми лапками по замерзшей грязи?»

— Можешь сколько угодно взывать к моей жалости, — заявила я, хватая халат, — но использовать в качестве туалета вы, мадемуазель, равно как и ваши товарищи, должны лужайки перед домом, такова тяжкая собачья доля. Могу напомнить, что ты спишь сейчас в теплом пуховом одеяле, а кое-кто из псов провел ночь в подвале, греясь не о хозяйку, а о трубы отопления.

Морда Мули приняла трагическое выражение. Теперь в ее сопении появилась нота отчаяния.

— Ну ладно, — согласилась я, — можешь еще подремать. Пока я умоюсь, оденусь, выпью чаю, пройдет куча времени.

Мопсиха опустила голову в подушку, блаженно зевнула и закрыла глаза. Кто-нибудь еще сомневается в умении собак прекрасно понимать человека? Лично я давно знаю: Мулечка вполне может работать переводчиком, она легко перетолкует речь людей для своих менее сообразительных собратьев. Иногда мне кажется, что животные воспринимают наши слова буквально, не ищут в них двойной смысл, подкол или иронию. Скажите четвероногому: «Я люблю тебя» — и получите в ответ фонтан положительных эмоций. Псинка или кошка будут счастливы в очередной раз услышать изъявление чувств хозяина. А мы? Вот произнесет ту же фразу про любовь Макс.

Как я отреагирую? Неужели обрадуюсь? Ох нет. Буду искать в его признании подвох, думать, что он прикалывается, разыгрывает меня. Если же Макс сопроводит фразу о чувствах букетом, то я и вовсе насторожусь. Вдруг среди роз есть одна фальшивая, не цветок, а фокус? Начну вдыхать аромат, а роза ущипнет меня за нос? Угостил же, помнится, Вульф меня взрывающейся конфетой. Никакого ущерба здоровью леденец не нанес, но сильно меня испугал, когда вдруг с тихим звуком «чпок» развалился в моих руках.

Если собака кидается к вам, истово махая хвостом, никто не усомнится в ее дружеских чувствах. Ну не способны болонки, овчарки, пудели и прочие изображать любовь, они либо испытывают ее, либо нет. Прикидываются только люди. И что-то мне не встречались двортерьерихи, которые собирались родить щенков, чтобы заставить жениться на себе элитного пса из богатой семьи. Кстати, пьяных мопсов за рулем автомобиля я тоже не видела.

Додумавшись до последнего аргумента, я не удержалась от смешка, сбегала в ванную и поторопилась на кухню. Там у плиты баба Нила жарила яичницу.

— Хочешь, поделюсь? — спросила она.

Я глянула в сковородку:

— Какой желток красивый, оранжевый!

— Деревенский, — пояснила старуха. — Кура не комбикорм жрала, на вольном выпасе была, а зимой ей хозяин консервы дает, вроде как ты собакам.

— Для кур придумали готовый корм? — поразилась я.

— Чем они хуже псов? Небось изобрели им гусениц в банках, — философски заметила баба

Нила. — Так как? Угостишься? Решай скорей, а то поперчу.

Я взяла тарелку и протянула старухе:

— Спасибо. Вы, наверное, любите острое.

— С детства, — подтвердила баба Нила, — мама готовила очень вкусно, чеснок не жалела, кинзу, грецкий орех.

Я отнесла завтрак на стол и для поддержания беседы осведомилась:

— Вы воспитывались на Кавказе?

Старуха схватила перец, от души натрясла его в жареные яйца:

— Нет, я с Урала.

— Там кинза с грецкими орехами не растут, — вздохнула я. — Местное население обожает пельмени.

Баба Нила села напротив меня и стала быстро есть глазунью, щедро посыпанную черным перцем.

— А москвичи сбитень пьют и медовуху.

— Когда это было! — отмахнулась я. — Во времена Гиляровского.

— На Урале лепят «ушки» с мясом, — продолжила баба Нила, — народ там работящий, сядут всей семьей за стол, за вечер тыщу штук налепят и на мороз в пакете выставят. Летом у всех парники, там зеленюшка колосится. Мама чего только не выращивала, даже грецкий орех имела, правда, он не всегда плодоносил.

— Здорово, — сказала я.

В кухню всунулся Томас.

— Лампа, не мочь ты помочь сообразилово ерунды? — забыв поздороваться, спросил он.

— Могу попытаться, — согласилась я. — А в чем дело?

— Звонкой монеты не хватает, — скорбно сообщил Томас.

— Эко удивление! — ввинтилась в разговор бабка. — У меня тоже в кошельке десятка сотню ищет!

— В целях заполучить доллар я совершил поиск с работой, — загудел Томас, — плиз, прочесть бумажка, объяснить мне мои неправильности.

— Неси документ, — кивнула я.

— Он уже есть у тебя на носу, — обрадовался Томас и положил передо мной лист.

Я проглотила последний кусок глазуньи и стала читать текст:

«Инструкций автомобиля из страны Чайна для покупки московской улицей».

— Ты подрядился перевести текст для салона, который торгует машинами! — осенило меня.

— Точное нахождение истины! — закивал Томас. — Китаёзы дают сладкую монету.

— Лучше называть жителей Поднебесной китайцами, — поправила я.

Томас сел около бабы Нилы и оглушительно чихнул. Наверное, в нос американцу попала малая толика черного перца.

— Китайцы место жить в Таиланде! — возразил он.

— Там тайцы, — терпеливо объяснила я. — Таиланд — тайцы. Китай — китайцы.

— Русская словарь полон загадок, — подвел черту студент. — Глядеть дальше, удачно ли перетолкование?

Я снова углубилась в текст:

«Чайнский полудорожный есть самый сладкий для шоссе Москвы и супер не вредный для личности шофера и шоферины, если они крутят бублик, завязав на своих памятниках ленту, защелкнутую в чик-чирик».

— Как? — с тревогой поинтересовался Томас.

— В принципе ясно, — я решила не лишать парня уверенности в себе, — но требуется редакторская правка. Лучше, наверное, так: «Китайский автомобиль хорошо подходит для езды по Москве. Если водитель, сев за руль, воспользуется ремнем безопасности...» Прости, Томас, но при чем здесь памятник?

Американец замахал руками:

— Лента жизни проходит через него.

— Где, по-твоему, у человека памятник? — удивилась я.

Томас приложил руку к верхней части туловища:

— Здеся.

— Это грудь.

Томас почесал щеку:

— Лампа, грудь — предмет для мужского секса, слово не впрыгивает в технический смысл. Я нашел в словарь брата груди — бюст. Бюст — это памятник. О'кей?

— Не о'кей! — заржала баба Нила. — Лучше про надгробие в инструкции для шоферов не упоминать, народ неправильно поймет, типа «гроб на колесах».

— Совершенно согласна, — удерживая на лице серьезное выражение, произнесла я и продолжила чтение вслух: — «Баранка иметь вода внутри легчайшего поворота руля. Голова лежит на удобном комке, чей высота изменить просто нажатием ног на руку».

— Типа гидроусилитель и подголовник, — поразила меня техническими познаниями баба Нила.

Увидев на моем лице недоумение, старуха включила чайник.

— Я целый год у дилера «БМВ» в салоне полы мыла, — пояснила она. — Наслушалась ихних бесед.

Но меня уже увлек новый пассаж американца:

«Тычок лица машины в жопу или фонарь вызывает сей секунд выталкивание наволочки спасения жизни со снабжением экологически совершенного воздуха Китая с его целебными травами...»

— Коли сработала подушка безопасности, то по фигу, чем ее надули, — крякнула баба Нила, — лишь бы о руль головой не шмякнуло.

— Наверное, приятно знать, что внутри подушки безопасности содержится чистый воздух, но вот слово «жопа» тут совсем неуместно, — высказалась я. — У автомобиля зад, багажник, ну еще можно вспомнить про бампер.

Старуха передвинула листок к себе поближе и громко продекламировала:

— «Клетка для бардака восхищает пространством, оборудовано «тормоза на коньках» может легко вырулить ваше несение на забор в зимних условиях путем выворачивания бублика в любую сторону положения без остановки всех четырех ног одновременно и навсегда». Ну ваще. Слышь, Томас, откуда ты китайский знаешь? Жил в Пекине?

— Нет. Инструкций сначать толковать на английский ихний китаезный переводчик, затем отнести мне, — пояснил студент.

— Клетка для бардака, похоже, «бардачок», — вздохнула я. — А вот последнее предложение лишено всякого смысла.

— Непонятливость — грех, — упрекнул меня

Томас. — Лампа катать маленький машин, тама нету хрени с дребеденью?

— Что ты имеешь в виду? — опешила я.

— АБС, — стукнула ладонью по столу баба Нила. — До меня дошло! Когда водитель тормозит в гололед, машина теряет управление, крути, верти рулем, тебя все равно снесет в сторону. Если же в авто есть АБС, то появляется возможность исправить ситуацию.

Я с уважением посмотрела на старуху.

— Просто у меня память хорошая, — смутилась та, — а еще я любила внутри кабриолетов сидеть. Уйдут продавцы, я залезу в тачку, глаза закрою и мечтаю, представляю, что она моя, денег у меня гора, холодильник полный, сапог зимних две пары, даже постельное белье могу себе новое купить. Ну, чего он там дальше напереводил?

«Стекла далекого света получают туман или без него. Дождь не застигнет лысину стекла. Кожа настоящей говядины в езду хороша! Купить новый китаезный автомобиль шикарность за разбитый пятак».

— Умереть — не встать, — прыснула баба Нила, — в особенности красиво про пятачок.

— Томас вспомнил выражение «ломаного гроша не стоит», — предположила я. — Сначала китайцы перевели инструкцию на английский, а затем наш сосед адаптировал ее для россиян. Получилось мило, в особенности мне понравился пассаж «Кожа настоящей говядины в езду хороша». Надо посоветовать фирме сделать ее своим слоганом.

— Мне смеяться или плакать? — насторожился Томас.

— Ни то ни другое, — улыбнулась я. — Неси чистый лист, попробуем слегка почистить текст.

Тебе повезло, баба Нила владеет нужной терминологией.

— Счастье по шкале летит вверх, — обрадовался Томас.

Мы быстро справились с задачей. Когда повеселевший студент ушел, я спросила у старухи:

— Как вы держитесь? В материальном плане? Валя в больнице, расходы возросли.

Бабушка взяла пустую сковородку и начала ее мыть.

— Если всю жизнь в нищете сидишь, то привыкаешь. Колян надеется от этих Степана и Пети быдрят получить, но, сама понимаешь, это дело безнадежное. Я ничего против животных не имею, нравятся они мне, пусть живут! Милые твари, аккуратные, неразборчивы в еде: что дали, то и слопают. Вчера вот табуретку схрумкали, наверное, в них бобры проснулись.

— Жалко, — вздохнула я.

— Туда колченогой и дорога, — не расстроилась баба Нила, — чай, не из красного дерева с инкрустацией. Сожрали и на здоровье. Но ведь они Кольке приплод не принесут!

— Вале оплатят бюллетень? — спросила я.

— Раньше Валентина на окладе сидела, весь день по работе металась, за полночь возвращалась и заболела. Нервы сдали, вот я и велела ей: «Плюнь на службу, помрешь от натуги, начальство нового сотрудника наймет, о тебе слезы лить не станет. Хватит ломаться, возьмем жильцов, перебьемся. Лучше сто лет жить с небольшим доходом, чем с капиталом через год откинуться на кладбище».

— Где раньше служила Валя? — коварно поинтересовалась я.

Баба Нила закрыла духовку:

— Название учреждения не помню, фирма юридическая. Валентина хорошая женщина, другая бы моего Кольку давно вон послала. Хоть и сын он мне, да идиот. И лентяй! Устала ему твердить: «Брось мечты разбогатеть за неделю. Иди работай». Знаешь, чего он отвечает? «Нет желания на чужого дядю пахать, свой бизнес подниму, оригинальный». С фантазией у сынка порядок, купит газету объявлений, выберет самое несуразное и хватается за него. Да только ни фига не получается!

Баба Нила взяла из сушки симпатичную чашку с изображением птичек, сделала шаг к столу, на котором стоял электрочайник, внезапно взмахнула руками и упала. Фарфоровая кружечка откатилась от старухи и развалилась на куски. Я бросилась к бабушке:

— Вы ушиблись?

Она пробормотала:

— Вроде цела. На чем-то поскользнулась, нука, глянь, что там на полу.

Я присела на корточки, пошарила рукой по линолеуму и воскликнула:

— Масло! Наверное, когда наливали в сковородку, пара капель мимо угодила.

— Точно, я готовлю на подсолнечном, — закряхтела баба Нила, — помоги встать.

Спустя минуту старуха села на табуретку.

— Давайте чаю вам налью, — засуетилась я.

— Погоди, — притормозила меня хозяйка, — мою чашку возьми, я пью только из нее!

Я ткнула пальцем в осколки:

— Она разбилась.

Баба Нила застыла, потом переспросила:

— Разбилась? Совсем?

— Да, — подтвердила я.

— Не склеить? — прошептала старуха.

— Нет, — ответила я, — не расстраивайтесь, сейчас легко купить другую.

Старшая Рублева отреагировала странно. Она закрыла лицо руками, потом еле слышно сказала:

— Второй такой нет. Единственная была. Подарок. Рухнула моя жизнь! В тартарары улетела! Не будет мне счастья.

Мне стало жаль старуху, и я залепетала:

— Ерунда, все наладится, за черной полосой всегда следует белая.

Баба Нила отвела ладони от щек:

— Ага, сама так говорю, да неправда это. Знаешь, почему Колян такой стал? Ему Федя покоя не дает, младший вроде, а как здорово поднялся. Скребет Кольку зависть. Что-то я разболталась, неинтересно тебе.

— Обожаю семейные истории, — заверила я. — У вас есть еще один сын?

Баба Нила глянула в окно:

— Вроде как. Он не мой. Вышла я в свое время замуж — хотела Коляну отца хорошего, его-то родной был пьяница горький, выпивоха беспросветный. Одной тяжело ребенка поднимать, да и мальчику твердая рука нужна. Вот и сошлась с Сергеем, у того свой ребенок был, моложе Коляна. Жена у него померла, получился он отец-одиночка. Стали жить вместе. Ничего плохого сказать не могу, мы с ним ладили. Сережа не курил, на алкоголь не смотрел, даже пива в рот не брал. О детях заботился, копейку в дом нес, мы в Крым отдыхать ездили. А потом он заболел и за неделю помер.

— Не повезло, — вздохнула я.

— Да уж, — кивнула баба Нила. — Осталась я с двумя парнями, тянула их в зубах, одинаково кормила, поила, на ночь по голове гладила. Вроде похожими росли: учились оба плохо, в армии отслужили, бизнесом заняться решили, и тут их в разные стороны и понесло. Колян дурь затевал, а Федор действовал аккуратно. И теперь он много чем владеет. Может, ты про него слышала? Мамонтов ему фамилия.

Я вытаращила глаза:

— Тот самый? Из списка «Форбс»? Вы шутите?

Баба Нила засмеялась:

— Нет. Федор Сергеевич. К нему теперь не подойти, вокруг охрана, по телефону секретарь отвечает: «Простите, шеф на совещании. Соблаговолите представиться и оставьте номер для контактов». Вона, какое словечко! Соблаговолите!

— Странно, однако, — пробормотала я.

— Что удивительного? — спросила баба Нила.

— Сколько было Федору, когда вы познакомились с Сергеем?

— Восемь месяцев, — пояснила старуха, — а Коляну три года.

— Подняли ребенка, а тот разбогател и вас забыл? — возмутилась я.

— Я ему мачеха, — напомнила баба Нила.

— Не та мать, что родила, а та, что вырастила, неужели олигарх не в курсе, как живут Рублевы?

— Он о нас не печалится, — без особой грусти ответила старуха. — Давным-давно, Федя еще не так забурел, я к нему постучалась и попросила: «Помоги Николаю на ноги встать, возьми на работу».

А он ни в какую: «Колька работать не хочет, желает свое дело завести. Вот пусть и пыхтит, денег ему не дам, профукает на дерьмо, не в первый раз».

— И вы молча ушли? — поразилась я.

Баба Нила скривила губы:

— Нет, наступила на горло гордости, руку протянула, взмолилась: «Не хочешь брату помочь, мне слегка пособи, много не прошу, дом отремонтировать надо, котел отопления сломался, починить нельзя». Федя так удивился! «Почему? — говорит. — Любую вещь можно отремонтировать». Я ему и брякни: «Но не тогда, когда она померла! Старье, рухлядь».

Мамонтов посмотрел на меня внимательно и вдруг говорит: «Однако во времена моего детства у вас было другое на сей счет мнение. Я за школьные годы ни разу новых ботинок или хорошей одежды не носил, таскал за Коляном обноски. Придется вам теперь котел донашивать».

— Сукин сын, — возмутилась я, — он не понимал, что у вас элементарно не было денег на экипировку двоих детей?

Баба Нила пожала плечами:

— Нет. Все детство молчал, злобу копил.

— Вы имеете право на алименты от сына! — вспыхнула я.

Старуха выпрямилась на табуретке и сложила руки на коленях:

— Он мне не родной, по документам посторонний, ни малейшей связи у нас нет. А кабы и была, то я не запачкаюсь, последнее дело у сына деньги отнимать.

— Федор давно потерял счет миллионам, — не успокаивалась я.

Баба Нила пошевелила артритными пальцами:

— Знаешь, как у нас в России? Сегодня царь, завтра рукавицы на зоне шьешь. Опасная у Феди работа, ни жены, ни детей не завел, все на алтарь бизнеса положил. Мы с ним давно чужие.

Пойду Коляна разбужу, он сегодня куда-то собрался. Ты уж извини меня за сопли. Чашку, ну ту, что разбилась, Сергей подарил, незадолго до своей смерти принес и говорит: «Держи, Нилушка, красивая кружка?» Я давай охать: «Зачем купил, небось дорого». А муж в ответ: «Побаловать тебя захотел. Это будет твой счастливый бокал, всегда из него чай пей». Я чашку берегла, никому не давала и, видишь, разбила.

Сгорбив спину, баба Нила встала, взяла веник и начала заметать осколки. Я, не зная, как утешить старуху, растерянно молчала, а та внезапно выпрямилась:

— Такая же кружка у Федьки была, он, когда мою увидел, истерику закатил, ногами топал! Сергей в магазин сгонял и сыну тоже купил. Уж не знаю, цела ли она у него. Хотя навряд ли, он теперь на золоте ест. Слышь, Лампа, ты никому про наше родство с Мамонтовым не брякни. Колян приказал о Федьке навсегда забыть, велел на иконе поклясться, что ни словом о нем не обмолвлюсь. Да и, признаться, я Федора давно из сердца и ума выкинула. Сегодня из-за чашки расстроилась, она мне самая дорогая вещь была, вот и замолола языком. Сделай одолжение, похорони то, что слышала.

Я наклонила голову:

— Баба Нила, простите! В свое время я после отита заработала осложнение и сейчас плоховато слышу. Извините, я просто кивала головой, ваши слова не разобрала, поняла лишь, что вас расстроила разбитая чашка.

Старуха собрала осколки на совок и, ссыпая их в мусорное ведро, пробормотала:

— Спасибо.

ГЛАВА 24

Я не читаю журнал «Форбс» и не слежу за списком самых богатых людей России. У меня есть подруга, Анюта Филиппенко, она журналистка и не так давно брала интервью у Мамонтова. Отлично помню реакцию Анютки. Сразу после свидания с богачом Филиппенко примчалась в Мопсино и затараторила:

— Ну, ваще, он странный! Никогда не подумаешь, что такой кент способен бабло косой косить.

— Дурно воспитанный мужлан? — предположила я. — В процессе общения с тобой сморкался при помощи пальцев, шумно рыгал, клал ноги на стол?

Анюта стрельнула глазами:

— Нет, внешне он милый, одет шикарно. Я тоже в грязь лицом не ударила, прикинулась по моде, сапоги-ботфорты, юбочка кожаная, волосы уложила, маникюр, косметика, духи. Федор не женат, никаких сплетен о его личной жизни не ходит, ну вот!

— И ты решила понравиться одинокому олигарху? — бесцеремонно спросила я.

— Зарплата у меня, знаешь ли, не ахти, хотя возможности у журналистов хорошие, — созналась Анюта, — да зря я старалась, он никакого внимания на мои ноги не обратил.

— Хам! — подначила я приятельницу. — Девушка столько усилий потратила, а он не впечатлился.

— Мамонтов велел подать кофе, коньяк, пирожные, — перечислила Филиппенко, — продемонстрировал респект по отношению к прессе. Мило улыбался, но интервью не получилось.

— Почему?

— Задаю ему вопрос о бизнесе, отвечает его консультант, спрашиваю о личном, вещает адвокат, — вздохнула Анюта. — Сам олигарх лишь головой в такт кивал.

— Вероятно, у Мамонтова был негативный опыт общения с прессой, — предположила я, — вот он и принял меры предосторожности.

— Я же не из «Желтухи», — вознегодовала Анюта, — а из солидного бизнес-издания. Меня цвет его трусов и количество любовниц не волнуют. Речь шла о том, как выжить в трудное время малым предприятиям. О кредитовании и еще куда сейчас лучше вкладывать средства. Неужели у Мамонтова нет собственного мнения? Кстати, он с репортерами не встречается, в теле- и радиопрограммах не участвует, по тусовкам не ходит, в светской жизни не блистает, на выставках-презентациях не бывает. Бирюк.

— Ну и не обращалась бы к нему, — пожала я плечами.

Филиппенко вскинула голову:

— Главный редактор мне череп прогрыз, хотел напечатать материал с Мамонтовым, эксклюзив, понимаешь. Во я нахлебалась! Три месяца с его секретаршей общалась! Просто женщина-робот! Ну, в конце концов договорилась, его в компании юриста и помощника увидела, затем статью на визу отправила. Они ее тридцать дней изучали. Начальник чуть концы не отдал, каждое утро мне мозги бором сверлил: «Где интервью с Мамонтовым?»

Я звоню в офис олигарха, секретарь говорит: «Минуту, соединяю с помощником». А тот заявляет: «Работаем, подбираем правильные формулировки, завтра получите текст».

Проходит названный срок, а в электронке — фига. Бегу по новому кругу. В конце концов мне объявили: «Мамонтов уехал в Швейцарию».

— Никогда не мечтала о журналистике, а после твоего рассказа очень рада, что не имею ни малейшего отношения к прессе, — выдохнула я.

— Ну не все такие гоблины, — протянула Анюта, — встречаются на тернистом пути вполне нормальные люди.

Сейчас, вспомнив ту беседу, я от души пожалела бабу Нилу. С таким недотепой, как Колян, ей нечего ждать обеспеченной старости. Федор забыл про мачеху, он не собирается помогать женщине, которая его вырастила.

В кухню вошла Прасковья Никитична.

— Доброе утро, — чуть протяжно произнесла она, — есть хочется.

Я обрадовалась: свекровь Нины вроде в нормальном состоянии, вероятно, она сумеет ответить на некоторые вопросы.

— Кашу сварили? — спросила Прасковья.

Я открыла холодильник:

— Сейчас подогрею. Вы не знаете, где Нина?

— На горе, — охотно сообщила она.

— И где это? — нежно пропела я, запихивая фарфоровую тарелку в микроволновку.

— Там ворон крыльями машет и рак свистит, — поведала Прасковья, — там на неведомых дорожках бродит золотое руно под руку с Моисеем.

Я водрузила на стол завтрак, вручила Прасковье Никитичне ложку и спросила:

— Можно, зайду в ваши комнаты?

— Вкусная картошечка, — откликнулась старушка, зачерпывая кашу, — жаль, лука нет.

Я молча ушла в коридор. Похоже, несчастная

окончательно выжила из ума, уже не способна понять, что ест, путает овсянку с пюре. Не дай бог превратиться в подобное существо, незачем разговаривать с Прасковьей, это бессмысленная трата времени.

Очутившись на территории Силаевой, я стала методично обыскивать комнату. Около получаса понадобилось на то, чтобы понять: у Нины нет ни записной книжки, ни дневника, ни блокнота с заметками. Минимум одежды, почти полное отсутствие косметики, жалкое количество детских вещей, пара игрушек — вот и все богатство. Зацепиться не за что. Ни квитанций, ни каких-нибудь чеков, ни листочка с номерами телефонов, оставленного на всякий случай для Прасковьи Никитичны.

На тумбочке у одной кровати нашелся сотовый ядовито-розового цвета. Подобные аппараты минимальной стоимости покупают первоклассникам. Если малыш потеряет трубку, жалко ее не будет. Нина решила, что мобильный без наворотов лучше всего подходит Прасковье Никитичне. Ну зачем полубезумной свекрови фотоаппарат, видеокамера, калькулятор, радио и возможность подключаться к Интернету?

Я понажимала на большие кнопки. Никаких эсэмэсок или звонков, с Прасковьей Никитичной давно не общались. Но о старухе явно нежно заботятся. Кровать Нины застелена старым, кое-где зашитым бельем, а одеяло Прасковьи Никитичны заправили в пододеяльник с кружевной отделкой. Халат и тапочки Нины сильно поношены. В феврале хочется закутаться в уютный велюровый или толстый махровый шлафрок, но у Силаевой был тоненький, почти прозрачный халатик из ситца, в таком зимой холодно и некомфортно. Роль домашних тапочек выполняли дешевые пластиковые сланцы, на которых от длительной носки стерлось название фирмы-производителя. А бабуля сейчас явилась на кухню в симпатичном стеганом халате и в тапочках из овчины. Силаева баловала Прасковью, она не могла бросить выжившую из ума мать Филиппа.

С Ниной определенно случилась беда — вот таким был мой вывод.

Я побежала к себе, быстро оделась и пошла в ванную, чтобы там перед зеркалом накрасить глаза. Едва рука поднесла к веку кисточку, как из ванны послышалось громкое «Аффф». От неожиданности я уронила коробочку с тенями, наклонилась и увидела лохматую зверушку, сжимающую в лапках мочалку.

— Ты Степа или Петя? — осведомилась я.

— Аффф, — выдохнуло животное, — аффф.

— Без разницы, как тебя зовут, — сказала я, — имей в виду, губка не съедобна. Дай ее сюда.

Чтобы отнять у быдры мочалку, мне пришлось потрудиться. Степан или Петр не хотел делиться добычей. Сначала потенциальный производитель быдрят фыркал, затем коротко заявил:

— Пшш, пшш.

Такой звук издает воздух, вырываясь из продырявленного шарика. По мере того как я увеличивала натиск, быдра злилась все сильнее и в конце концов начала шипеть, словно раскаленная сковородка, на которую выплеснули стакан холодной воды.

— Дурачок! — укорила я источник будущего богатства Коляна. — Успокойся, еще живот заболит!

Быдра изо всех сил вцепилась в мочалку. Стало понятно, что она готова сражаться до конца. Я сбегала на кухню, принесла кусок белого хлеба и протянула его любителю поролона.

— Давай поменяемся! Батон намного вкуснее мочалки.

Петя или Степан моментально выпустил из лап несъедобный предмет и схватил булку. Я скорехонько подобрала губку и отправилась на кухню, там у плиты опять суетилась баба Нила.

— В ванне быдра сидит, — сообщила я.

— Они не кусаются, — ответила старуха, — еще маленькие, наверно.

— Так вот, насчет клыков, — продолжила я и продемонстрировала сильно помятую мочалку: — Одна из быдр намеревалась вкусно позавтракать. Поролон не переваривается, он и пластиковые пакеты представляют особую опасность для животных, много щенков и котят погибло, наевшись в отсутствие хозяев всякой дряни.

— Вот черт, — расстроилась баба Нила, — что делать-то? В доме полно разных вещей, Колян в город уехал, а я могу недоглядеть за хулиганами.

— Их надо посадить в загон, — предложила я. — Знаете, для младенцев выпускают манежи. В зоомагазине продают железные заборчики. Ограждение придумано для щенят: перекрываете им часть комнаты, бросаете несколько безопасных предметов, ну, допустим, яблоко, морковку, сушку-челночок, и спокойно уходите. Щенок мирно слопает «игрушку» и заснет до вашего возвращения.

Баба Нила подперла рукой подбородок:

— Коляна заводчик быдр предупредил, что они должны жить на свободе, в клетке не размножаются. Сын их отпустил по всему дому гулять, он разозлится, если я Степана с Петром ограничу. Николай гневливый.

— Правда? — поразилась я. — За все время, что тут живу, Коля ни разу ни на кого голос не повысил.

Старушка открыла холодильник:

— Он редко бесится, да метко. Не дай бог ему под горячую руку попасть. Валентине как-то раз здорово досталось. Уж чего они не поделили, не знаю, я тогда в автосалоне работала, там машинами круглосуточно торговали, порой хозяин меня только ночью отпускал. Ну и день сегодня! Сделала вчера пюре, а оно исчезло! Кастрюля пустая!

Я перевела взгляд на плиту и против желания выпалила:

— Там была геркулесовая каша!

— Да ты чего, Лампа, — покачала головой мать хозяина, — мятая картошка, я растолкала ее пестиком, маслом заправила! И кто все слопал? Небось Томас, он как вечером погуляет, так ночью полки обшаривает! Кактус схарчил, теперь от пюрешки ничего не оставил. Ну мужики, что русские, что американцы — разницы никакой! Да и фиг бы с картошкой, новую сгоношу, слава богу, ее полно. Осенью купила у Володьки Сергеева несколько мешков и в подпол спустила. Ща принесу. Эхма, холод-то, лень на двор идти. Ладно, попозже схожу, авось снег с неба валить перестанет. О чем я говорила? Ах да! Прихожу в тот день домой, а у Вали свет горит! Не подумай, я не любопытная, в супружескую спальню без стука не вопрусь. Просто отметила, что они бодрствуют, и в ванную поползла. Щелкнула выключателем. Мама родная!

Будто мамай прошел! Зеркало разбито, полотенца на полу, скомканные, все в крови! Стаканы стеклянные для щеток — в осколки! По полу мелочовка раскидана! Испугалась я, забыла про приличия, кинулась к невестке и сыну. Коляна дома не оказалось, а Валя в кровати лежит. Лицо в синяках, шея бордовая, словно ее душили, губа разбита. Я давай ее трясти. Невестка сначала соврала: «Шла домой с работы, поскользнулась, упала и головой о кирпичи, которыми клумба обрамлена, треснулась». Но я ее спросила: «Валюш, на чем же у тебя ноги разъехались? На дворе лето, гололеда нету, дождя третью неделю не было, и камни из сада я еще в мае на жестяные ленты поменяла». Тут-то она заплакала и сказала, что Колян на нее за дело разозлился и поучил как следует.

— И как вы отреагировали? — спросила я.

Баба Нила вынула из шкафчика большую побитую эмалированную миску.

— Нечего матери в семейные дела сына соваться. Колян не пьяница, не сволочь, не наркоман, просто иногда от гнева ум теряет. С пустяка не взбесится, да и Валя сама призналась: за дело он ей глаз подбил. Она ему изменила.

— Это вам Колян сказал? — удивилась я. — Редкий мужчина не бросит супругу, наградившую его рогами.

— Я сама догадалась, — отмахнулась баба Нила. — Валентина потом почти месяц дома сидела. Думаю, ей Эля, первая Николашкина жена, бюллетень спроворила. На тридцать дней в районной поликлинике освобождение не дадут, а в больнице — пожалуйста. Эля в хирургии служит, она доктор. И зубы Вальке она вставила, нисколечко в этом не сомневаюсь. Привела себя Валентина в порядок, челюсть отремонтировала, синяки залечила и на старую работу не пошла, уволилась. Почему? Там у нее положение было, оклад небольшой, но стабильный, могла вперед продвинуться. Есть один ответ: муж ей велел. Колян узнал, что у Вали в любовниках сослуживец .Эхма, все же попрусь за картошкой.

Я выхватила у старухи миску:

— Извините, это я скормила Прасковье пюре, спутав его с кашей. И ведь она повторяла: «Вкусная картошечка», а я подумала: совсем из ума выжила, овсянку от пюре не отличает. Получается, не Прасковья безумная, а у меня в голове туман. Где подпол? Принесу картошку и почищу. Еще раз прошу прощения.

Баба Нила улыбнулась:

— Ерунда, картофеля полно, просто на холод мне переть неохота. Выйди через заднюю дверь, пересеки двор, у забора сарай, в левом углу, в полу, кольцо торчит. Потянешь за него, крышку поднимешь и спускайся. Как в подполе очутишься, справа выключатель. Осторожно пригнись, а то о притолоку шарахнешься, и не задень мою сигнальную веревку с колокольчиками.

Я шагнула к двери и не смогла сдержать любопытства:

— У Николая второй брак?

— Да уж не первый, — подтвердила старуха, — никак мне внучат не родит.

— И Валя поддерживает отношения со своей предшественницей? Редко две жены дружат, — зачем-то продолжила я расспросы.

— Эля хорошая, — заулыбалась баба Нила, — служит в больнице, где челюсти оперируют, там лучшие стоматологи собрались. Мы все к ней ходим. Во, смотри, какие зубки!

Баба Нила открыла рот и продемонстрировала ровный ряд белых клыков.

— Думаешь, это протез, — хитро прищурилась она, — или мост? Или съемная лабуда на присоске? Нет! Эля мне в десну железяки вживила, а уж на них зубы навинтили. На всю жизнь богатство. Если коронка сломается, делов на три минуты. Врач ее снимет и новую сделает.

— Импланты, — кивнула я.

— О, точно! — обрадовалась баба Нила. — Я слово забыла. Элька такая, с ней мигом подружишься, добрая, всем помочь готова.

Я уронила миску, быстро подняла ее и поторопилась в сарай.

ГЛАВА 25

Сарай оказался не заперт, внутри был свален всякий милый сердцу русского человека хлам. Ну зачем нужен ржавый остов велосипеда без колес, цепи и руля? Какой смысл хранить старые, покосившиеся деревянные оконные рамы? Что за ценность представляют гнутые гвозди и винты со стертой резьбой? Все это «богатство» следовало оттащить на помойку. Но нет! Наш человек, поставив в доме современные стеклопакеты, прежние рамы отвезет на дачу и спрячет в сараюшке. Зачем? Нет ответа. Ну так, на всякий случай, авось пригодятся. С той же целью россиянин поднимет с земли гвоздик: его можно выпрямить, почистить и сохранить. Если у вас нет домика в деревне, тогда барахлишко копится в чулане. Последний не предусмотрен в квартире? Ничего, зато есть балконы или лоджии. Давно пора устроить конкурс среди москвичей, предложив им показать, что спрятано в подсобках, пылится на антресолях или погибает в других загашниках. Комплекты резины для автомобилей, промасленные ватники, валенки с галошами, лыжи, велосипеды, детские ванночки, корыта, утюги, старые радиоприемники, баки для кипячения белья — это обычный набор. Победа должна достаться тому, кто продемонстрирует нечто оригинальное. Вот одна из наших соседок по блочной башне Ника Перова берегла коробку с носками. Все пары были тщательно скручены в комочки, сложены в пакеты и снабжены наклейками «Сергей», «Илья», «Андрей». Расставшись с очередным мужем, Ника сохраняла его носки. Зачем?! Ну не задавайте глупых вопросов. Сами знаете ответ: вдруг понадобятся.

Я протиснулась между развалинами стола и трупом кресла, нашла кольцо в полу, без особых проблем спустилась вниз, зажгла свет и неожиданно обнаружила в подполье почти армейский порядок. По правую руку высились небольшие деревянные бочки: в одной баба Нила заквасила капусту, в другой засолила огурчики. Слева, в загончике, свалена гора картошки, поодаль — меньшие пирамиды из свеклы и моркови. Прямо по курсу я увидела полки с банками, с потолка свешивались сетки с репчатым луком. Бабе Ниле мог позавидовать самый запасливый хомяк.

Набрав в миску клубни, я вылезла в сарай. В отличие от подпола, тут электрической лампочки не было. Свет поступал через небольшое окно, его вполне хватало, чтобы рассмотреть крупные предметы, а вот всякая мелочь тонула в сумраке.

Я сделала пару шагов, споткнулась о какую-то сумку, упала и опрокинула миску. Следующие четверть часа пришлось ползать на карачках и собирать картошку. Конечно, проще всего вновь посетить «овощехранилище» и не пачкаться. Но я отлично знаю: закатившись в угол, клубни начнут гнить и издавать смрадный запах. В процессе сбора картошки я вновь наткнулась на старую сумку, набитую тряпками, встала, тщательно собрала овощи, отнесла бабе Ниле и поехала к Тимофею Пантелеймоновичу Ковригину.

Дверь в квартиру Тима-плотника открыл парень с сильно распухшей правой щекой.

— Болит? — участливо спросила я.

Юноша кивнул, но потом вдруг разозлился:

— Че надо?

— Тимофея Пантелеймоновича, — ответила я.

— Такого нет, — гаркнул юноша и со стоном схватился за флюс.

— Вам лучше посетить стоматолога, — посоветовала я.

— Ну, блин, спасибо, — протянул юноша, — а то сам не догадался.

— Простите, вы снимаете квартиру? — попыталась я продолжить беседу.

— А че, нельзя? — окрысился жилец.

— Хозяин жилья, господин Ковригин, он где? — настаивала я.

— Да пошла ты! — рявкнул хам.

Пришлось вытащить удостоверение и сунуть грубияну под нос. Бордовая книжечка подействовала на парня, как ушат ледяной воды.

— Здрассти, — залебезил он, — десну разнесло, сил нет, как дергает.

— Как вас зовут? — сухо спросила я.

— Женя. Евгений Слуцкий, — представился парень.

Я откашлялась:

— Господин Слуцкий! Жители подъезда сообщили о пребывании в данной квартире особо опасного преступника, давно объявленного во всероссийский розыск. Если вы его прячете, то становитесь соучастником, вам грозит двадцать лет в колонии строгого режима без права переписки и передач.

Увы, россияне в своей массе абсолютно юридически безграмотны. Сомневаюсь, что хотя бы половина соотечественников прочитала основной закон родного государства, хорошо, если вспомнят, что имя ему Конституция. А если вы не в курсе своих прав, то легко становитесь жертвой нечестного представителя власти или чиновника любого ранга. А уж какой срок положен за совершенное преступление, не знает большинство мирных граждан. На будущее имейте в виду: ни следователь, ни оперативник не назначают меру наказания, они вообще не имеют права никого осуждать, это задача суда. Дознаватель лишь собирает факты, улики, оценивать их не его работа, и пока вам не зачитали приговор, вы невиновны.

— Я ниче не делал, — заныл Женя, — ваще тут только два дня ночую!

— Значит, ты квартирант, — сделала я вывод.

— Не-а, — замотал головой Слуцкий, — я просто пришел.

Я уперла руки в бока:

— Здорово. Гулял Женя по улице, увидел дом,

подумал: «Дай-ка переночую» и попал в квартиру. Ключ, наверное, под ковриком нашел?

— Маринка дала, — буркнул Женя, — она здесь хозяйка, я в общежитии прописан, учусь в институте рекламы и экономики. В общаге жить невозможно, шесть человек на десять метров, небось в тюрьме и то получше. Маринка москвичка, у нас с ней, типа, любовь. На днях решили вместе поселиться.

— Кто у Марины родители? — насела я на Женю.

— Ну... мужчина и женщина, — ответил студент.

— Оригинальное предположение, — вздохнула я. — Где отец и мать твоей невесты? Ну-ка впусти меня.

Евгений посторонился, я бесцеремонно вошла в крохотную прихожую, стукнулась плечом о дверь в санузел, увидела микроскопическую кухню с кокетливыми розовыми занавесками в оборочках и без приглашения порулила в комнату. Евгений плелся следом, тихо ноя:

— Не видел я ее предков, ниче о них не слышал!

Я села в кресло и быстро оглядела пространство вокруг. Похоже, Марина до появления жениха жила тут одна. На диване навалены подушки в виде собачек, в подставке у телевизора диски с мультиками, из газетницы высовываются гламурные глянцевые журналы. Евгений пока не успел повлиять на обстановку.

— Ладно, скажи фамилию Марины, — велела я.

Слуцкий страдальчески нахмурился:

— Э... э... забыл спросить.

— Вот здорово! — восхитилась я. — А что ты знаешь о невесте?

— Она москвичка, — уверенно заявил Женя, — учится в МГИМО[1]. Ей родичи квартиру купили, машину пообещали. Шуба у Маринки красивая, часы с брюликами. Внешне она не мисс мира, но и не страшная, правда, толстая. Ниче, на диету сядет.

Я еще раз оглядела комнату. Телевизор новый, но не престижной марки, так сказать, народная модель. Стол, стулья, диван явно приобретены в магазине, который позиционируется как продавец дешевой, качественной мебели. Только вот мне до сих пор не попадались хорошие вещи за копейки (нынче и за большие тысячи вам предложат барахло). Мебель, что украшала квартиру Ковригина, слепили из прессованных опилок. Плед, накинутый на диван, Марина явно купила в супермаркете, в отделе сопутствующих товаров, он стоит чуть меньше двухсот рублей, потому что сделан из постоянно электризующейся синтетики. Я тоже польстилась на подобный и была наказана за жадность — после первой стирки он пошел пятнами и порвался. И я сильно сомневаюсь, что родители, чья дочь посещает занятия в МГИМО, облагодетельствовали любимое чадо затрапезной

---

[1] МГИМО — Московский государственный институт международных отношений, с советских лет и по нонешний день кузница кадров дипломатов, финансистов, журналистов. Простому ребенку туда поступить практически без шансов. На бюджетном отделении обучаются дети высокопоставленных родителей, на коммерческом — те, чьи отцы и матери готовы заплатить крупную сумму. Не исключаю, что среди студентов имеется малый процент юношей и девушек «из народа», но основная масса прикатывает на занятия в дорогих, новых иномарках, часто с шофером и охраной.

«однушкой» в старой, дышащей на ладан блочной девятиэтажке, построенной в восьмидесятых годах прошлого века. Неужели богатый человек поселит девочку там, где нет консьержки и видеонаблюдения? Он разрешит ей ездить в загаженном лифте? Не позовет дизайнера для оформления интерьера?

— На каком курсе Марина? — задала я новый вопрос.

— Э... э... — замычал Женя, — э... э...

— Назови факультет, — велела я.

— Русской литературы, — обрадовался Евгений.

Мне стало смешно.

— Точно помнишь?

— Да, — уверенно ответил Слуцкий. — Она курсовую по Пушкину пишет.

— Может, ты неправильно расслышал, — усомнилась я, — и Марина обучается не в МГИМО, а в МГУ? — Я отлично знаю, что в Институте международных отношений факультета русской литературы нет и никогда не было.

— Я похож на идиота? — обиделся студент. — На фиг мне девка из университета. Они ж там нищие! Вот в МГИМО супергерлы, у каждой папаша олигарх, мать бизнесвумен. Мы с ней в клубе скорефанились.

Я исподлобья взглянула на Женю. В девятнадцатом веке французский писатель Оноре де Бальзак написал серию книг, среди героев которых был молодой, амбициозный, но нищий юноша, который приехал покорять Париж. Добиться успеха и богатства он решил, заводя романы с обеспеченными дамами. Одна ввела кавалера в высший свет, другая его одевала, обувала, кормила, на третьей, дочери весьма знатных родителей, альфонс женился. Сменились десятилетия, но молодых мужчин, желающих устроиться в этой жизни за счет слабой половины человечества, не стало меньше.

— И в каком клубе произошло ваше первое свидание?

— «Два кило», — чуть смущенно признался Женя. — Я ваще-то в такие не хожу. Отстой для гастарбайтеров и шлюх. Но у меня там приятель бармен, вот я и заглянул. Она у стойки сидела, сильно от остальных отличалась, платье дорогое, духи. Сказала, что на улице упала, каблук сломала, пришлось в ближайшее заведение зайти, в туалете грязь смывать.

— Давно вы знакомы? — улыбнулась я.

— Неделю, — спокойно ответил Женя.

Я встала:

— Спасибо за гостеприимство. Когда Марина вернется?

— Лекции у нее заканчиваются в пять, потом она в фитнес-клуб на Рублевке едет, к десяти дома будет, — выдал планы подруги Слуцкий.

Уже в дверях я не выдержала и спросила:

— Ты давно в Москве?

Глаза Жени забегали из стороны в сторону.

— Я коренной. С Тверской.

— Почему в общежитии поселился? — хмыкнула я. — Бесплатное жилье дают исключительно иногородним. Ты на каком курсе?

— На первом, — сник парень, — я сирота, родители умерли, дом наш блочный, три этажа, его расселяют, там воду и свет отключили, предлагают жильцам квартиры, но все очень далеко, за МКАД. Я привык около Кремля жить, вот и не соглашаюсь, жду достойный вариант. Меня ректор пожалел, временно дал общагу.

Следовало уйти, но я не сдержалась:

— И Марина тебе поверила?

— Я никогда не вру, — торжественно заявил студент.

— Все лгут, — пессимистично высказалась я, — вопрос лишь в том, зачем и по какому поводу. Женщины часто скрывают свой возраст, а я, например, постоянно говорю подругам при встрече: «Шикарно выглядишь, похудела, помолодела». Аптекарски чистая брехня, но злого умысла или корысти в ней нет ни грамма. Хочу сделать знакомой приятное, и все. Но ты другое дело. Деточка, на Тверской отродясь не было трехэтажных блочных домов.

Слуцкий дернул плечом:

— Ну... типа... не совсем на ней живу... Сбоку!

— С одной стороны там Никитская улица и многочисленные переулки, застроенные в прежние века, когда о блочных кубиках не имели понятия, с другой — Петровка, Неглинная и, опять же, небольшие переулки, вроде Столешникова. Никакой массовой застройки. Еще учти, что в столице редко можно встретить трехэтажные панельные здания, это характерно для провинции. Да, сейчас в Москве стараются улучшить людям жилищные условия и действительно предлагают квартиры за Кольцевой. Но тех, кто не соглашается на быстрый переезд, не лишают ни света, ни газа, ни воды. Это запрещено законом. Охотно верю, что в каком-нибудь далеком городе местная власть способна на самоуправство, но в столице полно газет и телеканалов, которые охотно раздуют инцидент. Так откуда ты?

— С Москвы, — уперся Женя.

Я махнула рукой и захлопнула дверь. Вернусь сюда в десять вечера и потолкую по душам с дочерью олигарха, получившей от родителей затрапезную нору в непрестижном районе. Отлично понимаю, как обстояло дело. Марина и Женя отчаянно врали друг другу. Оба они из провинции, мечтают осесть в Москве, найти себе пару с пропиской. Девушка представилась столичной жительницей, Женя тоже не подкачал. Первая спела песню про МГИМО и родителей, второй нафантазировал дом на Тверской. Ну да мне их ложь неинтересна, хочу лишь выяснить, какое отношение имеет к девушке Тимофей Пантелеймонович. Может, он сдал ей жилплощадь? Если Марина платит Тиму-плотнику за аренду, то у «студентки» должен быть его телефон. Отыщу бывшего уголовника — сумею напасть на след Нины. А сейчас позвоню Герману и попрошу рассказать, что он смог выжать из записи моих бесед с Силаевой.

ГЛАВА 26

— Не один час на это убил, — сразу пожаловался Герман.

Но я не стала жалеть компьютерщика.

— Добрые дела очищают карму, в следующей жизни тебе это зачтется.

— Дурацкий мне достался характер, — гудел Герман, — если включился в задачу, обязан ее решить, никогда не бросаю ничего на полпути.

— Приклей на дневник золотую звездочку, — съехидничала я, — давай по теме.

Герман со смаком чихнул.

— Первый разговор снайпер вел из небольшого помещения, скорее всего, хорошо изолированного. Вероятно, сидел в квартире с закрытыми окнами и дверью. Ничего я не выудил, кроме тихого «пшш, пшш». Зато понял, что голос изменен, слегка поработал над звуком и с большой долей вероятности могу сообщить: говорила женщина. Эй, ты почему не удивляешься?

— Ну надо же! — воскликнула я. — Баба-киллер!

— Ты знала, — обиделся Герман.

— Лучше сказать «предполагала», — ответила я.

— Больше всего инфы я выжал из другой записи, — продолжал Герман, — сначала я услышал звук «Тук-тук, тук-тук», потом «Пшш-бух-бух», «Пшш-бух-бух».

— Ты уже рассказывал, — напомнила я.

— А вот и нет! — не согласился Герман. — Было «пшш», «пшш» — без «бух-бух». На той, ранней, записи звук тихий, деликатный, откуда он — непонятно. Но тут у меня случился насморк! Чертов босс неделю чихает, всех заразил! Я купил в аптеке спрей, нажал на дозатор и услышал «Пшш», «Пшш». Снайпер пользовался каким-то лекарством. Их сейчас часто выпускают в баллончиках: от астмы, ангины, простуды, головной боли, чего только нет.

— Очень глупо звонить по важному делу инкогнито и одновременно пользоваться медикаментами, — усомнилась я.

Герман чихнул.

— Вовсе нет. Я вот, например, сейчас себе в нос собрался пшикнуть, дышать невозможно!

— Мы обсуждаем рабочие дела, ты не скрываешь своей личности, не хочешь остаться неизвестным, не боишься быть арестованным за применение оружия. А снайпер сделал все, дабы запутать следы, и взялся за спрей? Где логика? — повысила я голос.

— Случается, что человек из-за спазма не может продолжать разговор, — выдвинул свою версию Герман. — На нервной почве парализует горло или схватывает судорога. Волей-неволей обратишься к аптечке. Снайпер говорил, а затем крохотная пауза, «пшш», «пшш» и продолжение беседы.

— Она прервалась на пару секунд, — протянула я, — ей понадобилось принять дозу. Это говорит о том, что у тетки хроническое заболевание, поэтому она носит в сумочке ингалятор. Ну, допустим, спрей с валерьяной.

— Что-то мне подсказывает: ты знаешь, кто она, — буркнул Герман.

Я решила не рассказывать парню про Нину, про то, как Силаева при мне пользовалась ингалятором, поэтому сделала вид, что не заметила его последнего замечания, и быстро сказала:

— Или у нее банальная простуда!

— Думаю, первое предположение более верное, — подхватил Герман. — Насморк придает голосу небольшую гнусавость, звук «н» иногда звучит как «д». Человек говорит не «нет», а «дет». Но в представленном материале подобного дефекта не наблюдается.

— Хорошо, теперь вернись к последней записи!

— Там другой «пшш», более сильный, сопровождаемый «бах-бах» и еще «тук-тук». Я искал в базе звуков целый час, — не преминул пожаловаться Герман.

— Есть такая? — недоверчиво спросила я.

— Ага, — подтвердил Герман, — прикольная вещь, в ней часто звуковики из кино шарятся, рекламщики. Видела клип про зубную пасту?

Там человек яблоко откусывает, с хрустом. Знаешь, как его воспроизвели?

— Кто-то с шикарными клыками лопает за кадром фрукт, — предположила я.

— Нет, — засмеялся Герман, — это проделывал бобр, ему давали самую крепкую антоновку, животное и хрумкало. У человека так громко и аппетитно не выйдет.

Я притворилась огорченной:

— Кругом обман.

— Не верь услышанному, подвергай сомнению увиденное, — завел Герман.

— Только улики не лгут, они молча рассказывают правду, — завершила я известное высказывание. — Что ты выяснил?

— Место, откуда снайпер звонил в последний раз, находится возле стройки, «пшш, пшш, бух-бух» — звук от сваезабивающей техники, причем не простой, а той, что применяют в мостостроении.

— Интересно, — отметила я.

— Слушай, — зачастил Герман, — там еще было «тук-тук... тук-тук... тук-тук».

— Дятел! — предположила я.

— С колесами! — заржал компьютерщик. — Это стук поезда. Еще тихий гул, эхо, короче, не стану перечислять все, лучше назову место.

— Знаешь адрес?! — закричала я. — Какого черта ты тянул кота за бантик?

— Не знаю, — принялся занудничать парень, — я лишь выдвигаю версию.

— Двигай живее, — занервничала я.

— Если поезд — значит, неподалеку железная дорога, — зачастил Герман, — рядом есть стройка, судя по эху — подвал, гул, с большой долей вероятности, издает некая воздухоочистительная система. Я соображал долго и дотумкал. Улица Бастыркина, она одним краем упирается в рельсы, ведущие в сторону Питера, а там сейчас сооружают мост. Больше всего подходит дом номер пятнадцать, он последний по магистрали, примыкает к железной дороге, новый мост тянут в двух десятках метров от насыпи. Жильцов в здании нет, да оно никогда и не было обитаемым, на Бастыркина ранее был таксопарк, это здание — останки административного корпуса. Готов спорить, что звонок был оттуда. Компьютер не ошибается, он все варианты перебрал и выдал два. Бастыркина и проезд Томилина. Но на Томилина неделю назад работы по строительству были приостановлены. Жители на демонстрацию вышли, шумели очень. Остается Бастыркина. Еще один аргумент в пользу заброшенного таксопарка: киллер звонил в то время, когда по рельсам покатил состав Москва — Вальск, а рабочие забивали сваи. Администрация торопит строителей, вот они, пользуясь тем, что там, по сути, промзона, и пашут круглые сутки.

— Спасибо, — закричала я, хватаясь за руль, — ты гений!

— Я лучший из гениев, — поправил Герман.

Мне было недосуг слушать его похвальбу, я поспешила по указанному Германом адресу, по дороге я безостановочно названивала Максу и в конце концов оставила ему на автоответчике сообщение.

На улице Бастыркина запросто можно снимать кино, повествующее о жизни землян после глобальной катастрофы или ядерной войны. Часть домов лишилась крыш и окон, другие на первый взгляд казались целыми, но при ближайшем рассмотрении становилось ясно: тут давно не ступала нога человека.

Гаже всех выглядело здание бывшего таксопарка. Оно действительно подступало почти вплотную к рельсам. Я вытащила из багажника фонарь, прихватила чемоданчик со всем необходимым и храбро пнула дверь в здание администрации.

Ржавые петли слабо скрипнули, луч света полоснул по полу, раздался тихий писк, поодаль метнулось несколько крохотных серых теней. Я не боюсь крыс, но понимаю, что встреча со стаей голодных грызунов весьма опасна, поэтому живо сбегала к машине, взяла огнетушитель и вернулась. Едкая пена не понравится тем, кто считает себя полноправным владельцем таксопарка.

«Тук-тук... тук-тук... тук-тук», — донеслось с улицы. Пол задрожал, остатки стекол жалобно зазвенели: мимо мчался поезд. Я начала медленно обходить помещение. В доме три этажа, но лестница развалилась, не стоит пытаться по ней подняться, да и Герман утверждал, что Нина в момент звонка, похоже, находилась в подвале. Шаг за шагом я изучала офис администрации и в конце концов нашла дверь, за которой обнаружились ступеньки, уходящие вниз. В отличие от лестниц в центре зала, эта сохранилась замечательно, и рядом с ней до сих пор виднелось объявление, написанное прямо на стене красной краской: «После смены сдай путевой лист. Прими душ», и стрелка, острым концом указывающая в сторону подвала. Мне стало страшно. Получил ли Макс мое сообщение? Почему он до сих пор не приехал? Может, не стоит одной забираться под землю? В голове ожило неприятное воспоминание.

Давным-давно одноклассницы, Лена и Наташа, предложили мне пойти посмотреть на котят, которых родила дворовая кошка. Мама никогда не отпускала маленькую Фросеньку[1] от себя дальше чем на два метра. В одиннадцать лет меня это огорчало: ребята смеялись надо мной, обзывали «малявкой» и никогда не звали поиграть вместе. Я не пыталась вырваться из-под родительской опеки, понимала, что мама будет переживать, но Лена и Наташа предложили мне свою дружбу, и я дрогнула. Мы сбежали с двух последних уроков, спустились в школьный подвал, и я спросила: «Где киса?» — «Вон она, — Лена ткнула пальцем в темноту, — боишься идти одна? Ты трусиха?» — «Конечно, нет», — храбро ответила я, сделала пару шагов и услышала звук задвигающейся щеколды. «Посиди тут! — крикнула Наташа. — Проверим, какая ты смелая, начнешь орать — не надейся с нами дружить».

Я чуть не скончалась от ужаса, села на корточки, уткнулась носом в колени и провела в этой позе невесть сколько времени, пока в подвал не ворвались моя мама, директор, завуч и несколько милиционеров. Скандал вышел громкий, я сразу назвала имена Лены и Наташи, девочек поставили на учет в детской комнате милиции. За предательство класс объявил мне бойкот, кое-кто из учителей тоже меня осудил, а

---

[1] Ефросинья — такое имя дали Романовой родители. Коим образом она превратилась в Евлампию, рассказано в книге Дарьи Донцовой «Маникюр для покойника». Издательство «Эксмо».

вожатая сурово заклеймила на общем собрании, заявив: «Настоящий пионер никогда не выдаст своих, даже если его фашисты на костре поджаривают».

В результате меня перевели в другую школу, я сделала вид, что забыла о глупом приключении. Но на самом деле запомнила это навсегда. С тех пор я не люблю оставаться одна в помещении без окон и дверей. Но признаваться в легкой форме клаустрофобии частный детектив не имеет права.

Я начала медленно спускаться в подвал, бормоча себе под нос:

— Давай, Лампа, здесь вообще никого нет, только очаровательные крыски.

Едва нога коснулась пола, как в кармане оглушительно заорал мобильный. Оцените крепость моих нервов: я не уронила ни огнетушитель, ни фонарь, аккуратно поставила их на ступеньку и вытащила трубку.

— Ты где? — сурово спросил Макс.

— Неужели ты только что получил мое смс? — расстроилась я.

— Я нахожусь в полуразрушенном доме на Бастыркина, но тебя не вижу, — уточнил приятель.

Я вернулась назад, высунулась из двери и закричала:

— Макс!

Раздался звук шагов, и в поле зрения появился Вульф.

— Здесь никого нет, — констатировал он.

— Надо изучить подвал! — Теперь, в присутствии приятеля, я обрела стопроцентную смелость.

— Ладно, — согласился Макс, — пошли.

Мы побрели по просторному помещению с низким потолком, под которым змеились трубы. Я услышала странный звук, повернула голову, увидела под потолком зарешеченное оконце почти вровень с землей, подошла к нему и закричала:

— Макс!

На полу лежало что-то, прикрытое грязным куском картона. Из-под него высовывалась нога, обутая в хорошо знакомый мне сапог.

— Укромное место, тело здесь могли найти только случайно, — процедил Максим, обнимая меня за плечи.

— Это Нина Силаева, — проглотив комок в горле, сказала я, — ее обувь.

— Надо подняться наверх и позвонить, — засуетился Вульф.

На его голос наложился тот же странный звук, который я только что слышала. Я подняла глаза и поняла: в окошко врезан самый примитивный «кондиционер» — маленький вентилятор, чьи лопасти вращает ветер с улицы.

— Здесь, наверное, связь отсутствует, — сказал Макс.

— Доставай трубку, — велела я. — Нина беседовала со мной отсюда.

Гладкова с бригадой мы ждали довольно долго. Пока специалисты занимались трупом и осмотром места преступления, Павел со всей тщательностью допросил нас с Максом и отпустил со словами:

— Никуда из города не уезжайте, вы скоро мне понадобитесь.

— Хочешь кофе? — предложил мне Макс.

Меня моментально замутило, но я согласилась.

— Придется ехать кавалькадой, — попытался рассмешить меня Макс, — вот вам век глобальной автомобилизации. Куда двинем?

Я устало ответила:

— Мне без разницы.

— Тогда в «Синюю утку», — потер руки Макс, — там шикарно готовят макароны в яблоках.

Я подумала, что ослышалась, молча села в свою машину и поехала за Максимом, который направился в самый центр Москвы. Кафе оказалось маленьким и не имело вывески. Если о нем не знать, пройдешь мимо, но об уютном трактирчике, похоже, слышали многие — нам с трудом нашли столик в неудобном углу, почти у входа в туалет. Вы не поверите, но в меню были «Яблоки по-флотски».

— Это шутка? — спросила я у официантки.

— Все так думают, — обрадовалась она. — Попробуйте, вкуснотища. Макароны варятся, соединяются с отварным нарубленным мясом и жареным луком.

— Пока все более чем обычно, — сказала я.

— Потом берете антоновку, вырезаете мякоть так, чтобы получилась «корзинка», — продолжала официантка, — набиваете ее макарошками, прикрываете срезанной верхушкой — и в печь, на средний жар, пока не пропечется.

— Несите, — решила я.

— А тебе, Макс, как обычно? — подмигнула Вульфу брюнетка.

— Угадала, Люсенька, — кивнул тот.

Когда официантка ушла, я, по непонятной причине обидевшись, выпалила:

— Ты здесь постоянный клиент?

— Забредаю изредка, — сказал Макс, — тут

вкусно готовят. Я проверил Льва Георгиевича Райкина и Арсения Леонидовича Филатова — кто-то же из них велел поставить тебе «жучок». Райкин авантюрист, в научной среде о нем высказываются презрительно. Лев Георгиевич преподавал философию, звезд с неба не хватал, книг не писал, вершиной его карьеры коллеги считали пост заместителя ректора по административно-хозяйственной работе. Короче говоря, на заре туманной молодости Райкин состоял в завхозах, заботился о туалетной бумаге в институтских сортирах, следил за сохранностью мебели в аудиториях, руководил уборщицами.

— Звучит не гламурно, — фыркнула я, — и не похоже на начало блестящей научной карьеры.

Макс взял вилку и принялся ковырять гору зеленого салата.

— Без хозяйственника нигде не обойтись, — продолжил он, — как правило, замом по тряпкам в вузах становится не особенно амбициозный сотрудник, которому за верную службу начальство помогает защитить диссертацию. Но наш Лев Георгиевич неожиданно попер в гору. Он быстро состряпал не только кандидатскую, но и докторскую, столь же стремительно преодолел все барьеры и получил заветное звание профессора. В институте тогда шел масштабный ремонт, и сотрудники не скрывали своих негативных эмоций: всем было понятно, что ректор растратил большую часть отпущенных на обновление здания средств, а Лев Георгиевич прикрывал начальника. Вот почему в аудитории не купили новые доски и не стали перекладывать паркет, отциклевали, покрыли лаком старые дощечки, и те «помолодели».

Не прошло и полугода после ремонта, как

Райкин захватил в институте власть. Теперь ректор безвылазно сидел в своем кабинете и на все вопросы отвечал одинаково: «Спросите у Льва Георгиевича».

Очевидно, у завхоза имелся на руководителя немалый компромат. С течением времени из суетливого, услужливого мужичонки Райкин превратился в уверенного, богатого человека. В годы перестройки, когда ученые пили на кухнях пустой чай, Лев занялся бизнесом. Что он покупал и кому продавал, не знал никто, документов тех лет не сохранилось, а сам Райкин откровенничать не собирался. В конце девяностых Лев Георгиевич сел в кресло ректора, к тому времени он обзавелся неисчислимым количеством нужных связей. У высокопоставленных людей есть дети, порой весьма неудачные, все родители мечтают пристроить отпрысков в вуз. Райкин охотно помогал страждущим, а долг, как известно, платежом красен. В плюс Льву Георгиевичу пошла и женитьба — он отправился в загс с дочерью успешного политика. Зять и тесть объединили свои возможности и стали действовать рука об руку.

Нынче о Льве Георгиевиче отзываются плохо. Он груб, нетерпелив, быстро впадает в гнев и не способен адекватно оценить проступок подчиненного. Может уволить за случайно разлитую воду, но закрывает глаза на регулярные опоздания на работу и профессиональную непригодность.

«Что вы мне тут рожи паясничаете», «сделайте не так, как идиоту хочется, а как ум человека с головой подсказывает», «не пришивайте к башке утюг, она гладить не умеет» — вот далеко не самые яркие «перлы» Райкина.

Когда Лев Георгиевич встал во главе нового управления, кое-кто от изумления потерял дар речи. Ну какое отношение Райкин имеет к поиску преступников? Досужие языки замололи с утроенной силой, люди болтали всякое. Одни были уверены, что Левушку пропихнул в теплое местечко тесть. Тот хоть и старел, но борозды не портил и всегда содействовал зятю, который, кстати, был не намного моложе «папани». Другие, оглядываясь, шептали: «Кругом коррупция, Райкина взгромоздили на гору, чтобы он кого надо прикрывал».

Сам Лев Георгиевич, комментируя свой новый пост, заявил:

— Необходимо оздоровить некоторые части больного организма. Понадобился человек со стороны, не обремененный никакими связями в данной структуре. А то у нас здорово получается: переедет пьяный гаишник вне рабочего времени на «зебре» женщину, тут же кто-нибудь следователю звонит и говорит: «Ну не рушь парню судьбу. Кстати, помнишь, как мы твою дочь от статьи отмазали, когда она обкуренная за рулем сидела?» Мне никто ничего подобного не заявит, я ни от кого из представителей правоохранительных структур чашки чая не взял.

И это было правдой. Единственное, чем Лев Георгиевич вызывал восхищение сотрудников, так это меткой стрельбой. Шеф всегда попадал в центр мишени, не скрывал своей любви к оружию и рассказывал о домашней коллекции ружей.

ГЛАВА 27

Максим говорил, а я поглощала макароны в яблоках.

Остается лишь удивляться, почему Райкин

долгое время работает с Арсением Леонидовичем и до сих пор его не выпер. Помощника Лев Георгиевич держит за ординарца, Филатов занимается рабочими вопросами, безостановочно печатает какие-то приказы и распоряжения, приносит боссу обед, подчас заменяет шофера, утешает жену Райкина, когда та впадает в очередную истерику, и всегда маячит у начальника за спиной. Несмотря на кличку Подлиза, Филатов быстро завоевал авторитет у кадровых сотрудников, которые априори не терпят варягов и уж вдвойне плохо относятся к тем, кто прогибается перед начальством. Арсений всегда в хорошем настроении, легко вступает в контакт даже с незнакомым человеком, твердо помнит, у кого есть дочь, сын, как зовут жену, мать. Начав беседу, Сеня обычно спрашивает: «Дела идут нормально? Дочка хорошо учится?» или: «Мама уже поправилась? Передай ей от меня привет»...

Сами понимаете, это прибавляет ему очки. Еще Арсений никогда не забывает про чужие дни рождения, дарит людям милые пустячки и слывет миротворцем. Все знают: Льву Георгиевичу под горячую руку лучше не попадать, поэтому, желая положительно решить свой вопрос, человек заглядывал к Филатову и говорил: «Сегодня как?» — «Лучше завтра, — озабоченно отвечал Сеня, — шеф ходил к зубному коронку менять, сейчас злой, как тысяча пиратов».

Сеня единственный мог остановить разбушевавшегося начальника и спасти подчиненного от увольнения.

В отличие от шефа помощник никогда не был женат. Молва приписывала ему романы с аспирантками Льва Георгиевича, но это было пустой болтовней. Арсений успешно шифровался, он до последнего времени никогда и нигде не появлялся с одной спутницей дважды, а придя на тусовку, с легкостью забывал о даме, веселился, не обращая внимания на то, что его женщина флиртует с другим. Рано или поздно должны были поползти слухи о его гомосексуальных наклонностях, и в конце концов такая сплетня родилась на свет.

Арсений Леонидович лишь посмеивался над досужей болтовней, а недавно вдруг объявил: «Господа, я женюсь на прелестной девушке, Верочке Поргиной. Давно люблю ее, а она обожает меня. Верочке едва исполнился двадцать один год. Родители держали ее в пансионе в Швейцарии, а после него девочка училась в Сорбонне. И вот к весне она возвращается в Москву. Надеюсь, все придете на мою свадьбу».

Сгорая от любопытства, народ кинулся к компьютерам в поисках информации о Поргиной. Сведений было немного, но и они заставили кое-кого грызть от зависти офисные подоконники.

Родители Поргиной владели огромным состоянием, единственную дочь они держали в строгости, воспитывали чуть ли не по Домострою, старательно оберегали от влияния Интернета и телевидения. Где Вера познакомилась с Арсением? Что в нем привлекло молодую девушку? На эти вопросы никто ответа не знал.

Филатов торжественно водрузил на стол фото невесты, местные кумушки под благовидными предлогами забегали в комнату, с любопытством изучали снимок, а потом выносили вердикт: «Не Софи Лорен!»

— Да ладно вам, — сказала главбух Ксения

Сергеевна, — с ее деньгами любая станет королевой. Это же как несправедливо, если одной и богатство, и красота, и ум достанутся.

Родители Поргиной одобрили выбор дочери. На одном сайте, специализирующемся на воспроизведении записи подслушанных разговоров, обнаружилась беседа Кирилла Петровича, будущего тестя Сени, со своим приятелем. Да, в нынешние времена папарацци держат на изготовку не только фотоаппараты, но и диктофоны. Магнитофон явно находился в ресторане, под столиком, он записал звяканье ножей и вилок о тарелки, звон бокалов и два мужских голоса.

— Ну, не очень молод, — говорил Кирилл, — так ведь и не стар, в расцвете сил.

— Верушка от тоски около него умрет, — возразил приятель.

— Она любит жениха, — парировал отец.

— Она просто никого другого не видела.

— Не пори чушь, Верка жила в Париже.

— Ага, ходила на занятия с охраной, потом возвращалась на съемную квартиру. Девочка ни разу одна в кафе не была.

— Что ты взъелся? — не выдержал Кирилл.

— Дай ребенку немного самостоятельности.

— Все беды от распущенности, — разозлился Кирилл.

— Мы живем не на Востоке, и сейчас не пятнадцатый век, — стоял на своем его друг. — Женщина должна сама выбирать себе пару.

— Оглянись вокруг, — зашипел Поргин, — мужики ополоумели. Дома беременная жена, а он в клубе по ночам выделывается. У Миши Романова зять сифилисом дочь заразил. А уж какая любовь у нее с мужем полыхала! Вот он, твой личный выбор, во всей его красе. Я не хочу Верочку за мерзавца отдавать. Арсений отличная партия, воспитан, умен, симпатичен. А то, что не очень обеспечен, даже лучше: будет бояться потерять сладкую жизнь, страх удержит его от опрометчивых поступков.

— То есть ты его покупаешь! — не выдержал приятель.

Кирилл рассмеялся:

— Если смотреть в корень, то да. Но я всегда давал Верушке лучшее: платье, обувь, драгоценности, игрушки, книги, все у нее хай-класса. И второсортный муж ей не нужен.

— Вот именно! — обрадовался друг. — У Харькова сын Игорь, двадцати пяти лет, можете с ним породниться, капиталы объедините.

— Игорь с гнильцой, — вздохнул Кирилл, — и богат. Такому море по колено. Вылезет из-под отцовской опеки и ну колобродить, чем его придержать? А Сеня будет Веру на руках носить, он понимает: такая жена для него что золотая рыбка. И у Игоря много бывших любовниц, еще полезут к Вере. Ферштейн?

— Андестенд, — буркнул друг. — А что, если твой золотой жених где-то спрятал бабу с ребенком? Затырил их подальше, чтобы на Вере жениться.

— У Сени никого нет! — отрезал Кирилл. — Моя служба безопасности его проверила.

— Ну а если? — никак не мог утихомириться приятель.

— Выгоню его вон, — обыденно заявил Кирилл. — Арсений брачный контракт подпишет, по которому ничего в случае измены не получит. Пришел голый, ушел босой. Логично и просто. Вот только я Арсения под микроскопом изучил, никаких порочащих связей не выявил. Шеф его в пуху, а Филатов нет.

Макс побарабанил пальцами по столу.

— Вкусно?

— Мгм, — с набитым ртом кивнула я, — очень.

Максим допил воду из бокала:

— Арсений сейчас активно готовится к свадьбе. Возникает маленький вопрос: зачем он пригласил тебя в ресторан?

Я выронила вилку:

— Ну хватит. Уже все выяснили. Филатов засунул в мой телефон «жучок».

— Ешь, котик, не сердись, — начал дурачиться Максим, — коли заплочено, подбирай крошечки. Пошутил я! Конечно, дело в «шпиёне». Но смысл? И где Сеня взял японское устройство прослушки?

— Купил, — логично ответила я.

— Нет, такие не продаются, — начал спорить Макс, — дорогой аппарат с большим радиусом действия. Думал я, думал и докумекал. Помнишь милого парня Германа, компьютерщика, который ко мне на службу переходит?

— Конечно, — удивилась я, — вот уж глупый вопрос!

— И подумалось мне, — закряхтел Макс, — что сей добрый молодец знает про тараканов-муравьев-жуков. В лоб его спросил: «Гера, что это я нашел в телефоне Лампы?» Знаешь, чего услыхал?

— Продолжай, — без особой радости попросила я.

Макс оторвал от куска хлеба корочку и стал собирать ею соус, приговаривая:

— Знай моя мама, как я сейчас ем, ох и влетело бы мне. Ты не станешь возражать, если я слопаю подливку? То, что мне запрещали делать в детстве, хочется осуществить в зрелые годы.

Я придвинула к себе бокал с кофе-латте:

— Можешь и мою тарелку подлизать.

— Ты серьезно? — округлил глаза Макс.

— Абсолютно, — заверила я его. — Вероятно, меня тоже замучили в детстве, пытаясь привить хорошие манеры. Увы, как ученица, я оказалась безнадежна, по сию пору путаю ложечку для вынимания мякоти грейпфрута с ложкой для варенья.

Максим сполз с кресла, по дороге выдернув из пластиковой вазочки на столе одинокую герберу. Встав на одно колено, он протянул мне цветок, я взяла его и поняла: он искусственный.

— Уважаемая Евлампия Андреевна, — торжественным речитативом завел приятель, — вы обладаете многими талантами, но я вычленил главный и понял: женщина, спокойно взирающая, как я вылизываю тарелку, именно тот человек, с которым я мечтаю встретить старость. Дорогая, будь моей женой.

Две официантки, с любопытством наблюдавшие за Максом, зааплодировали, посетители оторвались от еды и тоже захлопали в ладоши.

— Прекрати, — зашипела я, — устроил представление.

— Предлагаю вам свое сердце, — слегка обиделся Вульф, — экая вы, мадам, не романтичная.

Меня вдруг охватила обида.

— Не из всякого мяса получится сочное жаркое, и не все есть повод для стеба.

— Я абсолютно серьезен, — заявил Макс,

продолжая вытирать брюками пол. — Хочешь, сию секунду пойдем в загс?

— Нет, — испуганно воскликнула я.

Макс сел за стол.

— Почему?

— Если ты решил позвать женщину под венец, сначала купи ей приличный букет, — выпалила я, — уж не говоря об обручальном кольце. Гербера из пластика не подходит.

Вульф смахнул со скатерти крошки:

— Признаю, ты права, форма предложения подгуляла, но, по сути, оно...

— Вернемся к Герману. Что он ответил на вопрос про мой мобильный? — изящно сменила я тему беседы.

Макс взял бумажную салфетку и сделал вид, что промокает выступившие на глазах слезы.

— Герман умный, он принял правильное решение. Нужно оказывать услуги не тому, от кого убегаешь, а тому, к кому прибегаешь. Он выложил правду. Значит, так: Сеня взял у Германа сначала один «жучок», но спустя достаточно короткое время приперся за другими. Электронные штучки дорогие, все они на учете, компьютерщик сразу спросил: «Где заява на оборудование?» — «Ох, извини», — спохватился Сеня и протянул парню необходимую бумагу.

Во второй раз Арсений Леонидович уже без напоминания дал Герману листок с требованием еще двух «жучков». Кроме того, Гера научил его, как устанавливать «шпионов». Наука не хитрая, ее осилишь даже ты. И это не подслушивающий аппарат, а нечто вроде маяка, позволяющего весьма точно устанавливать, где находится объект наблюдения.

— Вспомнила! — заорала я.

Макс вздрогнул и громко спросил:

— Милая, ты сегодня пила свои таблетки от НСП?

— Что такое НСП? — не поняла я.

— Неконтролируемое сексуальное поведение, — голосом глашатая объявил Вульф. — Умоляю, только не в этом ресторане, я здесь постоянный клиент и не хочу потерять возможность вкусно обедать. Разденешься сейчас тут догола, и нас внесут в черный список.

Но мне было не до приколов.

— Смотри, — начала я загибать пальцы, — Арсений взял у меня мобильный еще раньше, до похода в ресторан. Это был не мой аппарат, мой-то погиб в самогоне, который лился с потолка. Я понятно объясняю?

— Более чем, ласточка, — сказал Макс, — я отлично помню рассказ про самогон, текущий на голову. Кстати, как поживает твой лечащий психиатр? Мама передает ему привет и благодарит за внимание к моей невесте.

Две женщины, сидевшие за соседним столиком, замерли с вилками в руках и начали сверлить меня взглядами.

— Ешьте спокойно, — решила я успокоить дам, — у него нет мамы. Папы, кстати, тоже!

— Конечно, родная, как скажешь, — смиренно согласился Вульф, — я вылупился из яйца.

— Аллигатора, — уточнила я, — или вредоносной ядовитой жабы.

— Лягушки живородящие, — вздохнул Макс. — Или нет? Ладно, это без разницы. Сделай одолжение, попробуй объяснить внятно, короткими фразами. Что случилось с телефоном, который твой, но не твой, а чужой, хотя и твой?

— Арсений взял у меня аппарат, когда мы договаривались о встрече, — отчеканила я.

— Зачем? — заинтересовался Макс.

— Вбил в него номер своего мобильного, — пояснила я, — но сначала он заволновался, сказал: «Твой сотовый умер». Я решила, что трубка разрядилась, но Арсений ловко разобрал мобилу, вытащил батарейку, попросил пилку для ногтей, но даже она не понадобилась, — доложила я.

— Ловкач! Засунул в мобилу «жука», — кивнул Макс.

— Арсений слушал мои разговоры? — возмутилась я.

— Нет, он по карте видел, где ты находишься, — ответил Вульф, — был в курсе всех твоих поездок.

— Спустя некоторое время Арсений решил и в мой телефон добавить «жучок» в ресторане, — гнула я свою линию, — он начинил аппарат в те минуты, пока я пыталась утишить пожар во рту. Эй!

— Что? — заморгал Макс.

— Только сейчас сообразила! По твоим словам, Герман дал Арсению сначала одно устройство, а потом еще два? — воскликнула я.

Макс не успел ответить. Дверь в ресторанчик распахнулась, вошла девушка лет двадцати. Она без всяких колебаний приблизилась к нашему столу, плюхнулась на свободное место и молча бросила на стол нечто, напоминающее горошину, только черного цвета.

— Долго возилась, — низким голосом произнесла она, — устройство с защитой, поэтому я его не сразу выявила.

Максим поманил официантку, та вразвалочку подошла к столу и посмотрела на новую клиентку:

— Вам клубничный фраппе?

Девчонка кивнула, а я попыталась скрыть свое негодование. Подавальщица отлично знает, что ест Максим и каким коктейлем наслаждается противная, страшная, как эпидемия гриппа, девица. Не иначе как они тут вдвоем часто бывают.

— Знакомься, Кира, это Лампа. Лампа, это Кира, — скороговоркой произнес Максим.

Я решила продемонстрировать хорошие манеры и вякнула:

— Очень приятно.

Кира, очевидно, не обращала внимания на условности. Она сразу перешла к делу, ткнула пальцем в «горошину» и спросила:

— Есть идеи, когда тебе «болтуна» подсунули? Я нашла устройство в твоей машине, его хорошо спрятали.

— Нет, — честно ответила я, — хотя... От трактира «У бабушки Гусыни» я отправилась в прачечную на проспект Гордеева. Решила прокатиться на метро. Машину оставила на парковке. Не найдя в прачечной ничего нужного, засобиралась назад, тут и позвонил Сеня, который стал усиленно зазывать меня в ресторан.

Он сказал, что шеф укатил в тир и у него, Сени, есть пара часов для отдыха. Но я не согласилась, ответила: «Моя машина стоит у метро на улице Попова у супермаркета, пока доберусь до нее, устану, макияжа нет, маникюра тоже».

Мы с ним договорились на следующий день, на семь. Я вернулась к малолитражке и в салоне унюхала запах дешевого парфюма.

— Упс, — ухмыльнулась Кира, — кто-то не

учел первое правило крота: если лезешь в чужую собственность, не обливайся одеколоном, не кури и не жуй жвачку. Есть люди с острым нюхом.

— Одна из таких личностей перед тобой, — не замедлила я сказать правду, — если немного поучусь, смогу работать на таможне служебной собакой. Неплохой заработок для девушки без особых талантов.

ГЛАВА 28

— И ты не почуяла неладное? — скорчила гримасу Кира. — Не насторожилась, не спросила: «Откуда запах?»

— На заднем сиденье лежал бронежилет, — промямлила я, — я подумала, что аромат ванили источает он.

Кира засмеялась:

— Да уж! Обхохотаться! Бронежилет воняет отвратно. «Аромат ванили»! Больше никому этого не говори, потом подкалывать будут. Наивняк! Жилет не торт!

— Извини, если я показалась тебе дурой, — запальчиво сказала я, — но есть небольшой нюанс, о котором ты не знаешь. Я искупалась в жилете в ванне, куда случайно уронила банку ароматической соли с ванилью.

— А зачем ты купалась в бронежилетке? — опешила Кира.

— Это не имеет ни малейшего отношения к делу, — гордо ответила я.

— Ладно, — внезапно согласилась девушка. — Значит, ты решила, что пахнет от жилета, и не поняла, что в машину залезал посторонний?

Я помотала головой:

— Нет. А какую цель преследовал Арсений?

— Полагаю, ему велел это проделать Лев Георгиевич, — вздохнул Макс.

— Слушай, — внезапно осенило меня, — а что Павел Гладков делает в управлении Райкина?

Максим засмеялся:

— Я полагал, что ты задашь этот вопрос намного раньше. Павел у Льва Георгиевича работает уже несколько месяцев. Райкин не идиот, он переманил к себе профессионалов, отлично понимая: если сам ни фига не знаешь, набери в штат толковых сотрудников. Райкин сам выбирает дело, которым займется управление. Когда ты позвонила Гладкову, Павел пошел к начальству за разрешением поехать по вызову. Дверь в кабинет бдительно стережет Арсений. Филатов велел Пашке подождать, сам сбегал к шефу и вернулся со словами: «Отправляйся, мы берем дело».

Лев не любит проигрывать, поэтому, когда он понял, что госпожа Романова вовлечена в ситуацию, велел следить за тобой.

— Это законно? — возмутилась я.

Кира рассмеялась, Макс взял со стола чайник и аккуратно наполнил свою чашку.

— Речь идет о том, как было на самом деле, а не о правомочности случившегося.

— Райкин решил, что я каким-то образом связана с преступником и поэтому обратилась к Павлу за помощью? Очень логично, я ищу того, кого знаю. Льву Георгиевичу не откажешь в сообразительности, — фыркнула я.

Из кармана кофты Киры послышался противный писк, девушка вынула мобильный, глянула на экран и сказала:

— Мне пора.

— Удачи, — кивнул Макс.

— Рада была знакомству, — исполнила я свою партию.

Кира вскочила и убежала, забыв заплатить за коктейль. Я посмотрела на Макса:

— Помнишь, рассказывая тебе о Галине Исайкиной, сводной сестре Нины, я упомянула о брошенной ею фразе: «В поисках подработки Филипп, по словам его жены, обратился к Валерию, своему бывшему сослуживцу»? Ты проверил, сколько Валериев имело с Медведевым рабочие контакты?

Макс вынул кошелек.

— Я считал, что Валерий отнюдь не редкое имя. Ан нет, на первом месте идут Александры, Сергеи и Николаи. С Медведевым никакой Валерий не служил, сейчас мои люди расширяют круг поисков, ищут парня, так сказать, на второй линии. Но знаешь, что мне кажется? Филипп приучен хранить тайны, жену он воспитал в таком же духе, та много знала, но его не выдала. К Галине Нина примчалась от отчаяния, она понимала, что, имея на руках детей, не сможет осуществить свой план по освобождению Филиппа. Я считаю, что никакого Валерия вообще не существует. Силаева соврала, чтобы сестра ее не расспрашивала. Думаю, Нина отлично знала, чем муж промышляет, целиком и полностью была на его стороне и в курсе, кто второй участник игры в «подкидного дурака». Потому ее и убили.

Я растерянно наблюдала, как Макс убирает портмоне, а он продолжал:

— Вырисовывается следующее. Нина хочет вызволить мужа из тюрьмы. Для выполнения задуманного она ранила Рублеву. С одной стороны, Силаева надеется, что покушение на прокурора, хоть и бывшего, привлечет внимание прессы и милиции не удастся скрыть покушение от общественности. С другой — она ненавидит Валентину, которая потребовала для Фила пожизненного заключения. Думаю, у супругов на случай ареста Медведева имелся план. Едва снайпера увозит «воронок», как Нина мчится в Подмосковье и поджигает избушку, где он якобы нашел винтовку. Филипп все отрицал на допросах, не выдал второго игрока. Вот почему Силаева могла после посадки супруга содержать дауна в клинике — ей давал деньги другой участник игры. Конечно, он сам не встречался с Силаевой, небось оставлял конверт в ячейке. Ты, когда шуровала в комнате у Нины, не находила никакого одинокого ключика?

Я покачала головой.

— Вероятно, Силаева носила его с собой, — не сдавался Макс, — и не важно, в конце концов, как ей передавали бабки, главное, что она их стопроцентно получала. Сначала Нина остро переживала случившееся. На ее голову разом свалилась куча бед: арест любимого мужа, болезнь Прасковьи Никитичны, побег из родной квартиры, попытки устроиться на службу.

Я уловила в словах приятеля нестыковку и не преминула спросить:

— Зачем Силаевой мыть полы, если второй участник игры дает деньги?

Макс кивнул:

— Правильно мыслишь. Задам вместо ответа вопрос: а как объяснить любопытным людям тот факт, что одинокая безмужняя тетя преспокойно занимается хозяйством, нигде не работая? Кто содержит ее, мальчиков и бабушку? Кумушки могли раздуть костер сплетен. Фиг бы с ними, с любопытными бабами, а если участковый озаботится тем же? Нина была напугана, она залегла на дно и сделала вид, что не имеет средств к существованию.

Но прошли месяцы, и до Силаевой вдруг дошло: ей нечего ждать, Фил никогда не вернется, у него пожизненное заключение. Силаева не сумеет ни обнять, ни поцеловать мужа, Медведев, по сути, похоронен заживо в месте заключения. У психологов есть такое понятие: отложенный стресс, с ним частенько сталкиваются те, у кого умерли близкие. Первые дни родственники плотно заняты: похороны, поминки, девятины. Конечно, люди плачут, но хлопоты мешают целиком предаться горю. Потом жизнь входит в обычную колею, и человек внезапно понимает: все, он остался один. И тогда наваливаются ужас, страх, боль, ощущение пустоты, мучает чувство вины, хочется сказать умершему все ласковые слова, до которых не додумался, пока тот был жив, попросить у него прощения. Но, к сожалению, ничего исправить уже нельзя. А у Нины муж был жив, и она рьяно взялась его освобождать.

— Слишком рьяно, — уточнила я, — с таким азартом, что второй игрок ее убил. Побоялся, что на активность Силаевой обратят внимание следственные органы и, не дай бог, его вычислят. Или Нина обнаглела, потребовала у гуляющего на свободе стрелка больше денег, за что ее решили убрать. Труп спрятали в укромном месте, куда не заглядывают праздношатающиеся.

— Есть еще один вариант! — воскликнул Макс. — Нине действительно понадобились деньги, она знала, как связаться со вторым фигурантом, обратилась к нему и предложила продолжить партию. Ну-ка, вспомни ход игры, в которой участвовал Филипп. Убит Фомин, в ответ убрали Агатова, застрелена Наталья Иванова, убран Юрий Бляхин, застрелен Игорь Савиных — и тут Медведева арестовали. Теперь же, спустя довольно большой срок, погибает Маргарита Подольская. А мы знаем, что кон начинается с «шестерки». Да, Рита Подольская не очень умна, нигде не работала, жила на средства, оставленные покойным мужем, но ее никак нельзя считать самой маленькой «картой». Маргарита ходила по тусовкам, ее фото изредка появлялись в гламурных журналах, она член нескольких благотворительных обществ, которые собирают деньги то ли для сохранения популяции пингвинов на Волге, то ли для обезьянок, оставшихся сиротами. Нет, она похожа на даму. Следовательно, игра продолжается. Подольской «побили» Савиных. Чтобы вызволить мужа, Нина вступила в игру.

— Что-то тут не так, — пробормотала я.

— И что же? — нахмурился Макс.

— Пока не знаю, — честно ответила я. — Нина не показалась мне женщиной, которая способна убить человека.

— Валентине она отстрелила ухо, — напомнил Макс, — а потом продемонстрировала впечатляющий фокус с шоколадкой.

— И тем самым дала понять: снайпер, столь виртуозно владеющий оружием, легко мог попасть Вале между бровями, — возразила я, — но пострадало лишь ухо.

— Валентина в коме, — напомнил Макс.

Я встала:

— Уверена, Нина не хотела убивать бывшего прокурора, и она не планировала нанести Рублевой смертельную травму. Стойкая потеря сознания у Вали — это случайность.

— Подольская в морге, — не успокаивался Макс.

— Вероятно, ее убил второй игрок, впрочем, не знаю, — пробормотала я. — Извини, я хочу съездить к Марине, которая живет в квартире у бывшего вора в законе Ковригина. Тимофей Пантелеймонович помогал Силаевой, ему есть что рассказать.

— Не буду тебя останавливать, — сказал Макс, — но типы, подобные Ковригину, обычно не откровенничают. Деда в прошлые времена не сломали ни опера, ни следователи.

— По крайней мере, я потом утешусь мыслью, что предприняла попытку, — улыбнулась я, — вдруг да повезет?

— Попробуй, — кивнул Макс. — Вот, держи.

Я взяла у него коробочку, схожую с пачкой сигарет:

— Что это?

— «Большое ухо», — засмеялся Макс, — поставь себя на место Марины. Она знает Тимофея, иначе бы не очутилась в его квартире. Дед наш не прост, сам почему-то в «однушке» не живет. Небось строго предупредил жиличку: «Обо мне никому ни гугу». И тут заявляется бабенка с вопросами. Как ты поступила бы, будь Мариной?

Я начала фантазировать:

— Придумаю достойную историю. Дескать, нашла объявление в Интернете и договорилась, отдала все деньги за год вперед и живу, с хозяином не общаюсь, единственная наша встреча была в «Веселом бургере» в центре Москвы. Внешности его не помню. Ну и так далее.

— Но тетенька не отстает, — прищурился Макс, — прилипла, словно кусок скотча.

— Отделаюсь как-нибудь!

— А потом?

Я призадумалась:

— Позвоню Ковригину и расскажу ему о визите.

— Во! — обрадовался приятель. — Самое оно! Девяносто девять девушек из ста кинутся к трубке, едва настырная мадам покинет квартиру. И тут начинается самое интересное. Какая у Марины входная дверь?

— Вроде обычная, — удивилась я, — ее не меняли после въезда.

— Включаешь «Большое ухо», — потер руки приятель, — прикладываешь его к двери и видишь на экране номер, который набрала Марина. Определить, кому он принадлежит, проще, чем чихнуть.

— Такое возможно? — усомнилась я.

— Позвони кому-нибудь.

Я потыкала пальцами в кнопки, тщательно пряча трубку от глаз приятеля.

— Мопсино, — сообщил тот, глядя на экран, — я номер наизусть помню.

— Работает, — удивилась я.

— А ты сомневалась?

— Немного, — призналась я, — больше не буду.

— Радиус действия у «Большого уха» невелик, — продолжал приятель, — но и квартирка маленькая, будем надеяться, что Марина не убежит звонить на балкон.

На сей раз дверь мне открыла худенькая девочка с волосами ядовито-синего цвета.

— Ну? — перекатывая во рту жвачку, спросила она. — Чего надо?

— Позовите, пожалуйста, хозяина.

— Чего надо? — не сменила тона девица.

— Я ищу Тимофея Пантелеймоновича Ковригина, он здесь прописан.

— И че? — не смутилась девушка.

— Когда он придет?

— Он тут не показывается.

— Дайте, пожалуйста, его координаты.

— А нету, — нагло соврала безобразница, — я ваще его не знаю. Квартира моя.

— Только что вы сказали: «Он здесь не показывается». Зачем старику сюда ездить, если квартира чужая? — Я решила прижать девчонку.

— Ты ваще кто? — гнусаво спросила нахалка.

Я поняла, что настал час решительных действий:

— Принесла Ковригину повестку в суд.

Марина вылупила глаза:

— Вау! За что?

— Не имею права разглашать тайну следствия, — понизив голос, сообщила я. — Если Тимофей Пантелеймонович не явится, его арестуют за неуважение к суду.

Жиличка начала переминаться с ноги на ногу:

— Ладно. Давай бумагу.

— Положено отдать лично в руки самому Ковригину, под подпись, — не сдалась я.

— Ну и катись отсюда, — обозлилась Марина.

— Ладно, — смиренно кивнула я. — Мне-то, в конце концов, по барабану, если его накажут. Вот захочет он в Турцию поехать, а на паспортном контроле его тормознут, нынче с нарушителями строго.

— Да пошла ты! — заорала девица и захлопнула дверь.

Я живо приложила к створке коробочку и спустя полминуты увидела в окошке цифры.

«Большое ухо» сработало безотказно. Очень тихо я спустилась по лестнице, вышла на улицу и по дороге к машине позвонила Максу. Тот быстро определил местонахождение человека, которому трезвонила Марина:

— Хромов переулок, дом два, квартира сорок семь. Принадлежит некой Севрук Ирине Павловне.

Я глянула на часы. Время позднее, но придется наплевать на приличия.

Подъезд здания в Хромовом переулке был заперт. Я позвонила в домофон и услышала голос:

— Кто там?

Я придала голосу бодрости:

— Добрый вечер, Ирина Павловна.

Послышался щелчок, Сезам открылся, я доехала до пятого этажа, увидела, что дверь в квартиру приоткрыта, вошла в прихожую и крикнула:

— Еще раз добрый вечер.

— Аня, иди на кухню, — донеслось в ответ.

Я повесила на крючок куртку, сняла сапожки, миновала небольшой холл и увидела у плиты хрупкую даму.

— Вы не Аня! — растерянно произнесла она.

— Верно, меня зовут Евлампия, — кивнула я. — Ирина Павловна, где Тимофей Пантелеймонович?

— У себя в комнате, — изумленно ответила та. — Где ж ему быть? Он сегодня на работу не пошел, сказался больным. А вы кто?

— Вот как раз со службы меня и прислали, — заявила я, — проведать господина Ковригина.

— В вашем институте работают замечательные люди, — подхватила Ирина Павловна, — с другой стороны, Тимофей Пантелеймонович редкий мужчина. Талантливый ученый, всемирно известный исследователь старинных книг! Сколько он мне интересного рассказал! Понимаете, я председатель Клуба любителей старопечатных изданий. Тимофей говорит, что у него была потрясающая библиотека, но она, как и все нажитое, осталась у бывшей семьи Ковригина. Как это благородно — оставить все и просто уйти. Мне очень повезло, что именно Тимофей Пантелеймонович комнату снять решил.

— Ириша, кто в дверь звонил? — прогудело из коридора, и в кухню вошел «гном».

— Тимоша, — засуетилась старушка, — тебя со службы проведать пришли.

— Поздновато для гостей, — мрачно сказал Ковригин.

Я развела руками:

— Сами знаете, какая у нас работа, ни днем ни ночью покоя не дают. Привезла вам отчет, его просмотреть надо.

В глазах Ковригина мелькнуло удивление, затем он включился в игру:

— Ну, Маша, двигай в мою берлогу.

ГЛАВА 29

— Без приклеенной бороды вы выглядите намного моложе, — сделала я комплимент уголовнику, устраиваясь на диване.

— Пришла обсудить мой имидж? — криво ухмыльнулся Ковригин. — Бойкая Маша.

— Меня зовут Евлампия.

— И чего? — пожал плечами Тимофей Пантелеймонович. — Зачем приехала-то, Маша?

Я осмотрела большую комнату. Три стены занимали полки с томами в темных кожаных переплетах. Перевела глаза на стол и спросила:

— Занимаетесь реставрацией?

— Закон этого не запрещает, — не пошел на контакт Ковригин, заложил за ухо длинную прядь волос и почесал шею. За ухом у деда я заметила родимое пятно.

Меня словно укололи иголкой, по рукам и ногам забегали мурашки. Невусы[1], как правило, передаются по наследству.

— Вы знаете Нину Силаеву? — насела я на «гнома».

— Жизнь длинная, — занудил Ковригин, — может, встречались с ней, всех-то не упомнить!

— Она убита, — коротко сказала я.

Тимофей Пантелеймонович перестал расправлять пальцами волосы.

— Вспомнил. Было такое, она просила тебе мобильный передать. Молодая совсем, с чего бы ей с белым светом прощаться?

— Ее убили, — повторила я.

— Скажите пожалуйста, — со смешком сказал Тим-плотник, — всяко бывает. Мне-то что до нее? Пенсия маленькая, вот я и подрабатываю почтовым ящиком, необременительно, и копеечка идет. Нам, старикам, рассчитывать не на кого, государство пожилых обкрадывает.

— Человек, большую часть жизни проведший в тюрьме, не может рассчитывать на сытую старость, — парировала я.

— Это был не я, — отмахнулся Ковригин.

— Думаете, документы пропали? — улыбнулась я. — Вор в законе по кличке Плотник...

— Давно умер, — равнодушно перебил меня

---

[1] Невус — родимое пятно.

собеседник. — Того человека нет. Говори прямо, чего хочешь?

— Что вам рассказала дочь? — выпалила я.

Тимофей положил ногу на ногу:

— Ни жены, ни детей не имею. Не нажил. Ступай домой, спать пора, Маша!

Беззастенчиво называя меня чужим именем, Ковригин определенно надеялся на скандал, но не на такую напал.

— У Силаевой было темное родимое пятно за ухом, Нина его стеснялась и тщательно закрывала волосами. Похоже, вам тоже родинка не нравится, поэтому вы отпустили шевелюру. Я все думала, по какой причине вы решили помочь Нине. Она заплатила вам? Или вы Медведеву были должны? Но сейчас вы откинули прядь волос, и все стало понятно. Вы и Нина ближайшие родственники.

— У Иры, хозяйки квартиры, на руке бородавка, и у меня такая же, значит, Севрук тоже моя родная дочь? — издевательски поинтересовался Тим.

— По возрасту не подходит, — засмеялась я, — а если говорить всерьез, то зря вы отпираетесь. Невусы передаются по наследству.

— Ошибка вышла, — не дрогнул Ковригин.

— Вам безразличен факт убийства дочери? — упорно давила я на больное место.

— Не семейный я, — спокойно повторил «гном». — Закон знаю, никакого права ты, Маша, не имеешь здесь находиться. Уходи.

— Нина мертва, вы можете помочь поймать ее убийцу, — настаивала я, — ответьте на пару вопросов.

Тимофей Пантелеймонович рассмеялся:

— Эх, Маша, время течет, а опера не меняются. Еще раз говорю: я помог Силаевой, передал телефон. Приработок у меня такой, один человек оставляет мне вещь, другой ее забирает. Нина молодая, здоровая, не ври про ее смерть.

Я вынула телефон и позвонила Максу:

— Пришли фото трупа Силаевой.

Вульф обладает отличной интуицией, поэтому он лишь коротко бросил:

— О-кей.

Не прошло и минуты, как я получила картинку и сунула трубку под нос Ковригину:

— Смотрите. Извините за жестокость, но вы же на слово мне не верите.

Дед изучил снимок.

— Хорошая работа, — одобрил он, — удачная кукла. Или это, как там у вас теперь называется, «фотошоп»?

Я начала терять терпение:

— Нина действительно мертва.

— Расскажите, цветы золотые — дурашливо пропел «гном».

— Ну как мне вас убедить? — подскочила я.

— Тело покажи, — ухмыльнулся Тим.

Я снова схватилась за телефон и, сделав несколько звонков, осведомилась:

— Поедете сейчас? Время позднее, морг закрыт, но для нас сделают исключение.

У Ковригина вытянулось лицо.

— Маша, ты серьезно?

— Более чем, — кивнула я. — Только наденьте пуловер, там дикий холод.

Тимофей Пантелеймонович встал, без слов вышел в прихожую и, похоже, снял трубку допотопного аппарата. Сквозь незакрытую дверь легко проникали звуки. Я услышала шуршание, затем голос:

— Андрей? Мне предлагают поехать в судебный морг, опознать тело Нины Силаевой. Утверждают, что она моя дочь. Проверь.

Старик вернулся в свою комнату, сел в кресло и пояснил:

— Приятелю звонил. Сейчас доложит.

Время тянулось долго, потом раздался звонок. Тим-плотник вновь вышел.

— Слушаю. Да, да, да. Нет, сам посмотрю. Спасибо, я в порядке, — донеслось из коридора.

— Мы едем? — спросила я, выходя в прихожую.

Ковригин молча кивнул и потянулся к куртке.

Когда дежурный санитар лениво откинул часть простыни, прикрывавшей лицо жертвы, Ковригин даже не вздрогнул.

— Не с близкого расстояния стреляли, — равнодушно заметил он и резко сдернул с тела всю ткань.

— Эй, эй, — разъярился медбрат, — так делать не положено!

— Уже вскрывали, — сказал Тимофей Пантелеймонович, — зашили аккуратно, молодцы, не тяп-ляп, пожалели девушку.

Санитар быстро прикрыл труп и хотел вдвинуть его в холодильник.

— Погоди, — велел «гном» и приподнял голову Нины.

— Ну народ! — возмутился служитель. — Убери руку от трупа! Там следы, улики.

— Успокойся, — приказал Ковригин. — Раз зашили, значит, все, тело помыли. Рана не сквозная, пулю нашли?

— Пока не знаю, — растерялась я.

Тимофей Пантелеймонович перевел тяжелый взгляд на парня в мятом халате.

— Я чего? Ничего, — внезапно испугался тот, — мне не докладывают, я студент, к стипухе подрабатываю.

— Кто делал вскрытие? — каменным тоном спросил Ковригин.

— Вероника Михайловна Седых, — выдал служебную информацию парень.

Тимофей Пантелеймонович уставился на носилки, вынул кошелек, протянул притихшему юноше пару купюр и сказал:

— Простыню ей поменяй, найди новую, без пятен. И под голову чего помягче сунь.

— Они у нас без подушек лежат, — заикнулся санитар.

— Знаю, — остановил его «гном». — А Нине нормально надо. Справишься?

Медбрат кивнул, подошел к большому мешку, вытащил оттуда пакет, разорвал его и сказал:

— Одноразовая простынь есть, голубая, не пользованная никем.

— Молодец! — похвалил студента «гном». — Пошли, Евлампия, там в конце переулка круглосуточный бар открыт. Выпить мне надо.

Несмотря на поздний час, в заведении шумел народ — в основном прилично подвыпившие мужчины и дамы, чья профессия угадывалась при первом же взгляде на их сильно намазанные лица и «сексуальный» наряд.

— Она мне не дочь, — неожиданно сказал Ковригин, опрокидывая в рот порцию водки.

— А кто? — спросила я.

— Внучка, — пояснил Тим, — угадала ты с родинкой. Фирменный знак Ковригиных. У Ларки, ее матери, такая же была.

— Следовательно, ваша дочь Лариса? — удивилась я. — А как же понятия? Вор в законе не должен иметь семьи. Вы вроде из старой гвардии, не нынешний отморозок.

Тимофей Пантелеймонович положил руки на стол:

— А не было семьи. Мы с Ларкиной матерью не расписывались, жили наскоком. Выпустят меня с зоны, погуляю с корешами и к Надьке еду. Отосплюсь там, отъемся, натрахаюсь до звона в ушах и, прости-прощай, уезжаю. Молодой был, дурной, не понимал, как Надька ко мне относится. Другие мужики в бараке только кулаки от злости сжимали: пока они на шконках грелись, бабы вразнос шли, если официальные жены, то развод оформляли, сожительницы других заводили. А Надя меня ждала, однолюбка была. Ларку родила, никогда не жаловалась, лишь улыбалась.

— Похоже, Нина получила от вас родинку, а от бабушки талант любить, — отметила я.

— Я им помогал, — продолжал Ковригин, — денег давал, Надька комнату в коммуналке на хорошую квартиру поменяла, с доплатой, конечно. Я ей всю сумму отсчитал. И ведь гордился, что не женюсь, считал себя свободным. Глуп был, а Надя умная оказалась. Она от Лары правду не скрыла, не наврала ей про капитана дальнего плавания, честно сказала: «Твой отец сидит на зоне. Но он хороший человек, тебя любит».

— Оригинально, — пробормотала я.

Тимофей опустошил очередную рюмку:

— Не понимаешь — не осуждай. Я теперь другой стал. Когда завязал с ходками, Надя уже умерла, Лара предлагала мне с ней жить. Но я отказался: соседи начнут судачить, то да се. Купил себе «однушку».

— На Кушнира? — уточнила я. — И чем же вы сейчас занимаетесь?

— У меня авторитет, — моргнул Тим, — я судья.

— Простите, кто? — не поняла я.

Тимофей Пантелеймонович вновь налил себе водки:

— Споры разрешаю, дела разруливаю, советы даю. Нынешние парни горячие, быстрые, чуть что — волыну[1] выхватывают, привыкли жмуриков плодить. Вот я и пытаюсь их уму-разуму научить, говорю: «Что делать станете, если каждый по сливе[2] получит? О матерях своих подумали?»

— Лариса с вами общалась? — вернула я Тима к нужной теме.

— Конечно! Готовила, убирала, девчонок приводила, — ответил Тим-плотник, — Галина мне не нравилась. Вся в своего отца пошла, слишком правильная и вредная. А Нинка — солнечный зайчик, я ее колокольчиком звал. Придет и звенит: «Деда, деда, деда».

— Девочки знали, кто вы? — наседала я на Ковригина.

Тимофей Пантелеймонович крякнул:

— Я думал, что нет. Когда Лара умерла, Нина ходить ко мне перестала, а Галя-то еще раньше отвалилась. Вышла замуж и забыла деда. Я сначала обиделся, а потом решил: значит, не очень-то они мне нужны, пусть живут, как хотят. Если

---

[1] Волына — пистолет. Блатной сленг прошлых лет.

[2] Слива — пуля.

понадоблюсь, найдут, а нет — значит, у них все хорошо.

— Позиция буддиста, — кивнула я.

Ковригин залил в себя новую порцию алкоголя:

— Не надо бороться с тем, что нельзя победить, и не стоит плакать по сгоревшему дому, он уже в головешках. Слезами горю не поможешь. Что должно случиться, то произойдет. Вот у меня сейчас на Кушнира внучка приятеля живет, он сам из Перми, попросил Марине площадь найти, съемную. А я с Ириной сошелся, на почве старинных книг подружились, переехал к ней, живем помаленьку. Не жалко девочку в пустую «однушку» вселить, отдал ей ключи, велел порядок соблюдать, обо мне не трепать, где живу не болтать, кто искать станет, позвонить. К чему это я? Ах да, судьба. Отец Марины опоздал на самолет, а он в океан рухнул. Повезло?

— Очень, — согласилась я.

— Дальше слушай, — продолжил Тим, — через месяц он в поезд сел, а состав с рельсов сошел, все живы остались, кроме него. Фатум его настиг.

— Зачем вас Нина нашла? — в лоб спросила я, с тревогой посматривая на пустеющую бутылку.

— Небось про Медведева знаешь, — кивнул Тим. — Хоть я и сам сидел сколько раз, не помню, но таким отморозком не был. Сына он вылечить хотел! Поэтому в киллеры нанялся! А у Нины в голове лишь одна идея крутилась: освободить мужика. Оба безумные! О детях подумали?

— Филипп был исключительно заботливым

отцом, — напомнила я. — Вся история произошла из-за мальчика-дауна.

— Почему внучка ко мне раньше не прибежала, — заорал Тим, — когда они все это затеяли? А если бы и ее посадили? Мальчишек куда деть? В приют? Я мог денег дать! Накоплено! Но нет, сами кашу заварили! Черт бы ее побрал! Знал ведь, что это плохо закончится! И где теперь Нина? На железном столе. А что с парнишками?

— Мальчики в круглосуточном садике, даун Илюша в клинике, — ответила я. — Очевидно, Игоря и Леню отправят в детский дом. А Илюшу продержат в больнице, пока не закончится оплата. Кстати, есть еще Прасковья Никитична, мать Филиппа, она безумная.

— Насрать на бабку, — заявил «гном», — пожила и хватит, пусть о ней сынок заботится. Мальчишек себе заберу!

Я открыла рот и хотела сказать, что малышей никогда не отдадут пожилому, одинокому, да еще многократно судимому мужчине, но передумала. Пусть неприятную правду деду сообщат органы опеки. Мне надо найти убийцу Нины, второго снайпера, участника карточной игры.

— Взбрела ей в голову идея, — вдруг жалобно начал Тим, — все мне рассказала, да только не тогда, когда придумала, а после того, как осуществила. Пришла Нинке на ум чушь, съехала она из своей квартиры, сняла комнатушку у... прокурора, которая Медведева обвиняла. Я ее чуть не стукнул, когда узнал. «Зачем к Рублевой полезла?»

А она в ответ: «Деда, хочу ей жизнь искалечить! Валька не знает, кто я, на суд бывшую жену не вызывали. Я прикинусь доброй и... отравлю ее, яду в суп насыплю». Во, блин, дура!

Ковригин снова вцепился в бутылку и начал с ожесточением говорить. Я слушала Тима-плотника, боясь лишний раз пошевелиться, чтобы не прервать. Водка развязала язык сурового деда, а еще, похоже, он очень любил Нину и сейчас вне себя от горя. Но если Тимофей Пантелеймонович продолжит глотать спиртное, скоро он будет не способен ни передвигаться, ни издавать членораздельные звуки.

Я осторожно поправила в кармане включенный диктофон и оперлась руками о стол.

Узнав задумку Нины про отраву, дед испугался и попытался образумить внучку:

— Не дури! Тебя сразу поймают.

— Плевать, — вздернула подбородок Нина.

— Посадят не на один год, — не успокаивался вор в законе.

— И что? — подбоченилась Нина.

— Детей в интернат определят.

— Зато я отомщу! — топнула ногой Нина. — Лучше помоги мне.

— Чем же? — спросил Тим.

— Достань хороший яд, — потребовала внучка, — чтобы Валентина наверняка померла, да еще пару недель помучилась.

— Не стану, — отказал вор.

Нина вспыхнула, ее щеки покрылись красными пятнами.

— Вот как ты меня любишь!

Тимофей не успел отреагировать, внучка кинулась к двери.

— Мужа ты этим не вернешь! — только и успел крикнуть ей в спину дед.

Некоторое время от Нины не было ни слуху ни духу. Но потом она снова приехала в «офис» дедушки.

— Офис — это подвал под баром «У бабушки Гусыни»? — уточнила я.

Ковригин поднял мутный взгляд:

— Да. Не могу же я вести дела в квартире, здесь Ирина, она о моем прошлом ничего не знает. Думает, я реставрацией книг зарабатываю, по людям хожу, грибок в библиотеках вывожу. С Ниной мы в подвальчике встречались, там надежно, я специально такое место подобрал, где лишних ушей нет. Эй, неси сюда еще шнапсу!

— Может, хватит? — робко спросила я.

Тимофей Пантелеймонович ткнул в меня пальцем:

— Еще не родилась Маша, которая указывать Плотнику смеет! Усекла?

— Усекла, — покорно повторила я.

— Во, молодец, — пошатнулся на стуле собеседник. — Нинка упертая была. Притопала и говорит: «На суде Фил вины не признал, в последнем слове заявил: «Я жертва оговора, вот убьют еще людей, поймете, что не того засадили». Но ты-то знаешь правду, — жестко сказал ей я, — сама говорила, как дом в Берове поджигала, помогала мужу. Дурак он у тебя, однако зачем винтовку в гараже держал? Нина вздрогнула: «Этого я не знаю! Плохо у меня с головой! Привыкла, что муж думает, а я исполняю. И только сейчас сообразила: Фил ведь мне, выступая на суде, подсказку дал. Надо кого-нибудь подстрелить, шум поднять, в газеты позвонить, вот его и освободят, решат: ошибка вышла, не того взяли! Снайпер на свободе». Дура! — снова не выдержал я. — Одна другой глупее идеи в голову лезут! Слава богу, решила прокурора не травить.

Дотумкала: на кого менты сразу подумают? На соседей!

Нина встала: «Я ее пристрелю!»

— Час от часу не легче, — всплеснул руками Тим, — зачем жизнь губить? Достаточно просто ранить! В коленную чашечку впечатать. Статья другая, а эффект лучше, в инвалидном кресле тошно.

Я закашлялась: дед-уголовник всегда готов дать внучке добрый совет.

ГЛАВА 30

Речь вора в законе становилась все более неразборчивой и в конце концов превратилась в невнятное бормотание. Но я уже успела узнать всю правду. Тимофей таки согласился помочь внучке, взялся передать мне телефон. А Нина, начав действовать, быстро поняла, что ошиблась. Буквально сразу она вычислила, к кому в руки попал мобильный Вали, и на ходу скорректировала свой план, включив в него и меня. Нина даже обрадовалась путанице: она надеялась, что я смогу добиться освобождения Фила. Почему ей это пришло в голову? У меня есть лишь один ответ: она увидела у меня на комоде прикол, подстроенный Максом, — фотомонтаж, где я стою около президента и министра МВД. Помнится, приметив этот снимок, Нина ахнула и сказала что-то вроде: «Ну и ну! Ты, оказывается, большой человек». А я живо перевернула рамку изображением вниз и промямлила: «Ерунда, не обращай внимания». Нет чтобы засмеяться и сказать: «Это очередная шутка моего друга Макса, он еще и не на такое способен». Но я почему-то ничего подобного не произнесла. И вот теперь пожинаю плоды. Силаева, сообразив, что с ней говорит не Валентина, а Лампа, тут же вспомнила про тот снимок и возликовала: у соседки есть связи, ну неужели, если ее напугать как следует, она их не использует? То-то она говорила мне при каждом звонке: «Ты можешь! Пусть Фила немедленно выпустят. Позвони своим друзьям».

— Зачем вы отправили меня в прачечную искать кошку? — выпалила я. — Услали на другой конец города.

Тимофей Пантелеймонович рассмеялся:

— Приставучая ты оказалась! Один раз приехала, телефон получила. Второй раз без приглашения приперла. Липучка — копейка штучка. Понял я: ты не отстанешь, начнешь в подвал дорогу топтать. Надо офис менять, перебираться в новое место, куда ты не припрешься. Знаю я таких, как ты: пока человека не измылят, не отвянут. Ну и дал тебе наводку на прачку. Смех глядеть, как ты унеслась, за спиной пыль моталась. Дура с возу, а я поднялся и ушел. Вот для чего «офис» нужен, он не дом, спалился и бросил. Ищи меня свищи.

Ковригин чихнул, схватил со стола салфетку и вытер нос. Я заметила на ней красные пятна. У деда были слабые сосуды.

— И как только ты меня нашла? — запоздало удивился вор в законе и медленно наклонил голову.

Я промолчала. Наверное, в свое время Тимофей Пантелеймонович был ловок, умен и хитер. Но сейчас он явно не в курсе последних достижений криминологии, иначе бы не стал бросать в подвале платок со своим ДНК. Теперь жизнь преступников сильно осложнилась. Не хочешь, чтобы тебя нашли? Забирай с собой окурки, огрызки, мой тщательно после себя посуду, пользуйся отбеливателем, очищая место преступления, не роняй свои волосы, кожные частички, капли пота или слюны, иди на дело в костюме для работы в помещениях с радиационной опасностью. Тогда есть крохотный шанс остаться на свободе. Но лучше не иметь с миром криминала ничего общего, жить честно, зарабатывать деньги, а не воровать их. Простите за банальность, но актуальности это не потеряло. Не нарушайте закон. Рано или поздно вы непременно попадетесь.

Когда Тим-плотник уронил голову на стол и захрапел, я подошла к бармену, достала из кошелька тоненькую пачку денег и спросила:

— У вас тут, наверное, есть комната отдыха для сотрудников?

— Посетителей в служебные помещения не пускаем, — заявил парень.

Я слегка увеличила сумму и сказала:

— У Тимофея Пантелеймоновича убили внучку, он пару часов назад опознал ее тело в морге, оттого и напился. Если уложите его в тихом месте, Ковригин будет вам благодарен. Он человек с авторитетом, может, в будущем вам понадобится.

— Бедный дедушка! — проявил мягкосердечность бармен. — Эй, ребя, волоките его в кабинет Петровича на диван.

Два официанта не слишком крепкого телосложения попробовали поднять Тима-плотника. Задачу хлюпикам удалось выполнить лишь с третьей попытки, и то лишь после того, как я им помогла.

Через четверть часа старик очутился на узкой

софе в небольшой комнатенке. Я сняла с него ботинки и прикрыла ноги его же теплой курткой.

— Здоровый дед, — отдуваясь, сказал один из парней. — По лицу старый, а жилистый.

— И седины нет, — добавил второй.

— Красится небось, — предположил первый.

— Цвет натуральный, — решил поспорить с ним приятель, — темно-русый, корни такие же. У меня бабке сто лет, а зубы свои, ни одной пломбы.

— Ты и в рот ему успел заглянуть, — хмыкнул товарищ.

— Не, просто к слову пришлось, — ответил коллега. — Ща многие красятся, бабы все, как одна, блондинки. Считают, что белые волосы козырнее!

Я вздрогнула. По телу начал разливаться жар.

— Что ты сказал? Белые волосы козырнее?

Официант пошел к двери:

— Ну да, в смысле, моднее, красивее.

— Козырнее, — повторила я. — Бог мой! Вот дура! Глупее не найти!

— Кто? — проявил любопытство второй парень.

Но я быстро покинула бар и уехала в Брехалово.

Утро началось со счастливого повизгивания собак. Я приоткрыла глаз и увидела Макса, который стоял в проеме двери.

— Мы гулять, — свистящим шепотом объявил приятель, — а ты спи, еще рано.

Но я быстро села:

— Нет.

— Дух противоречия родился намного раньше

Лампы! — восхитился Макс. — Ты готова спорить по любому поводу. Из вредности сейчас встанешь? Черт, следовало велеть тебе: «Живо одевайся», вот тогда бы услышал твой нежный храп.

Я накинула на плечи халат:

— Во время сна я не издаю никаких звуков.

— Ну откуда тебе знать? — хмыкнул Макс.

Я встала:

— Мы ошиблись.

— В чем? — насторожился Макс.

— Посчитали Маргариту Подольскую очередной жертвой киллера, — пояснила я. — Вот только вдова никакого отношения к карточной игре не имеет.

— Лампа, собак на улицу выпускать? — закричала баба Нила. — Они под дверью маются.

— Сделай одолжение, — ответила я, — пусть по двору бегают.

Макс сел в кресло:

— Твои слова не имеют смысла. Весь расчет Нины строился на необходимости убедить всех в том, что снайпер остался на свободе и продолжает убивать. Подольская якобы его очередная жертва.

Я села напротив Макса:

— Нина отличный стрелок, ей пристрелить человека, как мне выпить кофе. Вот только Тим-плотник убедил внучку...

Глаза Макса расширились:

— Внучку?

— Потом! — отмахнулась я. — Вор в законе уговорил Силаеву не лишать никого жизни. Нина вняла его совету и отстрелила Вале ухо. Прикинь, как Силаева ненавидела Рублеву! Она мечтала отравить прокурора, потом решила ее пристрелить, но сдержалась. И дала мне по телефону честное слово: больше никого не тронет. Поверь, Подольскую убила не Нина. Я твердо уверена, что Маргарита тут ни при чем. Либо это два разных дела, либо некто знал, что киллер пообещал убрать первого прохожего в семнадцать ноль-ноль, и воспользовался случаем.

— Неужели ты поверила обещаниям Силаевой? — хмыкнул Макс.

Я встала, взяла из ящика комода фото и протянула приятелю:

— Узнаешь?

— Крутая приколина, — засмеялся Вульф, — Лампа в обнимку с первыми лицами государства. Хочешь, сделаю снимок, где ты вместе с Юрием Гагариным?

— Ну спасибо, — разозлилась я, — мне не сто лет! Хватит зубоскалить. Нина случайно увидела твой супермегаприкол и поверила, что госпожа Романова всемогуща. Поэтому она решила, что я ей непременно помогу. Нине не требовалось убивать Маргариту, она была уверена: Лампа может позвонить президенту по личному мобильному, равно как и соединиться с министром МВД.

— Умереть — не встать —протянул Макс.

В ту же секунду у него заработал сотовый, Вульф взял трубку и стал бесконечно повторять:

— Да, да, да.

Я сбегала на кухню, разложила по мискам собачий завтрак, попросила бабу Нилу, самозабвенно жарившую на сковородке очередные комки, впустить псов и накормить их, потом вернулась в спальню и вновь услышала голос Макса:

— Да, да, да.

— Что случилось? — не сдержала я любопытства, когда Вульф положил трубку на стол.

Макс уперся ладонями в колени:

— Отчет по Подольской. Первое. Ее убили из винтовки, по пуле совпадений нет. Зато полно других интересных фактов. У тела нашли мужские золотые часы на бело-сером ремешке. Вероятно, киллер наклонился, чтобы проверить, мертва ли жертва, и обронил хронометр.

— Он не профессионал, — сказала я.

— Под ногтями Маргариты обнаружены кусочки эпителия, — продолжил Макс.

— Сопротивлялась и оцарапала нападавшего, — подскочила я.

— Но ран, характерных для драки, на ней нет, — добавил Макс.

— Немного странно, — кивнула я.

— И не такое случается! — отмахнулся Макс и прикинулся дурачком: — Да, чуть не забыл, на часиках гравировка: «Льву на удачу. И.И.». Шикарная улика, такие редко попадаются.

Меня смело с кресла.

— Райкин! Часы золотые на бело-сером ремешке! Очень приметные! Лев Георгиевич, начальник управления. Лев! Арсений рассказывал о страсти шефа к стрельбе, тот выбрасывает адреналин, стреляя по мишеням, имеет коллекцию оружия, подвержен припадкам гнева и очень богат. Мы нашли второго снайпера! Все понятно! Нина знала, кто соперник Филиппа в игре. Нет, не получается! Что-то тут не вяжется.

— А по-моему, все отлично сложилось, — потер руки Макс. — Нина выходит на связь с Левушкой, тот делает ход, а потом пристреливает Силаеву.

— Райкин — убийца жены Филиппа? — удивилась я. — Все-таки это бред.

— Нет! — не согласился Макс. — Тонкий расчет. Лев Георгиевич — циклотимик, настроение у него меняется сто раз на дню. Сначала он обрадовался возможности сыграть, убил Подольскую, затем испугался и прикончил Нину. Силаева единственная, кто мог навести на него ищеек.

— Есть один нюанс, — забубнила я.

— Есть один нюанс, — повторил Макс, — извини, не успел сразу выложить. Во рту Подольской обнаружили пуговицы от очень дорогого мужского пиджака. Поскольку такой прикид в Москве один, и продал его фирменный магазин, установить покупателя было делом техники. Сюртучок и брючата купил... Угадай кто? Правильно, Лев Георгиевич. Бинго. Филипп Медведев виновен со всех сторон, его никто не отпустит, Нина затеяла глупую историю, но...

Я схватила Макса за рукав:

— Поехали к Гладкову, срочно! У меня есть соображения по этому поводу, кто-то пытается увести следствие в другую сторону.

Паша встретил нас с самым мрачным видом:

— Если есть что важное, говори, если нет, мне болтать некогда.

Я решила не обижаться: Павел нервничает, ему в руки попало весьма щекотливое дельце.

— Тебе не кажется, что улик многовато? Часы, кожа под ногтями и пуговицы во рту?

— Нормально, — не сдался Гладков, — я знаю случай, когда убийца, прикончив жертву, мирно заснул в соседней комнате. Так его в кровати и взяли.

— Лев Георгиевич не идиот, — вздохнула я.

— Он не профессионал, — влез Макс, — отсюда и косяки.

— Ладно, — кивнула я. — А что говорит сам начальник управления?

Гладков ткнул пальцем в кнопку DVD-плеера, стоявшего на столе. Появилось знакомое лицо, которое на этот раз утратило выражение превосходства над окружающими. «Часы потерял, где — не помню, может, ремешок расстегнулся?» — раздалось из динамика. «Но вас неоднократно видели с этими часами, — сказал за кадром мужской голос, — мы можем доказать, что они принадлежат вам». — «Недавно их посеял, — занервничал Лев, — я же не отрицаю, что они мои».

На пленке оказалась полная запись допроса:

«— Предположения, где их оставили, имеются?

— Баня, фитнес-клуб, массаж, — начал загибать пальцы Райкин. — У нас новая прислуга, может, она украла, отдала своему любовнику, а тот продал убийце?

— То есть вы не помните?

— Конечно, нет! — возмутился Райкин.

— Вы не удивились, что часы отсутствуют? — не успокаивался следователь.

— Не сразу заметил, — забубнил Лев Георгиевич, — у меня их больше десяти штук, постоянно их меняю».

Паша нажал на пульт, картинка замерла.

— Здорово, да? Могу дать послушать про царапину.

— Валяй, — обрадовался Макс.

Гладков снова воспользовался пультом, чуть перемотал запись и велел:

— Слушайте. Это забавно.

«— Не знаю я никакую Подольскую, — без агрессии и высокомерия, а чуть ли не со слезами на глазах говорил Лев Георгиевич, — я счастливо женат на Инне Ивановне.

— Под одним ногтем убитой нашли кусочек вашей кожи, — выложил главный аргумент следователь. — Вы-то должны осознавать, что означает такая улика.

— Понятия не имею, как он там очутился, — взвыл Лев.

— Откуда у вас царапина на запястье?

— Эта? Случайно оцарапался.

— Конечно, не помните где?

— Наоборот, могу точно указать место! — обрадовался Лев Георгиевич. — Я выдвинул ящик письменного стола и напоролся на гвоздь.

— Хорошая попытка, — одобрил допрашивающий».

Гладков остановил запись.

— Тупой, еще тупее.

— Вы осматривали его кабинет? — оживилась я. — Нашли гвоздь в столе?

— Нет там ничего, — вздохнул Паша.

— А можно мне поглядеть? — заныла я.

— Зачем? — пожал плечами Гладков. — Он...

Я не дала приятелю договорить:

— Две непонятки. Первая. Если Лев Георгиевич — второй участник «игры», то он отлично знает правила. Филиппа посадили, и ход «Игорь Савиных, пятая жертва» остался не побит. Игорь Львович заведовал отделом в фирме, успешно делал карьеру, ему было тридцать лет. Типичный «валет». Его следовало крыть «дамой». Но Подольская, несмотря ни на что, не тянет на эту карту, она всего-то домохозяйка, правда, вдова богатого мужа, что и возвело ее в разряд «десяток».

— Спорно, — возразил Павел, — я бы оценил тетку дороже.

— Ладно, — согласилась я, — пусть она «дама», бубновая. Маргарита — яркая блондинка. А Савиных брюнет, он пиковой масти. С какой стати бубны бьют пики? Козыри у них были черви. Имей Подольская рыжие кудри, я бы молчала. Жаль, что мысль о цвете волос пришла мне в голову слишком поздно, когда парни оттащили Ковригина в комнату отдыха и стали удивляться отсутствию у него седины. Значит, тот, кто пристрелил Маргариту, ничего не знал о карточной баталии. Газета «Сплетник» и прочие сейчас радостно обсасывают тему снайпера, но нигде в публикациях нет ни слова о «подкидном дураке». Пресса не в курсе. А тот, кто пытался представить смерть Подольской как очередное преступление снайпера, тоже не имел понятия об игре в «дурака». Если Лев убил Маргариту — он не наш снайпер. Если Райкин снайпер — он не лишал бы жизни Подольскую. Так мне кажется.

Павел вытащил из стола бумагу:

— Читай. Это найдено в бумагах Льва Георгиевича.

Я схватила листок. «Милый, ты не можешь меня бросить после стольких лет. Чем она лучше меня? Красивее? Но так, как я, тебя никто любить не будет. Заводя с тобой роман, я не думала, что он превратится в крепкое чувство, но сейчас любовь захватила меня с головой. Думала, ты отвечаешь мне взаимностью, наши встречи раз от раза становились все жарче. После смерти мужа я думала, что время прятаться прошло. Но ты решил иначе. Милый, я хочу быть с тобой. Мой журавлик, я тебя никому не отдам. Если ты не вернешься ко мне, я расскажу всем о нашей любви. Твоя мышка, хотя теперь скрываться уже не надо, поэтому подписываюсь прямо — Маргарита Подольская».

— Упс! — не сдержался Макс, нагло читавший письмо из-за моего плеча. — Вот вам и мотив. Ритуля — любовница нашего Левушки! Ай, хитрый подлец! Маргарита могла разрушить счастье парниши. Дело проще некуда. Мужик имеет богатую жену и любовницу, вторая наглеет, и ее приходится убить. Банально, как яичница на завтрак. Левушка боится потерять бабло супруги. Спит и видит, как избавиться от Риты, и тут снайпер! Нина не убивала Подольскую, это сделал Левчик, подделываясь под нее. А затем, думаю, он пришил и Силаеву, чтобы все концы утопить.

— Тогда он не второй снайпер, — мрачно повторила я. — И как Лев нашел Нину?

Гладков тяжело вздохнул.

— Есть еще нестыковки, — зачастила я.

— У меня от тебя голова заболела, — пожаловался Паша, — мухи черные перед глазами скачут. Уймись.

— Это что! Она способна довести человека до состояния, когда начинаешь видеть розовых слонов с синими ушами, — обнадежил его Макс. — Настырная, въедливая, не девушка, а бультерьер.

— Слишком много улик, — уперлась я, — и вдобавок еще письмо от Риты. Почему он его хранил? Следовало выбросить послание, сжечь, разорвать, съесть! Такие документы не берегут.

— Он дурак, — пожал плечами Гладков.

Но я не удовлетворилась этим ответом:

— Вспомним про эпителий под ногтями и пуговицу. Маргарита убита выстрелом издалека?

— Да, — подтвердил Пашка.

— Не в упор? — уточнила я.

— Нет, — помотал головой Гладков.

— Интересно выходит, — хмыкнула я. — Сначала Лев Георгиевич дерется с жертвой, она его царапает, откусывает пуговицу, потом начальник управления отбегает подальше и стреляет?

Павел и Макс переглянулись.

— Или иначе, — вдохновилась я произведенным на мужчин впечатлением, — Лев Георгиевич убивает любовницу, подходит к ней, а мертвая Рита царапает его, вскакивает, откусывает пуговицу с пиджака и умирает — теперь уже навсегда. Вам какая из версий больше нравится?

Гладков и Вульф молчали.

— Можно мне посмотреть на ящик стола в кабинете Льва Георгиевича? — спросила я.

— Пошли, — после короткого колебания распорядился Паша.

ГЛАВА 31

Мне пришлось около получаса с помощью мощной лупы изучать оборотную сторону ящика, пока я не увидела крохотное, едва различимое отверстие.

— Вот здесь был гвоздик, — обрадовалась я, — зови эксперта. Надеюсь, на счастье Льва Георгиевича, специалист сможет подтвердить мою догадку: некто сначала вбил сюда тонюсенький шпенек в надежде заполучить кусочек кожи начальника. А когда операция удалась, попросту выдернул гвоздь. Твои ребята допустили ляп, они отметили, что из днища ничего не торчит, и успокоились, не стали искать дырку.

— Не знаю, — протянул Паша, — это, возможно, нора древоточца?

— Криминалист развеет все сомнения, — заявила я. — Дайте мне поговорить со Львом Георгиевичем.

— Он без адвоката ни с кем не общается, — отрезал Гладков. — Тесть ему такого пройду нанял!

— Разреши нам поболтать в твоем кабинете, а не в комнате для допросов, — настаивала я.

— Это невозможно, — отрезал Паша.

— Ты же не хочешь запихнуть на зону невиновного и оставить на свободе настоящего убийцу? — выдвинула я железобетонный аргумент.

Гладков схватился за голову и, не говоря ни слова, вышел из кабинета.

Макс щелкнул языком:

— Лампа, готов дать тебе самый большой оклад, мне необходимы такие люди. Я ошибся. Госпожа Романова не бультерьер, она танк с менталитетом ромашки.

— Странное сравнение, — удивилась я, — вроде перфоратора с глушителем.

— Прекрасная вещь! — обрадовался Вульф. — Перфоратор с глушителем! Сколько бы людей подарило его своим соседям! Ну почему ни одна фирма по сию пору не додумалась его изобрести?

Примерно с полчаса мы с Максом пикировались, и наконец в кабинет вернулся Павел.

— У тебя двадцать минут, — предупредил он меня. — В коридоре, у двери, будет стоять охрана. Эй, вводите его! Мы с Максом пока в буфет сходим.

Когда Лев Георгиевич очутился передо мной, я попросила конвойного:

— Снимите с него наручники.

Парень в форме молча расстегнул «браслеты» и покинул кабинет.

— Без адвоката разговаривать не стану, — заученно заявил Райкин.

Я обвела рукой кабинет:

— Это не комната для допросов. Двустороннего зеркала нет, звукозаписывающей аппаратуры тоже. А главное, я не сотрудник милиции, не веду протокол, мы сидим без свидетелей, ведем частный разговор. Но, что еще более важно, я, наверное, единственный человек, который вам верит.

Лев Георгиевич исподлобья покосился на меня:

— Я ничего не знаю.

— Я нашла на наружной стороне ящика вашего стола след от выдернутого гвоздика, — дала я в руки Райкину козырь, — а еще, думаю, письмо Маргарита писала не вам.

— Да? — Он забыл свою роль. — Правда? Послание так хитро составлено, там нет имени адресата, его легко любому подсунуть. Мне не верят, но я не виноват.

— Не обидитесь, если скажу, почему считаю, что послание не для вас? — улыбнулась я.

— В моем положении обижаться смешно, — мрачно ответил Лев.

— Маргарита называет любовника «мой журавлик», но вас никак нельзя сравнить с длинноногой тощей птицей, — продолжала я, — будь я на месте женщины, то обращалась бы к вам «медвежонок», «котик», «ватрушечка».

— Ну и глупости лезут бабам в голову, — не скрыл презрения к женскому полу начальник.

— Вы полный, с брюшком, — продолжала я невозмутимо, — вам отлично подойдет кличка «Винни Пух» или «поросеночек». Но «журавлик»? Письмо адресовано не вам, его подбросили. Есть идеи, кто мог это сделать и зачем?

Лев Георгиевич пожал плечами, я откинулась на спинку кресла:

— Спасение утопающих — дело рук самих утопающих. Вы попали в нехорошую ситуацию, я вам не враг. Соберитесь с силами и попробуйте доказать, что не имели ничего общего с Маргаритой. Если отпадет факт вашей любовной связи, дело развалится.

— Спросите кого угодно, Райкин не бегал по бабам! — нервно воскликнул Лев Георгиевич. — Я люблю Инну, дружу с тестем Иваном Ивановичем. Жена и ее отец — мои самые близкие люди, я не могу их предать, у меня стабильный брак. Мне посторонние бабы не нужны, я вообще их не люблю!

— Вероятно, вы говорите правду, — сказала я. — Похоже, вам действительно комфортнее работать с представителями сильного пола, даже секретарь у вас мужчина.

На дне глаз Льва Георгиевича мелькнуло странное выражение, похожее на страх.

— Разве это запрещено? — резко пошел он в наступление.

— Конечно, нет, — кивнула я, — но немного необычно. Как правило, начальники сажают в приемной шикарных блондинок.

— Жена ревнивая, — коротко пояснил Лев.

— Господи, — всплеснула я руками, — разве

непременно надо спать с секретарем? Мужчине достаточно смотреть на симпатяшку, это бодрит.

— Мне для тонуса лучше кофе выпить, — огрызнулся Лев.

— Жаль, вы не хотите себе помочь, — пригорюнилась я, — вам светит пожизненное.

— Сомневаюсь, — выпалил Лев, — я ни при чем.

— Тогда найдите что-нибудь в свою пользу, — заорала я, — неужели мне одной хочется вас спасти? Кого вы покрываете?

Лев Георгиевич перекрестился:

— Никого. Меня подставили.

— Кто?

— Не знаю.

— Зачем?

— Понятия не имею! — процедил Райкин. — Меня скоро выпустят, я тут ни при чем.

— Маловероятно, учитывая, что вам собрались приписать всех жертв снайпера, — объявила я. — Медведева отпустят, а вас на его место устроят.

Лев Георгиевич посерел:

— Я не виноват.

— Можете это доказать? — насела я на Райкина.

— Разве презумпция невиновности отменена? — взвился мой собеседник. — Не мое дело свою непричастность к преступлению доказывать.

Я внезапно устала.

— Ладно, сидите до похорон Кощея Бессмертного, сами это заслужили! Я умываю руки. Нельзя спасти человека, если тот упорно лезет в петлю. Улик, включая письмо, предостаточно, чтобы вы закончили свои дни в камере.

Лев Георгиевич принялся тереть глаза:

— Я не виноват, не виноват, не виноват!

— Сколько раз уже звучали данные слова, — на манер романса пропела я.

— Могу легко доказать, что не имел с Подольской никаких отношений, — вдруг тихо вымолвил Лев.

— Ну? Сделайте это, — потребовала я.

Райкин наклонился вперед:

— Вы правы, я защищаю любимого человека, вследствие моего признания он может пострадать. Я уже говорил: для меня главное семья, позор ей не нужен.

— Думаете, ваша жена от суда будет в восторге? Пресса, камеры, материалы в газетах, телерепортажи, пересуды соседей, потеря друзей — вот что ее ждет, — нарисовала я безрадостную перспективу.

— Суд! — подпрыгнул Лев. — Я совсем не думал о процессе.

— Да ну? — удивилась я в свою очередь. — А как иначе?

Лев Георгиевич начал сосредоточенно грызть ногти.

— Как иначе, — повторил он, — вы правы, хорошо. Но то, что я сообщу вам, не должно выйти за пределы кабинета. Я не имел отношений с Маргаритой Подольской, никогда не видел ее и вообще не вступаю в интимную связь с бабами. Я гомосексуалист.

От неожиданности я переспросила:

— Педик?

Лев Георгиевич скорчил гримасу:

— Умоляю вас! Отвратительное слово. Гей. Пассивная форма. Я не способен на отношения с женщиной, не физиологически, морально.

— Ага, — растерялась я, — отличная отмазка. Жаль, ее никак нельзя подтвердить.

Райкин покраснел:

— Я готов на осмотр врача, который по некоторым, чисто физиологическим признакам подтвердит, что я практикую сношения нетрадиционным образом.

Я опешила и промямлила:

— Но вы женаты.

— Это не помеха, — кивнул Лев Георгиевич. — У нас с Инной нет секса. Ей он не нужен, жена против интимной стороны брака. Такое случается. Можете поговорить с супругой или устройте нам очную ставку, если я ей объясню, как важна истина, Иннуся скажет правду.

— Хорошая идея, — кивнула я, — но среди следственных работников бытует стойкое убеждение: верить женам арестованных нельзя. Кстати, она вам подарила красивые часы. «Льву на удачу. И.И.». Рашифровать подпись легко — Инна Ивановна.

Лев Георгиевич свесил голову на грудь:

— Ну, супруга могла преподнести мне часы и пожелать удачи. Но я скажу правду, это подарок от моего... ну... э... э...

— Любовника, — помогла я. — Он подтвердит факт вашей связи? Как зовут парня? И.И.? Это...

Внезапно промелькнувшая в голове догадка заставила меня ахнуть:

— И.И.! Иван Иванович, отец Инны!

Райкин схватил меня за руку:

— Никому ни слова. Вы нас погубите! Да, мы много лет вместе. Инна знает о нашей связи, я для нее не муж, а лучший друг.

— Отлично устроились, — только и сумела вымолвить я.

В ту же секунду в кабинет вернулись Павел и Макс.

— Только послушайте Райкина! — зашумела я.

— Ничего не скажу! — опять уперся Лев Георгиевич.

— Сама изложу, — отмахнулась я.

— Сволочь! — выпалил он.

— Сам дурак, — обиделась я.

— Лампа, в красный угол, а ты, красавец, в синий, — скомандовал Гладков. — Романова, начинай.

Спустя короткое время Льва Георгиевича отдали в руки врача, а потом получили назад с убедительным заключением о способе занятий сексом, напоили его чаем с печеньем и задали вопрос:

— Кто имел свободный доступ в ваш кабинет и мог там возиться в одиночестве, не привлекая внимания?

— Арсений, — без особых раздумий ответил Лев.

Я мысленно представила длинноногую, тощую фигуру помощника.

— Похож на журавля. Лев Георгиевич, вы приказывали Сене поставить «жучок» на мой телефон? Или оснастить мой автомобиль устройством слежения?

— Нет, — удивился Райкин, — зачем бы?

Я повернулась к Паше:

— Арсений дал Герману два требования на выдачу «жучков», они были подписаны начальником управления. Необходима графологическая экспертиза документов.

— Кто у нас тут главный? — крякнул Паша. — Кот или мышь?

— Грызуны разбушевались, — засмеялся Макс, — они страшны во гневе.

Но я не обратила внимания на очередную глупую шутку Вульфа и, вместо того чтобы обидеться, протянула:

— Знаете, когда мы сидели в ресторане, Арсений рассказал мне историю про своего приятеля. Тот имел связь с замужней дамой. Все шло хорошо, пока у нее не умер муж и она не стала требовать, чтобы любовник на ней женился. Да только Ромео имел другие планы, он собрался повести в загс девушку из хорошей семьи, с немалым наследством. Сеня очень эмоционально выдал эту историю, и сейчас я понимаю: никакого приятеля нет, он описывал собственную ситуацию, она его мучила до такой степени, что Филатов выложил мне все, так сказать, освободил душу. Глупый, но вполне понятный поступок.

— Данная беседа характеризует Сеню как психически неустойчивую личность, способную в момент трудной ситуации на запланированное убийство, — важно кивнул Гладков.

Макс закатил глаза:

— Паша, да ты психолог! Завидую! У меня никогда не получалось правильно составить психологический портрет преступника!

Гладков не заметил иронии и покраснел от удовольствия.

День плавно перетек в вечер, а затем в ночь. Удивительно, но Арсений Леонидович признался сразу. Едва за ним пришли бравые ребята в форме, как он начал безудержно болтать.

Да, он имел связь с Подольской. Да, неверная

жена владельца рынка была идеальной любовницей, она не хотела огласки. Да, после смерти супруга Подольская вбила себе в голову, что Арсений должен на ней жениться.

Но у господина Филатова были собственные планы. Он сделал предложение Вере, дочери богатого человека Кирилла Поргина. Кирилл Петрович хотел иметь в зятьях мужчину без детей, никогда не состоявшего в браке. Сеня отвечал всем требованиям тестя, дело семимильными шагами шло к свадьбе, но тут возникла Маргарита, которая могла помешать счастью Сени.

Помощник Льва Георгиевича ломал голову над решением проблемы, и тут в управление попало дело снайпера. Арсений Леонидович слышал, как киллер во время телефонной беседы заявил: «Освобождаете Филиппа, или в семнадцать часов я убью первого попавшегося человека», — и решил действовать.

Арсений вбил гвоздь в стол, и Райкин, на радость помощника, сразу поцарапался. Сеня аккуратно вытащил железный штырек, с удовлетворением увидел на нем кусочек кожи и спрятал улику в пакет. Оторвать пуговицу от пиджака Льва Георгиевича оказалось еще проще — тот часто оставлял одежду в рабочей комнате. Арсений договорился о встрече с Маргаритой в парке, убил ее точным выстрелом в голову, засунул под ноготь трупа микрочастицы кожи, положил ей в рот пуговицу и анонимно позвонил на пульт «02» с сообщением об убийстве.

Но этого ему показалось мало, он решил поднять шум в прессе, чтобы распустить слухи о снайпере. Арсений соединился с газетой «Сплетник», попал на корреспондента, пишущего под именем Роман Востриков, и выложил тому сенсацию про стрелка. Роман работает в самой желтой газете, но он понимает, что ему следует иметь хоть какое-то подтверждение слов анонимного источника. И тут ему на помощь прихожу я. Можно сколько угодно сомневаться в вероятности таких совпадений, но они порой случаются. Проговорив с анонимом, Востриков идет в магазин за пивом и сталкивается там со мной, а я в этот момент «прилипла» к магнитному столу у кассы. Увидав бронежилет, Роман делает стойку: ага, если на сотрудниц милиции нацепили защитную одежду, значит, информатор не врал. И «дятел клавиатуры» настукивает материал. Если тщательно допросить журналиста, тот подтвердит мои соображения.

Тем временем Сеня продолжает действовать, он подсунул в письменный стол начальника одно из писем Подольской и решил чуть-чуть подождать, надеялся, что Гладков быстро выйдет на исполнителя. Чтобы быть в курсе событий, Арсений наставил мне «жучков», хотел знать, где носится активная Романова, настроенная во что бы то ни стало вычислить снайпера, не слишком ли она рьяно ищет настоящего преступника, и он не преминул рассказать мне о любви Райкина к стрельбе в тире. Если бы я оказалась тупой, а Гладков откровенным идиотом, Арсений планировал вновь анонимно звякнуть на этот раз самому Павлу и открыто назвать имя Райкина. Если бы Сеня, глядя на мои поездки по городу, понял, что я не успокаиваюсь, он мог бы меня убить.

Арсений совершил много ошибок: не обратил внимания на слово «журавлик» в письме, не знал про игру в «дурака» и не имел понятия о сексуальных пристрастиях шефа. Сеня отлично понимал, что после ареста Льва Георгиевича убийства должны прекратиться, но как найти Нину? Эта задача была основной головной болью убийцы до того момента, как его взяли. Сеня так и не выяснил, кто был настоящим стрелком. Прошло немного времени, и мы задержали Арсения, раскрыв убийство Маргариты Подольской, выяснили, что снайпер Филипп Медведев виновен и справедливо осужден к пожизненному заключению. Павел теперь не сомневался: после смерти Нины Силаевой второй игрок в «подкидного дурака» более рисковать не станет, зароется в песок и с течением времени найдет себе новое хобби. Но кто он такой, осталось неизвестным.

Следующие сутки я сидела в Брехалове и рисовала на листочках разные диаграммы. Но никаких плодотворных мыслей в голову не приходило.

Что я знаю о втором игроке? Богат, имеет связи, любит экстремальные приключения. Негусто. Пользуясь тем, что Прасковья Никитична впала в беспросветное безумие, я еще раз обшарила все вещи Силаевой и ничего не нашла. В голове носились обрывки мыслей. Почему раненая Валентина в бреду бормотала слово «черви»? Если предположить, что прокурор знала правду об игре, тогда понятно, почему она закрыла глаза на кое-какие странности в деле. А если вспомнить о том, что у следователя была больная внучка, которой требовалось сделать операцию в Израиле, и что Василий Сергеевич набрал нужную сумму, то становится ясно, почему и он работал спустя рукава.

Белов ловко слепил пирожок и получил деньги, Валентина сунула пирог в печь, и... неизвестно, что она с этого имела. Филипп Медведев тупо, вопреки всем уликам, отрицает свою причастность к убийствам и... не выдает второго участника, потому что ему заткнули рот деньгами. Почему Нина взялась за винтовку столько времени спустя? Отчего она не сразу решила выручать мужа?

Галине сестра сказала, будто сначала не сообразила, как нужно поступить. Я предполагаю, что Силаевой продолжали давать деньги, а потом перестали. Второй игрок решил, что хватит платить. Нина, наверное, задумала шантажировать его и была убита. Эксперт не сомневался: Силаеву застрелили там, где мы с Максом ее нашли, в подвале бывшего таксомоторного парка. Тело после смерти не перемещали, его лишь накрыли картонкой.

Коли не знаешь, что делать, осмотри еще раз место преступления. Я решила с утра наведаться в руины здания у железной дороги и легла спать, обняв Мулю и Аду.

ГЛАВА 32

— Лампа! — закричала баба Нила.

Я скатилась с кровати:

— Что?

— Испугала тебя? — напряглась мать хозяина. — Ну прости. Сегодня-то суббота.

— Ну и? — зевнула я.

— Нинки-то нет, — зачастила баба Нила. — Как под землю провалилась! Надо ее по больницам поискать. Может, она ногу сломала? Куда звонят в подобных случаях?

Я отвела глаза в сторону. В интересах следствия о смерти Силаевой Гладков велел молчать.

— И дети, — частила баба Нила, — их нужно забрать вечером из сада! А в понедельник назад отвести.

— Мне не трудно съездить за мальчиками, — сказала я, — но я не могу сидеть с ними весь выходной.

— Так и не надо! — обрадовалась баба Нила. — Я их помою, накормлю, мультик включу. Не забудь только их сюда вечером привезти.

— Без проблем, — пообещала я и пошла в ванную.

Развалины таксопарка по-прежнему выглядели мрачно. Я девушка запасливая, поэтому прихватила с собой аж три фонаря. Если один погаснет, а второй сломается, то воспользуюсь третьим. Можете считать меня трусихой, но я называю такое поведение предусмотрительным.

Несколько часов я ползала по полу, перебирая битые кирпичи и остатки стекла, заглянула во все щели и дыры, сдвинула все, что двигалось, и подняла все, что поднималось. В результате обзавелась несколькими ссадинами, царапинами, больно ушибла колено и заработала головную боль.

Мне очень не хотелось признавать свое поражение, я считаю, что следы всегда остаются, просто их не видит невнимательный глаз. Но на этот раз, похоже, преступник был на редкость аккуратен. Эксперт установил, что снайпер стрелял в Нину с лестницы. Жертва находилась в подвале, киллер спускался, поймал женщину в прицел и нажал на спусковой крючок. Силаева не ожидала нападения, она, вероятно, знала убийцу.

Я начала обшаривать лестницу и внезапно обнаружила крохотный кусочек серо-голубого полиэтилена с чуть присборенной верхней частью. Секунду я рассматривала находку, потом подцепила ее пинцетом и аккуратно запаковала в герметично закрытый мешок. Обрывок маленький, но, может, эксперт Макса, гениальная Равиля, сумеет из него что-то выжать?

Грязная и усталая, я вернулась к машине, кое-как вытерла руки влажными салфетками, почистила джинсы и поехала в садик за малышами.

— Тетя Лампа, — заорали Игорь и Леня, кидаясь ко мне, — а где мама?!

— Она уехала в командировку, — лихо соврала я.

— За деньгами, — деловито уточнил Леня, — привезет их много-много, купит мне машину.

— И мне, — не замедлил обрадоваться Игорь.

Леня показал брату язык:

— Только мне.

Игорь стукнул братца по макушке кулаком:

— Фигу тебе!

Ленечка не остался в долгу, началась драка.

— А ну тихо! — повысила я голос. — Вам нужно любить друг друга, а не ссориться. Одевайтесь, не забудьте поддеть под комбинезоны рейтузы, на улице мороз.

— Ты на машине? — деловито осведомился Игорек.

— Конечно, — подтвердила я.

— Тогда можно комбезик прямо на колготки натянуть, — обрадовался мальчик.

Я вздохнула. Ну почему детям всегда лень

одеваться по погоде? Сколько раз Кирюша и Лизавета доводили меня до истерики, занудно исполняя одну песню: «Жарко! В шапке голова потеет! Идти до дома пять минут. Можно мы с раздетой башкой сбегаем?»

Вот мне в детстве приходилось молча натягивать толстый свитер, на ноги — нитяные чулки, сильно «кусающиеся» рейтузики со штрипками, серые носки из «козлика» и валенки с калошами. На голову повязывался белый полотняный платочек, на него натягивался «шлем» — шерстяная шапка, плавно переходившая в нагрудник, и лишь потом на нее водружался меховой капор из цигейки. Последний вместо завязок имел длинную белую резинку, подобную мне продевали в трусики, чтобы те не падали. Боюсь, я не смогу объяснить подросткам, что это за зверь такой — резинка. Тонкая белая полоска легко растягивалась, затем столь же легко сжималась и плотно прихватывала капор. Думаю, это было эксклюзивное изобретение советских женщин, которые не хотели, чтобы дети простудили на холоде уши.

Позаботившись о моей голове, мама впихивала доченьку в тяжелую цигейковую шубу. Поскольку ее покупали на несколько лет, она была на пару размеров больше, чем надо. Предвижу вопрос современных родителей: эй, люди, вы специально хотели изуродовать кроху, сделать ее похожей на тюк?

Конечно, нет, но шубы всегда были в стойком дефиците, купить шубенку удавалось лишь по большому блату. Вот почему большинство моих сверстниц носили зимой нечто, весьма похожее на наряд боярыни, затем бегали в шубе по колено, а потом мамы надставляли полушубки, пришивая к подолу кусок овчины и делая обшлага из другого материала. В результате получалась оригинальная вещь: середина из поношенной, потерявшей вид цигейки, нижняя часть скроена из телогрейки дедушки, а края рукавов — из драпового пальто бабушки. Данная конструкция непременно подпоясывалась ремнем, на шею повязывался длинный шарф, на руки натягивались варежки на тесьме, и — пожалуйте на улицу.

Даже передвигаться тихим шагом в таком обмундировании бедному ребенку было крайне затруднительно, обычно я тащилась рядом с мамой, ощущая себя полураздавленной бабочкой. Да, чуть не забыла! Если столбик термометра опускался ниже отметки десять градусов, из маминой сумки появлялась железная коробочка из-под леденцов, наполненная перетопленным гусиным жиром. Этой противной субстанцией мне намазывали лицо, потом прикрывали его носовым платочком, который на манер чадры подпихивали под края шапки, и строго заявляли:

— Молчи. На улице мороз. Ни одного слова, пока не окажешься дома.

Современные дети, имеющие легкие комбинезоны и при этом капризничающие при виде невесомых теплых штанишек, должны выучить наизусть мой рассказ о цигейковой шубе и понять, как им повезло.

Поспорив о рейтузах и проиграв в словесной битве, я посадила братьев в машину. Игорь и Леня моментально обнаружили новый повод для выяснения отношений: справа окно у малолитражки больше, чем слева.

— Мне лучше видно! — объявил Игорь. — Стекло шире твоего.

— Врешь, — отреагировал Леня.

— Там медведь стоит, — соврал Игорек.

— Где? — завопил наивный Леня.

— Уже проехали, — захихикал Игорь, — не заметил?

— Нет, — честно признался брат.

— Говорил, мое окно здоровше, — обрадовался Игорь, — вау, дурак! Ну ща получишь.

Я посмотрела в зеркальце: все правильно, на заднем сиденье начались активные военные действия. Поскольку у меня есть опыт воспитания Лизаветы и Кирюши, я отлично усвоила одну истину — пока дети не убивают друг друга, вмешиваться не стоит. Еще более глупо задавать вопрос: «Кто первый затеял свару?» В ответ моментально получите единый выкрик: «Он!»

Двери в машине заблокированы, пусть Игорь и Леня пинаются сколько их душе угодно. Вот у бабы Нилы другие воспитательные принципы, остаток вечера я провела под неумолчные замечания старухи:

— Перестаньте драться, посидите спокойно. Леня, отстань от Игоря, Игорь, не лезь к Лене.

Потом бабушка устала и призвала на помощь Томаса.

— Если вас на месте стоять, получить красивый значок с американским президентом, — решил подкупить буянов студент.

— Лучше с Микки-Маусом, — возразил Игорь.

Томас, воспитанный в традициях патриотизма, подумал, что дети его не поняли, и уточнил:

— Знак имеет флаг и лицо из Белый дом. Очень правильный украшений.

— Что ты за него хочешь? — деловито спросил Игорь.

— Тихий вечер, — объявил Томас.

— Всего-то за один значок? — возмутился малыш.

— С мордом американского президента, — напомнил Томас.

— Он не нашенский, — возразил Леня, — нам твой президент ни к чему.

— Американский первый лидер из Белый дом? — оторопел студент.

— Наш Кремль главнее, — заявил Игорь.

— Нет, — возмутился Томас, — весь мир слушать американский человек из Вашингтона!

— Ха, — в один голос ответили мальчишки, — все ты врешь!

— Глупцы! — рассердился Томас. — Кока-кола пьете? Жвачка жуете? Это из Америки.

— А ты бабы-Нилин борщ сожрал, — возразил Игорь. — Российский суп круче, и наш президент лучше вашенского. И ваще, ты здесь живешь. Наш президент — твой тоже.

Я тихо прыснула: достойный аргумент в споре. Томас неожиданно обиделся, и следующий час дети Силаевой, объединившись ради победы над общим врагом, пикировались с американцем. В конце концов я вышла в кухню и сказала Томасу:

— Ты же взрослый! Зачем ввязался в словесную перепалку с детьми? А вы оба идите спать.

Буяны, неожиданно присмирев, ушли в свою комнату, наверное, устали. Я тоже легла в кровать, подпихнула под один бок Мулю, под другой Капу, положила правую ногу на Аду, левую на Феню, уловила тихое сопение Рейчел, легкое похрапывание Рамика, закрыла глаза и... заскрипела зубами, услышав шепот Игоря:

— Тетя Лампа, я лягу с тобой, мне одному страшно.

— Нет, нет, — возразила я, — здесь негде устроиться, кругом псы. И потом, разве ты трус?

Игорек без приглашения сел на Мулю:

— Не-а, просто в комнате темно.

— В моей спальне тоже нет света, — зевнула я.

— Но тут ты и собачки, — логично возразил Игорь.

— А в вашей детской Леня, — сопротивлялась я экспансии на свою кровать.

— Он маленький и противный, — вздохнул Игорь. — Ну пусти!

— Нет! — категорично заявила я. — Каждый человек спит на своем месте. Или ты все же боишься остаться один на диване?

Игорь засопел:

— Я храбрый.

— Тогда спокойной ночи, иди ложись в постельку, — велела я. — Можешь не закрывать дверь в коридор.

— Хочешь, открою тебе тайну? — зашептал мальчик. — Если оставишь меня здесь, такой секрет расскажу!

— Не-а, — пробурчала я.

— Я могу спать один, — гордо заявил Игорек. — А еще я главнее Леньки, охраняю ключ. Мама велела никому не говорить, она мне его на шею повесила. Видишь?

Мне пришлось сесть и зажечь лампу.

— Игорек, не дури. У тебя на шее крестик, иди спать.

Мальчик хитро прищурился:

— Ага, его мама надела и приказала: сыночек,

не потеряй. Она его иногда берет и уносит. Думает, я сплю и не вижу. Хочешь, открою тайну?

— Говори, — заинтересовалась я.

— Сначала пообещай, что пока мама не вернется, я буду спать с тобой, — потребовал Игорь.

— Ладно, — согласилась я.

— Поклянись, — не успокоился ребенок.

— Зуб даю, — сказала я.

— И никому не проболтаешься?

— Могила, — зевнула я.

Игорь снял с шеи шнурок:

— Это не крестик, а ключик такой. Мама его потихоньку берет и дверь открывает.

— Дверь? — подпрыгнула я. — Где?

— В домике, — зашептал Игорь, — он синий, с красной крышей, внутри играет музыка и карусель вертится.

— Где находится этот домик? — удивилась я.

— В сарае, — еле слышно сказал малыш. — Показать? Тут рядом, где картошка.

Я вскочила с постели:

— Пошли.

— Одеться надо, — внезапно проявил несвойственную ему предусмотрительность Игорь, — холодно.

По дороге в сарай Игоряша крепко держал меня за руку и болтал без умолку. Я старалась не пропустить ни слова из его рассказа. Как многие дети, Игорек имел хороший слух и зоркий глаз.

После того как папа уехал в командировку, а мама привезла всех в Брехалово, она сказала детям: «Бабушка болеет, ей нужен свежий воздух, когда она поправится, мы вернемся назад».

Игорю перемены в жизни не понравились, а

потом еще мама надумала отдать детей в садик, они с братом сидели днями и ночами в группе. Правда, мать заверила малышей: «Вот Илюша и баба Паша выздоровеют, мы поедем в свою квартиру, и все будет по-прежнему». — «А папа?» — задал вопрос Игорь. «Он в командировке, — ответила мама, — будь мужчиной, мне сейчас тяжело, не капризничай».

Игорь очень любит маму, поэтому он изо всех сил старался хорошо себя вести. А еще Нина повесила на шею сына новый крестик и сказала: «Это папа тебе прислал подарок. Не хвастайся перед Леней, денег хватило только на один, не обижай брата».

Игорь пообещал хранить тайну, но не выдержал. Леня устроил скандал, Нина рассердилась на болтливого мальчика, но крестик у него не отняла, сказав: «Я пошутила насчет папы, хотела проверить, умеешь ли ты хранить тайны». Игорь разрыдался, а мама его утешила: «Ничего, все равно носи».

В очередной выходной, уложив детей и подумав, что они спят, Нина подошла к сынишке, сняла у него с шеи крест и пошла во двор. Любопытный Игорь осторожно последовал за мамой, проник за ней в сарай...

На этой фазе рассказа мы вошли в деревянное помещение, набитое всякой всячиной. Игорь довел меня до старой сумки, о которую я некогда споткнулась, и сказал:

— Домик там.

Я расстегнула «молнию» и поняла, что вижу личные вещи какого-то парня: несколько простых мужских брюк, пара рубашек, далеко не новое нижнее белье, носки, пустой бумажник, шарф и обшарпанную коробку, некогда бывшую яркой подарочной упаковкой. Еще там был деревянный домик, синий с красной крышей и небольшим отверстием вместо одного из окон.

Игорь снял крестик и проинструктировал меня:

— Его надо в дырку пихнуть.

Я послушно вставила ключ в замочную скважину. Крыша поднялась, послышалось тихое звяканье колокольчиков, открылась небольшая вертящаяся каруселька.

«Джингл белл, джингл белл», — пела музыкальная шкатулка.

— Красиво? — выдохнул Игорь. — Здоровский секрет?

Я кивнула, мелодия закончилась, раздался тихий щелчок. Я схватилась за карусель и потянула ее вверх, открылось второе дно, там лежала небольшая записная книжечка коричневого цвета. Я молча смотрела на нее.

— Ух ты! — закричал Игорь. — Не видел, как она сдвигается!

В сарае внезапно возник луч света.

— Ну погодите, дьяволы, — заорали с порога, — ща мало подлюкам не покажется! Пришли мои запасы тырить! Да защиту задели! Зазвенели бубенчики! Захотели опять консервы унести? Ща пристрелю!

— Баба Нила, остановись, — закричала я, — это Лампа!

Старуха прошла чуть вперед:

— Господи, что ты тут делаешь?

— Мамин секрет смотрим, — тут же влез Игорь.

— Секрет? — переспросила баба Нила.

— Ерунда, — засмеялась я, — Нина оставила в сарае сумку с тряпками.

— А в ней коробка с музыкой, — заверещал мальчик.

— Не знала, что Нинка тут хабар сложила, — изумилась хозяйка.

— Лампа записную книжку нашла, — похвастался Игорь. — Там дно еще раз поднимается, а внутри блокнотик лежит!

— Некрасиво в чужом шмотье шарить, — укорила меня старуха.

— Мальчик никак не засыпал, — начала я оправдываться.

— Голова у меня кругом идет, — запричитала баба Нила, — весь день колготень. Томас кран в ванной сломал, Прасковья хоть и сумасшедшая, а все время жрет! Где покой? Колян ща роды принимал, всю комнату изгваздал.

Я захлопнула шкатулку и быстро закопала ее в вещи.

— Роды? У кого? В доме только мы. Я младенца на свет не производила, вы тоже, остаются лишь Томас и Прасковья Никитична, но сильно сомневаюсь, что они способны родить ребенка.

— Быдры хреновы, — пригорюнилась баба Нила, — общим счетом девять быдрят у Коляна. Не слышала, как он у тебя над головой носился? Туда-сюда бегал, упарился весь.

— Степа и Петя разродились? — хихикнула я.

— Ошибочка получилась, — засмеялась баба Нила и потрясла винтовкой: — Они оказались Степанида и Петровна. То-то жирными выглядели. Небось продавец не наврал Коляну, сын сам все перепутал, он невнимательный.

— Поосторожней, — испугалась я, — разве можно оружием размахивать? Еще выстрелит.

Баба Нила с превосходством глянула на меня:

— Не боись, Лампа, сам по себе ствол лишь в кино бабахает. Я умею с пукалкой обращаться.

— Что-то не верится в ваши охотничьи таланты, — вздохнула я. — Лучше отложите винтовку. Откуда она у вас? На оружие нужно разрешение, и его положено хранить в специальном шкафу, под запором.

Мать Коляна прислонила опасную игрушку к руинам комода.

— В деревне живу, не в городе. Здесь в каждой избе у кого обрез, у кого «наган». Многим от родителей арсенал остался, другие в начале девяностых обзавелись, чтоб от бандитов урожай охранять, третьи в те же времена от голодухи охотой спасались. Думаешь, если около Москвы живем, то зайцев нет?

— Ужас! — поежилась я. — Замолчи, сделай милость.

— Ствол в деревне вещь нужная, — продолжала вещать старуха, — ну, типа лопаты. Иногда погрозишь им, и бомжи убегают. Короче, не дрейфь, я с железкой ловко управляюсь.

— Хочу винтовку нести! — объявил Игорь.

— Фигу тебе, — спокойно ответила старуха, — детей к оружию не подпускают.

— Тогда покажи котят, — заявил Игорь.

— Завтра, спать пора, — ультимативно ответила баба Нила, — пошли отсюдова.

Мне очень не хотелось оставлять записную книжку. Логика подсказывала: если Нина столь тщательно ее спрятала, то внутри непременно найдется много интересного. Но забрать вещь Силаевой на глазах у старухи невозможно, поэтому я мысленно на некоторое время попрощалась с блокнотом и пошла в дом.

Игорь и баба Нила тащились сзади.

— Котят дай, — ныл мальчик.

— Они быдрята, — уточнила старуха.

— Хочу! — прибавил голоса Игорь и моментально получил от старухи подзатыльник.

— Хочуха в моем доме не живет, — заявила бабка. — Это Лампа добрая, почапала с тобой в мороз, каприз твой выполняла, а я умею с мальчиками управляться.

— У-у-у, — попытался зареветь Игорь и снова проиграл.

Баба Нила вытащила из кармана куртки смятые бахилы.

— Еще поори тут ночью, — пригвоздила она, — вона, кляп из чего под руку попалось сооружу. Избаловала вас мать. От еды нос кривите, буяните, деретесь. Бандюки, в отца получились, пойдете по кривой дорожке, как он. А ну в кровать!

Получив мощный отпор, Игорь счел за благо не продолжать качать права. Обиженно сопя, малыш исчез в своей комнате.

ГЛАВА 33

Я вернулась к себе и позвонила Максу.

— Дорогая, — сонным голосом отозвался приятель, — понимаю, что ты сгораешь от страсти, но я согласен на интим только после свадьбы, тщательно берегу свою честь. Извини, но таковы мои принципы.

— Приезжай в Брехалово завтра как можно раньше, — сказала я, — нашла нечто интересное.

— Говори скорей, — велел Макс.

Я вкратце изложила историю про сарай и музыкальную шкатулку, завершив ее фразой:

— Сейчас подожду, пока баба Нила заснет, и снова сбегаю в пристройку.

— Лучше не высовывайся, — приказал Максим.

— Хочу забрать записи, — ответила я.

— Завтра с утра вместе сходим, — не успокаивался Вульф.

— Отлично, — согласилась я, — спокойной ночи.

— Сладких снов, котик, — сказал Макс.

Я поставила трубку на зарядку и осталась сидеть в кресле, внимательно вслушиваясь в звуки сверху. Похоже, баба Нила затеяла уборку: у меня над головой шуршало, скрипело, скребло. Слава богу, надолго старуху не хватило, минут через тридцать воцарилась тишина.

Очень осторожно, тихо, словно бабочка, я всунула ноги в мягкие овчинные сапожки, накинула куртку и поспешила в сарай. У меня пропал даже намек на сон. Неизвестно, удастся ли утром незаметно слазить за книжечкой, лучше добуду ее сейчас. Правда, у меня нету ключика, он остался на шее у Игорька, но открыть запор не трудно. Надо только соблюсти осторожность и не задеть сигнальную систему бабы Нилы. Когда мы с Игорем заявились в сарай, я забыла про веревку с колокольчиками, но теперь буду внимательной.

Я вошла в сарай и медленно начала пробираться вдоль стены. Когда я достигла старого комода, входная дверь распахнулась, узкий луч света метнулся по полу. Очевидно, не одна я маялась сегодня бессонницей, нашелся еще один человек, решивший вылезти из теплой постельки в февральскую стужу. Но, в отличие от меня, старавшейся не привлечь ничьего внимания, неизвестный нагло попер вперед. Я села на корточки и попыталась втиснуться за развалины комода. Сейчас сюда прилетит баба Нила, и беспардонному вору, решившему спереть чужие запасы, мало не покажется. Любитель чужих консервов определенно привел в действие сигнальную систему, он ведет себя как боров в курятнике.

Но старуха не торопилась в сарай, может, она очень устала, заснула и не слышит истошного звона колокольчиков. Мародер же не спешил открывать подпол, он передвигал сундуки, перекладывал тюки и мешки, его явно интересовала не домашняя тушенка и не маринованные огурчики.

Внезапно сноп света выхватил из мрака сумку Нины.

— Иес! — не удержался от возгласа человек, его голос показался мне знакомым.

Грабитель расстегнул «молнию», покопался в барахле, выудил коробку и поспешил к выходу.

— А ну положи! — заорала я. — Не сметь хватать чужое!

Свет погас, но я живо зажгла свой фонарь и стала осматриваться. Створка заскрипела. Забыв про сигнализацию, я ринулась к выходу, зацепилась ногой за доску, упала, но успела ухватить соперника за край куртки. Незнакомец попытался вырваться, но мои пальцы превратились в клещи. Я села на пол и изо всей силы дернула пуховик, тот неожиданно упал мне на лицо. Вор скинул куртку и сейчас удерет.

Боясь упустить мерзавца, я, не обращая внимания на все сильнее ноющую коленку, выскочила из сарая, увидела в свете луны, как в сторону забора торопится черная тень, и бросилась за ней. Неожиданно грабитель притормозил, схватил валявшееся у тропинки дырявое ведро и швырнул в меня. Меткостью преступник похвастаться не мог, ведро просвистело над моей головой, а я, воспользовавшись замешательством врага, прыгнула вперед и вцепилась в его свитер. Пару секунд мы стояли лицом к лицу, потом упали в снег.

— Отдай коробку, хуже будет, — пропыхтела я.

— Пошла на... — прозвучало в ответ.

Эту фразу сопроводил сильный удар в лицо. Последнее, что я помню, был голос Макса:

— Опаньки! Рад встрече.

Во вторник, около трех часов дня, я сидела в кабинете у Павла и слушала его шуточки.

— Жара на улице, — вещал Гладков, — солнце вовсю шпарит, разве не так, Лампа?

— Не так, — сердито отозвалась я, — за окном февраль, холод и ветер.

— Ой, правда! — засмеялся Павел. — Чего же ты в темных очках? Думал, я попутал чего, типа лето пришло, а я его и не заметил. Сними окуляры.

— Мне и так хорошо, — протянула я.

— Не стесняйся, — ободрил меня Гладков, — здесь все свои. Неудобно сидеть в темноте. Охо-хо! Тебе синий цвет к лицу! — заявил он, когда я сняла очки и явила свету бланш под глазом.

— На мой дилетантский, нехудожественный вкус, слишком темный колер, — задумчиво добавил Макс.

— Ниче, скоро пожелтеет, — оптимистично пообещал Павел.

— Блондинкам оттенок сочного лимона не идет, — зацокал языком Вульф, — лучше чуть розовый с голубизной.

Я снова надела темные очки и с достоинством произнесла:

— Фингал я заработала случайно, пытаясь задержать опасного преступника и сохранить улику. Кстати, Паша, если б не я, запихнул бы ты в тюрьму по обвинению в убийстве Маргариты Подольской Льва Георгиевича Райкина. Представляешь конфуз?

Как все мужчины, Паша терпеть не может вспоминать о своих ошибках. Еще неприятнее ему признать: Лампа-то оказалась права! Но куда деваться? На всякий случай я подбросила в костер дровишек:

— Поэтому имею полное право знать, что за информация содержалась в записной книжке. Еще раз подчеркиваю, блокнот обнаружила я. Я!

Павел поднял палец:

— Тебе просто повезло!

— Судьба посылает подарки лишь достойному, — подчеркнула я. — Кстати, Макс, спасибо тебе, ты очень вовремя приехал в Брехалово.

— Всегда готов, — приосанился Вульф.

— Странно, что ты вылетел из дома практически сразу после моего звонка, а не подождал рассвета, — продолжала я.

Максим лучезарно улыбнулся:

— Как только ты сообщила о своем согласии не ходить в сарай до утра, нежно проворковав: «Спокойной ночи», я сразу допер: ох, неспроста эта покорность, сейчас Лампа в пристройку попрет. Обуяло меня нехорошее предчувствие, я сел в шарабан, вдавил педаль газа и за полчаса до Брехалова долетел. Хорошо, ночью на шоссе пусто. А то бы сидеть тебе здесь сейчас с двумя бланшами и сломанным носом.

— Очень благодарна, — церемонно поклонилась я. — Так что в книжке?

— Все, — потер руки Павел. — Это записи Филиппа Медведева, они зашифрованы, но нашему спецу, Сергею Петровичу Когтеву, понадобилось меньше часа, чтобы разобраться с ними. На страницах описано, как Медведев следил за своими жертвами, вычислял кандидатуры, отбрасывал одних, вторых, третьих. Как, определившись с личностью «карты», составлял график ее передвижений.

— Там же он отмечал, как искал второго игрока, наверное, хотел его шантажировать, — перебил Пашу Максим, — но не преуспел, понял лишь, что с ним связывается Колян Рублев.

— Я удивилась, когда увидела, что Николай хочет украсть книжку, — сказала я, — меньше всего думала о связи этого недотепы с преступником.

— Ты сама ответила на незаданный вопрос: «Почему Николай ввязался в эту авантюру», — хмыкнул Паша. — Вся его жизнь — цепь неудачных попыток основать свое дело, две из которых — алкогольная и, если можно так высказаться, быдровая — разворачивались на твоих глазах. Но начну от печки. Филипп Медведев понимал, что может попасться, поэтому, желая оградить жену и детей от клейма «семья преступника», специально развелся, но еще больше он хотел заработать денег для излечения Илюши, вот и стал усиленно искать своего партнера, надеялся шантажировать того, кто предложил игру. Нина, похоже, была в курсе всех дел супруга. Естественно, никакой приятель по службе Медведеву не помогал, он нашел «работу» через Интернет, по электронной же почте связывался с посредником, им оказался Колян Рублев, сидевший в сети под ником «Muichina-1». Филипп по ай-пи-адресу вычислил интернет-салон, из которого отправлял послания Николай, последил за ним до дома, хотел понаблюдать за парнем дальше, но попался.

Затеявший игру богатей вышел сухим из воды, Филиппа осудили. Ясное дело, Нине такой поворот событий показался более чем несправедливым. Она очень внимательно прочитала записи мужа и решила продолжить слежку за посредником. Представляешь ее радость, когда она узнала, что Рублев сдает комнаты? Полагаю, Нина сразу после суда над Медведевым сообразила: ей не дадут жить в родной квартире соседи, весь дом знал, что Филипп арестован за убийства. Нина не хотела, чтобы Игорь и Леня узнали правду, надо было срочно уезжать. Кстати, небольшая деталь, выясненная лишь вчера. Силаева пыталась сдать свои апартаменты, ей очень нужны были деньги, запас, оставленный мужем, иссякал с каждым днем. После того как Нина оплатила пребывание Илюши в клинике, средств осталось совсем мало. Силаева обратилась в риелторское агентство, клиенты стали приходить в дом, но соседи не дремали, в особенности старалась одна из них, та, что жила с Ниной на одной лестничной клетке. Противная баба видела через «глазок», что появились очередные потенциальные съемщики, мигом выбегала на площадку и начинала причитать: «Ох ты господи! Несчастливая площадь! Тут убийца жил, его сейчас в тюрьме держат!» И как бы вы отреагировали на такое заявление?

— Вот дрянь! — не выдержала я.

Гладков пожал плечами:

— Дамочка не хотела, чтобы рядом появились жильцы! Очень понятное желание. Так Нине и не удалось найти съемщиков. Был лишь один выход: продать квартиру, а себе купить другую, в другом районе, где их никто не знает. Нина начала этим заниматься, но процесс шел медленно, народ не спешил приобретать апартаменты.

Николай Рублев много за проживание не просил, но даже заломи он несусветную сумму, Нина бы непременно к нему поехала. Жена Медведева (язык не поворачивается назвать ее бывшей) сообразила: ей выпал замечательный шанс поселиться в гнезде врага и наблюдать за ним изнутри. Силаева была полна гнева: значит, Валентина прокурор, а ее муж — пособник преступника? Ясно, почему Рублева так торопилась посадить Фила, боялась, что правда вылезет наружу.

Я подняла руку:

— Непонятно.

— Да? — озабоченно вскинул брови Гладков. — Что именно?

Я откашлялась:

— Колян посредник, через него Филипп и второй участник договариваются о своих ходах. Почему же другой снайпер не всполошился, узнав, где устроилась Нина?

Павел кивнул:

— Первое. Игрок понятия не имел, где находится разведенная жена Фила. Второе. Рублеву постоянно нужны деньги, желающих жить в Брехалове мало, Колян не проверял дотошно документы жилички. Носи она фамилию Медведева, глядишь, даже у этого дурака могли зародиться подозрения, но Нина после расторжения брака вновь стала Силаевой, я думаю, на этом настоял Филипп. Да, в метриках у мальчиков отец указан, но Колян в документы детей не заглядывал. Он обрадовался, что появилась тетка, согласившаяся без торга на его цену, и ударил с ней по рукам.

Нина следит за Коляном, вероятно, надеется, что богатый снайпер вновь захочет начать игру и обратится к Рублеву как к посреднику. Но любитель экстремальных развлечений не проявляется. То ли он посчитал забаву слишком опасной, то ли она ему наскучила.

— Поняла! — закричала я. — Баба Нила жаловалась на воров. Кто-то воровал ее банки в подполе. А один раз незваный гость залез в дом и порылся в спальне у Рублевых. Хоть преступник и пытался действовать аккуратно, да он неправильно сложил полотенца в шкафу. Но это была Силаева, она пыталась найти хоть какие-то следы! Нина хитрая, обшаривая сарай, она утянула из подвала немного тушенки, вот баба Нила и решила, что на участке разбойничает местная шантрапа.

— Скорее всего ты права, — внезапно согласился со мною Макс.

Гладков, не обращая внимания на наши выступления, продолжил:

— Думаю, дальше дело разворачивалось так: Рублев занимается своим бизнесом, Нина впадает в отчаяние и начинает творить глупости. Кстати, вам не кажется странной роль Коли?

Мы с Максом дружно закивали.

— Еще более вы насторожитесь, когда узнаете то, что выяснил я, — потер руки Павел. — Валентина буквально упросила начальство отдать ей дело Медведева, а потом, благополучно завершив процесс, очень быстро ушла с работы, мотивировав свое увольнение резким ухудшением здоровья. Интересная деталь: Филипп получает пожизненное, а Колян буквально на другой день после вынесения приговора покупает парник и начинает выращивать корень женьшеня, заводит очередной обреченный на провал бизнес. Каким же болваном надо быть, чтобы поверить в возможность созревания в Подмосковье женьшеня!

Я вцепилась в ручки кресла.

— Следователь Белов получил деньги на лечение внучки, Колян купил кусты дальневосточного целебного растения, Валя покинула службу после того, как закрыла глаза на все косяки следствия и изо всех сил постаралась упечь Медведева за решетку до конца жизни.

— Филиппа не смог бы отмазать сам Перри Мейсон[1], — скривился Макс.

— Верю, — протянула я, — но другой прокурор мог бы, изучая дело, поинтересоваться, отчего уважаемый Василий Сергеевич всего один раз поговорил с Галиной Исайкиной, не задал «доброй тетеньке» нужных вопросов. И это лишь первое, что сейчас пришло мне в голову. Думаю, в бумагах можно обнаружить и другие натяжки. Кто-то очень желал побыстрей избавиться от Медведева, хоть и заткнул снайперу рот деньгами, но побаивался: вдруг Филипп ляпнет про Рублева? Потянут за ниточку, распустят свитер целиком. Валентина все знала! Вот почему она шептала после ранения «черви»!

Гладков кивнул:

---

[1] Перри Мейсон — главный герой книг Гарднера, адвокат, всегда добивающийся оправдательного приговора для своих клиентов.

— Да, она знала. Когда Колян стал посредником между Филиппом и вторым стрелком, он получил от него деньги. Рублев пообещал никому не говорить о том, где их взял. Николай сдержал слово: ни баба Нила, ни Валентина сначала даже не подозревали, во что он ввязался. Но сколько раз за время нашего разговора я вынужден повторять одну и ту же фразу: «Колян идиот». Другой человек сидел бы тихо, спрятав заначку до лучших времен, но наш мальчик Дурак с большой буквы. Правда, вначале он, по его словам, засунул пакет с ассигнациями в камеру хранения на вокзале.

— Во кретин! — хмыкнул Макс. — Почему не в ячейку банка?

— Потому что он Колян, — ответил Паша. — Буквально за день до ареста Филиппа Рублеву попалась на глаза статья о страусах, и кретин бросился покупать инкубатор, он решил разводить гигантских птиц. Баба Нила давно не спрашивала сына о бизнесе, а Валентина занервничала, спросила: «Откуда у тебя деньги?»

Колян стал выкручиваться и соврал: «Я взял кредит».

Лучше бы он придумал себе мифического друга или инвестора, потому что жена испугалась: «Какой банк дал тебе в долг? Под какой процент? Мы не сможем вернуть деньги».

Не забывайте, что Валентина, несмотря на мягкость характера, желание жить тихо и полнейшую бесконфликтность, все-таки, хоть и исполняя волю авторитарной мамы-судьи, стала прокурором. Жена профессионально загнала мужа в угол, тот во всем признался, да еще сообщил под конец, что Фила задержали.

Паша на секунду остановился, выпил воды и продолжал:

— Николай сказал мне, что Валя пришла в ужас, она попыталась вразумить супруга, у них вышла драка, слава богу, они успели остановиться до прихода бабы Нилы. Старуха застала лишь разгром в ванной и подумала, что Колян решил поучить жену уму-разуму.

Валентина, используя свое служебное положение, разузнала про Медведева и поняла, что действовать нужно быстро, иначе Николай очутится на скамье подсудимых и ей самой не поздоровится. Задачу Рублевой упростило желание второго стрелка побыстрее засадить Филиппа. Следователь Белов получил взятку, Валя живо добилась осуждения Медведева и ушла с работы. Ей показалось, что Колян в безопасности, а она сама теперь может смешивать коктейли в баре, а не выступать в суде.

Силаева, отчаявшись найти второго снайпера, решает освободить мужа. Дальше вы знаете. Лампа берет трубку сотового Рублевой. Нина понимает, кто у аппарата, вспоминает об увиденном накануне фото соседки с президентом и радуется: теперь все будет хорошо. У Евлампии огромные связи. Силаева подготовилась к делу, приобрела на Горбушке «изменитель» голоса и вела разговор, как мужчина, произнося: «Я сказал».

Мне стало душно.

— Надо, конечно, любить мужа, но избави бог от страсти, которую испытывала к Филиппу Нина.

— Это патология, — согласился Павел. — Обычно у баб на первом месте дети.

— Силаева заботилась и о малышах, и о Прасковье Никитичне, — напомнил Макс, — давайте будем справедливы.

— Нина хотела угодить супругу! — возмутилась я. — Филипп обожает сыновей, поэтому Силаева и тряслась над мальчиками. За Илюшу она заплатила, а вот Игоря с Леней сдала в круглосуточные ясли. И не побоялась повесить ключ от шкатулки на шею одного из мальчиков, решив, что там он будет в безопасности.

— Ну хоть признай, что за свекровью она присматривала из хорошего отношения к старухе, — потребовал Максим.

— Ладно, здесь ты прав, — согласилась я. — А кто второй снайпер? И кто убил Нину? Откуда киллер узнал, где она прячется?

ГЛАВА 34

Павел похлопал ладонью по толстому скоросшивателю:

— Колян рассказал все. Силаева позвонила ему на сотовый.

Я вскочила на ноги:

— Зачем? Она же насела на меня, требовала немедленного освобождения мужа. С какой стати ей еще впутывать в игру Рублева?

Макс дернул меня за свитер:

— Сядь. Я, кажется, понимаю ход ее мыслей. Романова, вместо того чтобы испугаться за жизнь незнакомых людей, тянет резину, повторяет: «Медведева так легко не отпустят, необходимо договориться с разными ведомствами». Лампа может обратиться напрямую к президенту, но этого не делает!

— Я не имею никакого отношения к главе государства! — воскликнула я. — Фото — дурацкий монтаж!

— Но Силаева-то думает иначе, — продолжал Макс, — ей кажется, что госпожа Романова недоговаривает, вероятно, беседует с Ниной под приглядом милиционеров. Едва Нине приходит в голову эта мысль, она прекращает говорить открытым текстом и в форме загадки про семь ворон сообщает Лампе адрес Тима-плотника.

— Господи, она вела себя все глупее и глупее, — вздохнула я. — Ну почему Нина решила, что я пойду к Ковригину одна, а затем свяжусь с ней по телефону, отданному мне Тимофеем Пантелеймоновичем? Я могла не разгадать ребус, или те, кто прослушивал нашу беседу, сообразили бы, о какой улице идет речь, и сопроводили меня туда. Нине просто повезло, что Лев Георгиевич не профессионал, а напыщенный индюк, он не обратил внимания на странные слова стрелка.

— Силаева мертва, — вздохнул Макс. — Точный ответ на этот вопрос мы никогда не получим. Но, учитывая психологическую характеристику Нины и ее душевное состояние, могу предположить, что она очень нервничала и поэтому перестала себя контролировать, запаниковала, испугалась, что не сможет вызволить Филиппа, и решила задействовать и Николая.

— Лев Георгиевич, как верно сказала Лампа, тупой индюк, он не профессионал, не ловит мышей, самодовольный кретин. Арсений захвачен идеей убить Риту, он услышал лишь про желание снайпера пристрелить в семнадцать часов новую жертву. В этой истории каждый думал только о собственных интересах и не замечал ничего вокруг, — подхватил Паша.

— А Лампа? — напомнил Макс. — Она испугалась, что снайпер снова начнет убивать, и помчалась по указанному адресу. Романова единственная, кто действовал бескорыстно.

— Детский сад, штаны на лямках, — оценил мою деятельность Павел.

— Тебя Лев Георгиевич уволить решил, место ты сохранил благодаря моей помощи, — обиделась я. — Давайте говорить о том, что происходило, а не оценивать умственные способности Нины и мои действия. Глупо или нет, но Силаевой удалось привести меня к Тиму-плотнику, это факт. А остальное: почему она говорила загадками, отчего никто, кроме меня, не принял ребус всерьез, — уже не важно.

Макс погладил меня по плечу:

— Спокойно. Силаева пообщалась с тобой и поняла, что ты не хочешь звонить президенту.

— И тогда она звякнула Коляну, — влез Павел, — и толкнула ему такую речь: «Записывай адрес. Знаю все про твою роль в истории со снайперами. Немедленно надиктуй признание и доставь запись в здание администрации заброшенного таксопарка, не послушаешься — убью. Я уже отстрелил ухо Валентине, это предупреждение. И принеси денег!»

— Дура, ой какая дура! — оторопела я. — Неужели она полагала, что Рублев выполнит этот приказ? Нина сама организовала собственную смерть. Николай взял винтовку и избавился от Силаевой. То-то я гадала, почему у Нины остался сотовый? Отчего киллер не взял ее телефон? Как он не понял, что Силаева еще жива и способна говорить? А это был Колян, который испугался и удрал. Надеюсь, ты получил от него полное признание?

Павел включил электрочайник и под его мерный шум продолжил:

— Колян начал давать показания, он слабохарактерный, жадный и глупый, а еще трус. Рублев сразу назвал имя второго снайпера — это Федор Мамонтов, олигарх из списка «Форбс» и...

— ...приемный сын старухи Рублевой! — закричала я, выпрыгивая из кресла. — Баба Нила воспитывала мальчика, как родного, а тот в смутные времена разбогател и перестал общаться с ней и Николаем!

— Не совсем так, — остановил меня Гладков. — Баба Нила из гордости никогда не обращалась к Федору, а Колян частенько брал у брата взаймы. В конце концов Мамонтов предложил Рублеву стать посредником при поиске партнера для игры.

— Не побоялся связаться со слизняком, — недоверчиво подхватил Макс, — мог ведь нанять любого. Рублев ненадежен, нажмут на него, он сразу сдаст олигарха.

Гладков насыпал в чашки заварку и залил ее кипятком.

— О том, что Мамонтов воспитывался бабой Нилой, широко известно. И какие улики есть против Феденьки? Колян говорит: «Олигарх играл в «карты». А Федя спокойно отвечает: «Ничего не знаю, брат мне много должен, вот он и мстит». Слово Рублева против заявления Мамонтова. Тут же прилетят адвокаты и в один счет отмажут богача. Прямых улик у нас нет.

— Ты бы хоть попытался поговорить с Федором, — вздохнула я.

— Он уже год как обустроился в Лондоне, —

мрачно пояснил Гладков, — в России не появляется.

— Удрал подальше! — возмутилась я.

Паша пожал плечами:

— Клиент недоступен. Улик нет, заявление Коляна сочтут оговором, скажут про зависть к успеху товарища детских игр. Глотни чайку, это успокаивает.

Я отхлебнула из кружки:

— Ладно. Но за убийство Силаевой Коляна можно посадить!

— Нет, — буркнул Гладков.

Я чуть не разлила чай:

— Вот здорово! Только не говори, что улик нету! Из головы Силаевой эксперт вынул пулю. У бабы Нилы есть берданка. Сравните оружие, получите результат.

— Не горячись, — остановил меня Павел, — мы уже проделали необходимые действия. Ты права: смертельное ранение Силаевой нанесли из ствола, который бабка хранит для отпугивания бомжей, покушающихся на ее огород.

Я забегала по кабинету:

— Что еще вам надо?

Павел поморщился:

— Не мельтеши, у меня голова закружилась.

Но я не обратила внимания на замечание приятеля:

— Почему Коляну не предъявили обвинение в убийстве Нины?

Гладков потер лицо рукой:

— Потому что Рублеву во время допроса стало плохо, мы не успели дойти до стрельбы в Силаеву. Николай упал в обморок, сейчас он в больнице лежит, парализованный. Обширный инсульт, ни речи, ни движений, только глазами хлопает и мычит.

Я села на место, а Макс неожиданно сказал:

— Божья кара настигла Николая раньше, чем его осудили люди.

Меньше всего мне хотелось возвращаться в Брехалово. Выйдя на улицу, я сказала Максу:

— Поеду проверю, как идет в Мопсине ремонт отопления.

— Я с тобой, — немедленно заявил Вульф, — залезай в мою машину, пусть твоя здесь постоит. Поговоришь с рабочими, и вернемся сюда, сходим поесть.

Я влезла в шикарный внедорожник, на котором сегодня прикатил Макс. Некоторое время мы ехали молча, потом Максим сказал:

— Игоря и Леню отдадут прадеду.

— Ковригину? — изумилась я. — Ему же много лет, и Тимофей Пантелеймонович бывший вор.

Макс резко ушел в левый ряд.

— Не знаю, каким образом криминальный авторитет обойдет закон, но абсолютно уверен, что ему это удастся. Мальчики уже под его опекой.

— Вот это скорость решения проблем! — восхитилась я. — А Илья?

Максим свернул на шоссе.

— Того пока лечат, уж не знаю, является ли доктор шарлатаном или он и впрямь способен социализировать умственно отсталого человека. Как только деньги, внесенные за курс лечения, закончатся, Ковригин возьмет и этого паренька.

— Поведение Тимофея Пантелеймоновича вызывает уважение, — кивнула я. — Надеюсь, у него хватит сил и здоровья справиться с пацанятами.

— Не люблю преступников, — поморщился Макс, — и не верю в желание человека измениться. Вот хитрее он может стать, перестанет попадаться, нарушая закон. Но сейчас я солидарен с тобой: Ковригин вызывает уважение, не всякий отец возьмет троих детей, один из которых даун. Чего хотеть от старика? А вот Лев Георгиевич мне отвратителен. Кстати, он больше не начальник управления.

— Думаю, Райкин не пропадет, — грустно заметила я.

— Одна субстанция всегда всплывает, — кивнул Макс.

— Интересно, Валентина поправится?

Вульф зарулил на бензоколонку.

— Никто не знает, но врачи настроены пессимистично, она до сих пор в коме. Да, ты, наверное, не знаешь, что Прасковью Никитичну отправят в интернат, она не способна жить одна.

— Ничего хорошего в этой истории нет, — вздохнула я.

Максим открыл дверь.

— Пошли выпьем кофе. Знаешь, я тут задумался: что такое любовь? И пришел к выводу: не всегда это чувство идет человеку на пользу. Филипп обожал детей, ради Илюши согласился убивать ни в чем не повинных людей. Колян любит деньги, ради них готов на все, Нина потеряла голову из-за страсти к мужу. Вроде везде любовь! И что получается?

— Ну ты сравнил, — покачала я головой, — дети, муж и деньги!

— Все равно любовь, — уперся Макс, — не важно, на что она направлена. Главное, ее градус. Мой тебе совет: никогда не связывайся с людьми, которыми движет страсть.

Мы выпили по чашечке эспрессо и приехали в Мопсино. Мастера Олег Ефимович и Валера на кухне мирно ели яичницу.

— Как дела? — спросила я. — Что с воздушно-масляно-газовой пробкой в батареях?

— С чем? — вытаращил глаза Вульф.

Я удивилась:

— Разве я не говорила тебе, что у нас такая напасть?

— Нет, — медленно ответил Макс, — ты обошлась без подробностей, буркнула: «Котел сломался», и все.

— Дык работаем, — занудил Олег Ефимович, — цапень никак не настроим, он со шпрунделем не стыкуется.

— Вам с самого начала неверно систему склепали, — заявил Валера. — Знали бы, что такой геморрой будет, отказались бы браться.

— Воздух в трубах с маслом перемешан, — кивнул Олег Ефимович, — но мы жалостливые, не бросать же одинокую бабу в тяжелом положении. Ниче, к весне наладим.

Я чуть не зарыдала:

— К весне?

— Ну, могет, к апрелю, — уточнил Валера.

По моим щекам градом покатились слезы.

— Лампа, ты им как платишь? — неожиданно спросил Макс и пощупал батарею.

— Деньгами, — всхлипнула я.

— Понятно, — со странным выражением на лице протянул Вульф, — за яблочные огрызки никто работать не подрядится. Интересно другое. Они у тебя на окладе или получают после сдачи выполненной работы?

Я шмыгнула носом:

— Каждые две недели работу оплачиваю. Думала, будет недорого, но время ремонта затянулось.

— И сколько вам еще возиться? — Макс повернулся к сантехникам: — Уж простите, я кандидат наук, преподаю русский язык, в технике не рублю!

От удивления я закашлялась, а Валера снисходительно сказал:

— Ниче! Не переживай! Сделаем.

— Хоть я и специализируюсь на Пушкине, — продолжал Макс, — но слышал, что в батареях необходимо штангенбрунденшвейн отрегулировать!

Олег Ефимович почесал подбородок:

— Дык точно! По манометру проверим.

— По манометру? — уточнил Макс.

— Ага, — закивали пролетарии.

— По манометру? — зашипел Вульф, схватил мужиков за шиворот, столкнул лбами и заорал: — Ах вы, козлы! Воздушно-газово-масляная пробка в батареях! Нарвались на глупую женщину и развели ее на бабло? Жрете яичницу, получаете раз в две недели рублики и брешете хозяйке? Откуда в «гармошках» газ? А масло?

Задавая вопросы, Макс не забывал снова и снова сшибать мастеров головами.

— Штангенбрунденшвейн по манометру проверите? Сволочи!

— Что такое штангенбрунденшвейн? — пискнула я.

Макс шмякнул мастеров о стену.

— Понятия не имею, родил термин в момент вдохновения. Если и есть какой-нибудь штангенбрундель, то он точно не в отопительной системе. Зато я вижу двух швайнов, что в переводе с немецкого означает «свиньи». Вот они, перед тобой! Лампа, ты выйдешь за меня замуж? Отвечай немедленно «да»! Иначе в твоей жизни постоянно будут встречаться подобные штангеншвайны!

— Да, — машинально ответила я, — да.

Макс отшвырнул мужиков на пол, наступил ногой на живот Олега Ефимовича и неожиданно ласково сказал:

— Слушайте меня внимательно. У вас есть два часа, пока моя будущая жена соберет вещи в Брехалове, швайнсантехникам нужно выпустить воздух из батарей, вымыть дом и свалить вон. Скажите спасибо, что я сегодня добрый, а то бы слил вас, масляно-газовых, в ливневую канализацию! Андестенд?

— Стенд, стенд, — в ужасе закивали мошенники, — все в лучшем виде оформим, не сомневайтесь, хозяин, делов на час, ща своих баб кликнем, они коттедж вылижут.

— Приятно прийти к консенсусу, — подытожил Макс. — Лампа, поехали за шмотками.

— Они мне врали! — запоздало возмутилась я на подъезде к Брехалову.

— Нагло и по-хамски, — подтвердил Макс.

ЭПИЛОГ

Очевидно, Вульф разозлился по-настоящему, потому что он не дал мне аккуратно сложить вещи, а сам кое-как распихал их по сумкам.

— Отваливать прочь? — спросил Томас, когда я вышла на кухню, чтобы забрать свою посуду. — Жаль не хватать тебя, сам качусь вон, полиция бабушку обтряхивает, вопросами меня тиранила, лучше уйти за тридесятое царство.

— Пойду попрощаюсь с бабой Нилой, — вздохнула я.

— Она из сарая хлам кидать, — пояснил Томас, — осторожно с ней. Больница звонила, Валентина умерла. Лучше не приблизиться к грандмама, вали прочь так.

Но я посчитала неприличным исчезнуть, не выразив старухе напоследок благодарность за приют, и поторопилась к сараю.

Баба Нила стояла около открытой двери в пристройку, слева виднелась куча барахла, аккуратно прикрытого мешком для мусора.

— Съезжаешь? — сразу спросила старуха.

— Ремонт в Мопсине закончился, — деликатно ответила я.

— Доброго тебе пути, — пожелала бабка. — Про Валентину слыхала?

Я кивнула:

— Мне очень жаль.

— Может, оно и к лучшему, — нахмурилась баба Нила. — Колян, если выкарабкается, инвалидом останется. Вот решила сарай разобрать.

— Правильно, — кивнула я, — там много ненужного было. Из полезного лишь мешок с бахилами.

Внезапно в моей голове вспыхнул фейерверк, и меня повело в сторону.

— Эй, тебе плохо? — испугалась хозяйка. — Макс, чего это с ней?

Крепкие руки схватили меня за плечи.

— Лампуша, ты как? — спросил Макс, очевидно, увидевший из окна, что я пошла к сараю, и поспешивший за мной.

— Помнишь кусочек серо-голубой пленки с

присборенным краем, который я нашла на месте гибели Нины и передала твоему эксперту Равиле? — тихо спросила я. — Что с ним?

— Он похож на обрывок от бахилы, — спокойно ответил Макс, — очень маленький, на нем нет отпечатков.

Я вцепилась в Максима:

— Колян трус, он не смог бы выстрелить в Нину, ее убила баба Нила. Это она поехала в заброшенное здание с берданкой, надела, как всегда, на новые сапожки бахилы и подстрелила Силаеву. Баба Нила очень аккуратна. Видишь, как она набросила на мусор пакет? Это привычка. Поэтому старуха и положила на тело картон, действовала на автомате. Нина была для нее просто грязь, а грязь надо накрыть. Но старуха не профи, поэтому она не подумала про сотовый, который остался у Силаевой, не проверила ее пульс, быстро ушла, зацепившись одной бахилой за арматуру. Силаева очнулась и смогла мне позвонить, несчастная лежала на боку, картонка во время разговора не съехала, Нина умерла, не сумев толком ничего сообщить. Колян бы непременно рассказал, что не он помчался в разрушенное здание, но не успел и теперь уже ничего не скажет. А еще баба Нила приходила ко мне, просила мазь от ушибов, думаю, у нее на плече остался след от отдачи после выстрела! Я права?

Баба Нила обхватила себя руками:

— Оставьте меня в покое. Кто за Коляном ухаживать будет? Нинка сволочь была, и Валентина сука, и Федор гад, впутал сводного брата в историю. Знал, что Николаша у него на поводу пойдет, денег захочет.

— Колян хороший? — спросил Макс. — Вы его очень любите?

— Дурак он, — выпалила старуха, — но сын. А кто, кроме матери, ребенку пособит?

Я отступила на пару шагов и прижалась к Максу:

— Иногда человек случайно оговаривается, бросает ничего не значащую фразу, но она очень важна. Когда Игорь заныл, что хочет посмотреть на быдрят, Нила упрекнула мальчика, сказала между прочим: «Избаловала вас мать, бандюки в отца получились, пойдете, как и он, по кривой дорожке». Мне надо было обратить внимание на ее фразу: ну откуда хозяйка знала, что отец парнишек «пошел по кривой дорожке»? Силаева никому про Филиппа не рассказывала. Кто сообщил бабке правду? Ясное дело, Колян, после того как ему позвонила Нина и в отчаянии потребовала все: денег, выдачи второго снайпера .. Ну не знаю, что она ему еще наболтала, а он бросился к матери... Господи! Я же видела, как старуха спешит по двору со спортивной сумкой. Я как раз ела активированный уголь, боялась отравиться кактусом, потом помчалась в ванную, просидела там почти два часа и, вернувшись к себе, услышала мобильный. На том конце была умирающая Нина. Баба Нила, вы убили человека!

Старуха вытерла руки о тряпку:

— Ну и чего? Я защищала сына.

У меня заболел желудок, я простонала:

— Баба Нила, как вы могли решиться? Почему в вас уживаются полярно разные люди? Охотно угощаете всех, не жалеете домашних консервов или супа ни для меня, ни для Томаса и с винтовкой бегаете за тем, кто решил украсть пару картофелин. Считаете Коляна неудачником, недовольны его нежеланием работать — и запросто убиваете Нину, которая могла причинить Коле вред. Вроде хорошо относитесь к Валентине и равнодушно принимаете весть о ее смерти.

Хозяйка сложила руки на животе:

— Свои дети у тебя есть? Ну, не те, которых ты воспитываешь, а родные?

— Нет, — призналась я.

— Тогда и не спрашивай, — спокойно сказала старуха, — не поймешь!

— Извините, что прерываю сеанс психоанализа, — заявил Макс, — но лучше направиться в дом. Я вызываю сюда Гладкова.

Рублева повиновалась, мы вошли в кухню.

— Че, в тюрьму потащите? — вдруг спросила баба Нила. — Тогда дайте поесть перед дорогой.

Я встала у окна, Макс сел за стол.

— Пожалуйста, — сказал он.

Старуха вынула из холодильника яйца.

— Глазунью хотите? — предложила она.

— Нет, — хором ответили мы.

— Ну и не надо, — сказала она и ловко кинула в Макса железной банкой, в которой хранился молотый перец.

Жестяная тара попала не ожидавшему нападения Вульфу прямо по макушке, черный порошок засыпал голову. Максим вскрикнул и принялся оглушительно чихать и кашлять. Я на секунду растерялась, бросилась к нему, вылила на Макса бутылку минералки и лишь потом вспомнила о Рублевой.

Старухи уже не было в комнате, я кинулась к окну и увидела, как баба Нила бежит по дорожке к калитке. Я распахнула раму, схватила небольшой контейнер с соусом «Кольт», стоявший на подоконнике, и швырнула в бабку.

Увы, я никогда не отличалась меткостью. Серая упаковка угодила в забор. Баба Нила вылетела на улицу. Контейнер раскрылся, темно-бордовая масса потекла по деревяшкам, те задымились, запузырились и начали рушиться. Не зря хозяева ресторана «Вивальди» убрали «Кольт» из меню. Соус, за считаные секунды разваливший изгородь, явно не годится для человеческого желудка. Хорошо, что я не попала в старуху, иначе бы мне могли предъявить обвинение в убийстве. А еще лучше, что я не осуществила план мести и не украсила атомной подливкой еду Макса.

Куда подевалась баба Нила — осталось загадкой. Старуха удрала из Брехалова без документов и денег, она до сих пор в розыске. Гладков велел установить наблюдение за палатой, где лежит парализованный Колян, вот только мать не спешит на встречу с сыном.

Прошло несколько дней.

Сегодня, двадцать восьмого февраля, мы с Максом собрались в кино и мирно ехали по улице. Вдруг Вульф закричал:

— Лампа, тормози!

— Что такое? — испугалась я, паркуясь у тротуара.

— Нам надо срочно сюда зайти! — велел Макс. — Идем.

— Куда? Зачем? — попыталась я задавать вопросы, но Вульф уже ввел меня в небольшой офис и спросил у толстого мужика в очках:

— Не опоздали? Мы договаривались на полдень.

Дядька поправил пальцем оправу:

— Все готово.

— Что? — не поняла я.

— Потом объясню, — отмахнулся Макс, забирая большой конверт. — Спасибо, Ефимыч.

— Поздравляю, — улыбнулся клерк.

— С чем? — изумилась я.

Макс вытолкнул меня в приемную и приказал:

— Садись.

Я плюхнулась в одно из кресел, Вульф устроился рядом. По правую руку от него скучал парень лет тридцати пяти.

— Знаешь, неинтересно поступать как все, — неожиданно сказал мой спутник. — Надо ломать традиции. Люди удивительно однообразны: пришли домой, поужинали, помылись, легли спать. Тоска!

— Предлагаешь им сначала выспаться, а потом, приняв душ, сесть к столу? — захихикала я.

— Ну не совсем, — улыбнулся Макс.

— А что мы здесь делаем? — проявила я вполне оправданное любопытство.

Макс нахмурил брови:

— Ответь честно. Ты пойдешь ко мне на работу?

— Опять двадцать пять, — поморщилась я. — Сколько раз уже объясняла: не могу служить под началом у того, с кем у меня неформальные отношения.

— Отлично, — кивнул Макс, — я так и думал. Поэтому решил: раз ты не сотрудница, значит — жена. Логично?

Я разинула рот, а Вульф продолжал:

— Ефимыч мне кое-чем обязан, я его из большой бяки вытащил, поэтому он и пошел на некоторые нарушения. Мы с тобой сидим в загсе. В его, так сказать, непарадной части, где оформляют разводы и расписывают тех, кто не хочет пафоса. Вот! Держи.

Макс вытащил из только что полученного конверта два паспорта, один он протянул мне со словами:

— Пролистай.

Я открыла свой паспорт, увидела сиреневый штамп и лишилась дара речи. Госпожа Романова с этой минуты должна всегда следовать за господином Вульфом, не разлучаясь с ним ни в горе, ни в радости.

— Ну нельзя жить как все, — разглагольствовал тем временем Макс, — я решил поступить прикольно: сначала регистрация брака, первая брачная ночь, потом предложение руки и сердца, помолвка, ухаживания с походами в кино и, наконец, попойка в ресторане. Все наперекосяк, вперемешку, никакой тоски и скуки.

Думаю, вы поймете, отчего я, уставясь на свой паспорт со штампом о браке, не смогла выдавить из себя ничего, кроме:

— Э... э... э...

– Ну, и как ощущения? – бодро спросил Макс.

– Как у бабочки в гипсе! – произнесла я. – Странные...

– Бабочка в гипсе, – восхитился Макс, – как поэтично. Сразу становится понятно, что молодая жена серьезно относится к браку. Бабочкам свойственно легкомыслие, они спокойно перепархивают с цветка на цветок. Однако отдельные бабочки добровольно облачают себя в гипс, лишаются возможности покинуть семейный очаг, посвящают свою жизнь мужу!

Я наконец-то сумела прийти в себя и начала открывать рот. Сейчас выскажу Максу все, что думаю о нашем бракосочетании. Ему не приходит в голову простая мысль: бабочка не может жить в гипсе? Лишившись возможности летать, она будет страдать. И я совершенно не готова к совместной жизни даже с таким приятным человеком, как Макс. Я сейчас на самом деле чувствую себя бабочкой в гипсе. Поверьте, не самое комфортное ощущение.

— Поженились? — бесцеремонно влез в наш разговор парень, сидевший около Макса. — Поздравляю! А я вот за разводом пришел.

— Ничего, еще найдешь любимую, — обнадежил его Максим.

— Неохота опять наколоться, — протянул тот. — До загса они все хорошие, а на следующее утро смотришь, — а рядом с тобою змея. В последний месяц меня собака больше любила, чем законная жена. Придешь домой, пудель аж прыгает от счастья, а супруга сидит надувшись. Вот хочу тест найти, чтобы новую бабу через него прогнать, авось правда заранее выяснится.

— Кто тебя больше любит, кандидатка в жены или собака? — усмехнулась я.

Парень кивнул.

— Могу помочь! — обрадовался Макс. — У тебя дача есть?

— Шесть соток, а что? — не понял собеседник.

— Небось там сарай имеется? — продолжил Максим. — Простой, российский, типа будка, из досок, без света и отопления?

— Ну да, у забора пристроен, — окончательно растерялся юноша.

Макс хлопнул его ладонью по колену:

— Отлично, то что надо. Запоминай последовательность действий. Привозишь невесту и пса в деревню, запираешь их в сараюшке.

— И дальше? — ошарашенно спросил юноша.

— Потом говоришь, что потерял ключ от замка, — зачастил Макс, — и уходишь примерно на сутки.

— Ваще не понимаю, — протянул чей-то будущий муж.

— Все просто, — без тени улыбки продолжил Макс, — спустя двадцать четыре часа возвращаешься, отпираешь сараюху и смотришь, кто тебе больше обрадуется: баба или псина? Вот с той, которая от счастья будет прыгать, и живи счастливо до старости.

Донцова Д. А.

Д 67 Бабочка в гипсе : роман / Дарья Донцова. — М. : Эксмо, 2012. — 384 с. — (Иронический детектив).

С тех пор как я, Евлампия Романова, закрутила роман с Максом Вульфом, моя жизнь стала полна сюрпризов и розыгрышей! На этот раз Макс сделал фотографию-монтаж, где я дружески общаюсь с президентом, и украсил этим милым снимком съемное жилище, куда мне пришлось перебраться на время ремонта в Мопсине. Это оказалось роковой ошибкой! Новые соседи приняли фото за чистую монету и решили, что Лампа не просто любительница собак и безработная частная сыщица, она на короткой ноге с сильными мира сего! Так мне пришлось решать очередную детективную головоломку .. Моя добрая хозяюшка — бывший прокурор. В свое время она осудила снайпера Медведева, отстреливавшего случайных людей на улице. И вот теперь неизвестный требует освободить преступника, угрожая каждый день убивать по человеку. Но самое неприятное, что он хочет вести переговоры .. только со мной!

УДК 82-3
ББК 84(2Рос-Рус)6-4

ISBN 978-5-699-43566-1

Оформление серии *В. Щербакова*
Серия основана в 2000 году
Иллюстрация на обложке *В. Остапенко*

Литературно-художественное издание

ИРОНИЧЕСКИЙ ДЕТЕКТИВ

Донцова Дарья Аркадьевна

БАБОЧКА В ГИПСЕ

Ответственный редактор *О. Рубис*
Редакторы *В. Калмыкова, Т. Семенова*
Художественный редактор *В. Щербаков*
Технический редактор *Н. Носова*
Компьютерная верстка *А. Пучкова*
Корректор *Е. Барабанова*

ООО «Издательство «Эксмо»
127299, Москва, ул. Клары Цеткин, д. 18/5. Тел. 411-68-86, 956-39-21.
Home page: **www.eksmo.ru** E-mail: **info@eksmo.ru**

Подписано в печать 14.06.2012. Формат 70x90 1/32.
Гарнитура «Таймс». Печать офсетная. Усл. печ. л. 14,0.
Доп. тираж 6000 экз. Заказ №7296.

Отпечатано с электронных носителей издательства.
ОАО «Тверской полиграфический комбинат». 170024, г. Тверь, пр-т Ленина, 5.
Телефон: (4822) 44-52-03, 44-50-34, Телефон/факс: (4822) 44-42-15.
Home page - www.tverpk.ru Электронная почта (E-mail) sales@tverpk.ru

Оптовая торговля книгами «Эксмо»:
ООО «ТД «Эксмо». 142702, Московская обл., Ленинский р-н, г. Видное,
Белокаменное ш., д. 1, многоканальный тел. 411-50-74.
E-mail: **reception@eksmo-sale.ru**

По вопросам приобретения книг «Эксмо» зарубежными оптовыми покупателями
обращаться в отдел зарубежных продаж ТД «Эксмо»
E-mail: **international@eksmo-sale.ru**

International Sales: *International wholesale customers should contact Foreign Sales Department of Trading House «Eksmo» for their orders.*
international@eksmo-sale.ru

По вопросам заказа книг корпоративным клиентам, в том числе в специальном оформлении,
обращаться по тел. 411-68-59, доб. 2299, 2205, 2239, 1251.
E-mail: **vipzakaz@eksmo.ru**

Оптовая торговля бумажно-беловыми и канцелярскими товарами для школы и офиса «Канц-Эксмо»:
Компания «Канц-Эксмо»: 142700, Московская обл., Ленинский р-н,
г. Видное-2, Белокаменное ш., д. 1, а/я 5.
Тел./факс +7 (495) 745-28-87 (многоканальный).
e-mail: **kanc@eksmo-sale.ru**, сайт: **www.kanc-eksmo.ru**

Полный ассортимент книг издательства «Эксмо» для оптовых покупателей:
В Санкт-Петербурге: ООО СЗКО, пр-т Обуховской Обороны, д. 84Е.
Тел. (812) 365-46-03/04.
В Нижнем Новгороде: ООО ТД «Эксмо НН», ул. Маршала Воронова, д. 3.
Тел. (8312) 72-36-70.
В Казани: Филиал ООО «РДЦ-Самара», ул. Фрезерная, д. 5.
Тел. (843) 570-40-45/46.
В Самаре: ООО «РДЦ-Самара», пр-т Кирова, д. 75/1, литера «Е».
Тел. (846) 269-66-70.
В Ростове-на-Дону: ООО «РДЦ-Ростов», пр. Стачки, 243А.
Тел. (863) 220-19-34.
В Екатеринбурге: ООО «РДЦ-Екатеринбург», ул. Прибалтийская, д. 24а.
Тел. +7 (343) 272-72-01/02/03/04/05/06/07/08.
В Новосибирске: ООО «РДЦ-Новосибирск», Комбинатский пер., д. 3.
Тел. +7 (383) 289-91-42. E-mail: **eksmo-nsk@yandex.ru**
В Киеве: ООО «РДЦ Эксмо-Украина», Московский пр-т, д. 9.
Тел./факс (044) 495-79-80/81.
Во Львове: ТП ООО «Эксмо-Запад», ул. Бузкова, д. 2.
Тел./факс: (032) 245-00-19.
В Симферополе: ООО «Эксмо-Крым», ул. Киевская, д. 153.
Тел./факс (0652) 22-90-03, 54-32-99.
В Казахстане: ТОО «РДЦ-Алматы», ул. Домбровского, д. 3а.
Тел./факс (727) 251-59-90/91. RDC-Almaty@eksmo.kz

Полный ассортимент продукции издательства «Эксмо»
можно приобрести в магазинах «Новый книжный» и «Читай-город».
Телефон единой справочной: 8 (800) 444-8-444.
Звонок по России бесплатный.

В Санкт-Петербурге в сети магазинов «Буквоед»:
«Парк культуры и чтения», Невский пр-т, д. 46. Тел. (812) 601-0-601
www.bookvoed.ru

ISBN 978-5-699-43566-1